KB185340

집으로 가는 길

집으로 가는 길

A LONG WAY GONE

어느 소년병의 기억

이스마엘 베아 지음
김재경 옮김

AGORA

추천사

"베아는 독특한 목소리로 아주 중요한 이야기를 전한다."

— 존 코리, 《월스트리트 저널》

"미국인들은 아프리카에서 벌어지는 분쟁을 대량학살, 인종청소, 사지절단 같은 끔찍한 개념들이 나타내는 모호한 사태, 저 멀리 안전하게 차단돼 있는 사태 정도로 치부하는 경향이 있다. 이 책『집으로 가는 길』을 읽고 나면 그런 단절감을 더 이상 느낄 수 없을 것이다. …… 전쟁 중의 폭력을 현실적이면서도 도저히 눈을 뗄 수 없는 방식으로 묘사한 …… 이 책의 강점은 상황만 갖추어진다면 나이에 상관없이 어떤 인간이든 가장 극악무도한 짓마저 저지를 수 있다는 사실을 깨닫게 하는 데 있다."

— 길버트 크루즈, 《엔터테인먼트 위클리》

"엄밀하다고 할 수 있을 만큼 솔직한 베아의 진솔함은 아이들에게 '기회만 주어진다면 역경을 극복할' 능력이 있다는 증거다."

— 《뉴요커》

"이 호소력 짙은 이야기는 …… 전쟁의 참상 속으로 납치당한 아이의 삶과 정신을 어떤 기록물보다도 생생하게 드러낸다. …… 문학적 재능을 가진 청년에 의해 명료하면서도 이해하기 쉬운 언어로 쓰인 이 회고록은 전쟁은 물론 지금도 전세계의 소년병들이 겪고 있는 곤경을 직접 겪어낸 전쟁 기록의 고전이 될 것으로 보인다."

— 《퍼블리셔스 위클리》

"깊은 감동을 주며 고무적이기까지 하다. …… 랩에 맞춰 춤을 추는 대목이든 코코넛을 먹는 대목이든 불타는 고향 마을을 향해 달려가는 대목이든 냉철한 묘사와 문학적 개성이 두드러지는 베아의 이야기는 반드시 읽어야 할 가치가 있다."

— 리자 벨슨, 《피플》

"베아는 재능이 아주 뛰어난 작가다. …… 그의 회고록을 읽어보면 그 이야기에 사로잡히고 말 것이다. 치러야 할 대가가 크기는 하지만 그럴 만한 가치가 있다."

— 말콤 존스, 《뉴스위크》

"베아는 마침내 소년병 문제의 대변인 자격으로 발언할 기회를 얻었을 때 자신이 세상에 어떤 말을 전하고 싶은지 정확히 알고 있었다. …… '나는 늘 사람들에게 말했다. 기회만 주어진다면 아이들은 역경을 극복할 회복력을 가지고 있다고.' 물론 다른 사람들도 똑같은 말을 할 수 있다. 하지만 베아는 이를 일인칭으로 말할 수 있다. 바로 이 때문에 이 책은 더욱 매력적으로 읽힌다."

— 캐럴 황, 《크리스천 사이언스 모니터》

"베아는 시에라리온이나 세계화, 또는 스스로를 비판하는 글을 쓸 수도 있었지만 그 대신 자기 자신을 내세우지 않는 인간적인 책을 내놓았다. …… 이 책은 전쟁에 의해 뒤틀린 삶을 사는 수많은 아이들의 삶 속으로 우리를 데려다 놓는다. 그 방식마저 진솔하면서도 감동적이다."

— 리처드 톰슨, 《스타 트리뷴》

"이스마엘 베아 입장에서는 이 책에 묘사된 참상을 살아냈다는 사실만으로도 충분했을지 모른다. 하지만 놀랍게도 베아는 자신이 직접 겪은 여정을 인상적인 기록으로 남기기까지 했다. 전쟁이 인간에게 초래하는 결과를, 전쟁의 참혹하고 비인간적인 대가를 이해하고자 하는 사람이라면 이스마엘 베아의 이야기를 깊이 들여다보기 바란다."

— 척 레디, 《필라델피아 인콰이어러》

"베아의 회고록은 잔혹하고 타락한 행위를 지독할 만큼 끔찍하게 묘사한다. 그럼에도 베아의 뛰어난 문장력, 마음을 움직이는 목소리, 디테일을 살리는 재능은 독자가 불필요하게 폭력에 심취하지 않도록 막아준다. …… 이 전쟁 회고록은 마지막 장을 덮은 뒤에도 마음속에 오래도록 남는다."

— 존 마셜, 《시애틀 포스트인텔리젠서》

"베아가 다시 희망과 기쁨을 찾았다는 사실은 물론이고 베아가 살아남았다는 사실 자체만으로도 놀랍다. 어마어마한 용기의 증거다. …… 게다가 베아가 모국어도 아닌 언어로 이런 회고록을 써낼 수 있었다는 사실은 충격을 넘어 전율까지 느끼게 한다. 이 책은 전쟁이라는 비뚤어진 거짓말을 겨냥하는 팽팽한 화살과도 같은 작품이기 때문이다."

—브라이언 도일, 《오리고니언》

"베아는 놀라울 만큼 서정적인 표현으로 고통스러울 만큼 솔직하게, 끔찍할 만큼 세세하게 자기 이야기를 펼쳐나간다. …… 학교 문집마다 빠지지 않고 들어가야 할 작품이다."

—레이나 패튼, 《보야》

"우리 세대의 가장 중요한 전쟁 이야기 중 하나. …… 이스마엘 베아는 전쟁이라는 혼돈 속에서 살아나왔을 뿐만 아니라 그것을 가장 감명적인 방식으로 기록한 작가 중 한 명이 되었다. 그가 전하는 메시지에 주의를 기울이지 않으면 위험을 각오해야 할 것이다."

—세바스찬 융거(『퍼펙트 스톰』의 저자)

"아름다운 책이다. 이스마엘 베아는 상상조차 할 수 없는 참상을 차분하면서도 잊을 수 없는 언어로 묘사한다."

—스티브 콜(『유령 전쟁』의 저자)

"비통하면서도 아름답고 매혹적인 이야기. 이스마엘 베아의 놀라운 모험담은 순박한 인간이 선한 일과 용감한 일은 물론 극도로 잔혹한 일도 할 수 있는 존재라는 사실을 알려준다. 이 책을 읽는 내내 숨을 죽이게 될 것이다."

—월터 아이작슨(『아인슈타인의 삶과 우주』의 저자)

나의 어머니, 나의 아버지, 나의 가족들을 추모하며.

당신들의 영혼과 존재는

내 안에서

내가 계속 나아갈 수 있게 힘을 줍니다.

유년 시절을 빼앗긴 시에라리온의 모든 아이들에게.

그리고 너그럽고 자상한 마음으로

내게 신사로서 지켜야 할 예절을 가르쳐준

월터(월리) 슈어를 추억하며.

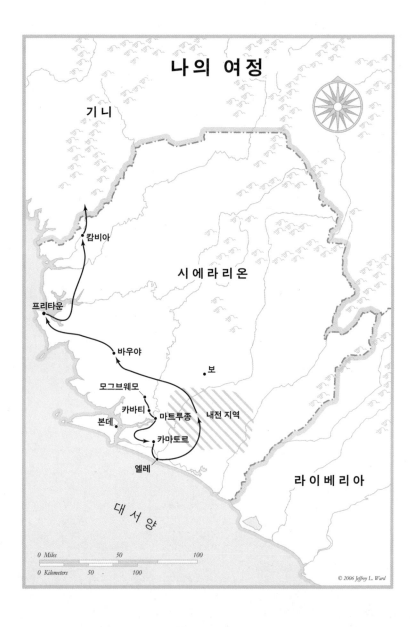

뉴욕 시, 1998

    고등학교에서 만난 친구들은 내가 자신들에게 내 인생 얘기를 전부 다 들려준 것은 아니라는 의심을 품기 시작했다.

"왜 시에라리온을 떠난 거야?"

"전쟁 중이었으니까."

"너도 싸우는 모습을 본 적 있어?"

"시에라리온 사람이라면 다 봤지."

"사람들이 총을 들고 뛰어다니면서 서로를 쏘는 걸 봤다고?"

"응, 늘 있는 일이었는걸."

"대단하다."

나는 살짝 웃어 보였다.

"언젠가 그 이야기 꼭 들려줘야 해."

"그래, 언젠가."

1

전쟁에 대한 이런저런 소문이 많았지만, 말로만 들을 때는 저 멀리 딴 나라 일인 것만 같았다. 난민들이 우리 마을을 거쳐 지나가기 시작한 뒤에야 정말로 우리나라에서 전쟁이 벌어지고 있구나 싶었다. 전쟁을 피해 수백 마일을 걸어온 난민 가족들은 자신들의 일가친척이 어떤 식으로 죽임을 당했으며 집이 어떻게 불살라졌는지 이야기해줬다. 이야기를 들은 몇몇 사람들은 안타까워하면서 머무를 곳을 내주기도 했다. 하지만 난민들은 대부분 그 호의를 거절했다. 어차피 전쟁이 곧 우리 마을로도 번질 것이라고 생각했기 때문이다. 난민 아이들은 우리와 눈도 마주치려 하지 않았고, 장작 패는 소리나 아이들이 새총으로 쏜 돌이 양철지붕 위에 떨어지는 소리만 나도 소스라치게 놀랐다. 그런 아이들을 데리고 전쟁 지역에서 온 어른들은 우리 동네 어르신들과 대화를 나누다가도 멍하니 넋을 잃곤 했다. 단지 피곤하거나 못 먹어서가 아니라 그들이 전쟁 지역에서 목격한 무언가가, 자세히 설명한다면 우리로서는 도저히 받아들이지 못할 무언가가 마음속에서 계속 그들을 괴롭히고 있는 것이 분명했다. 때로는 난민들이 말하는 이야기가 과장됐다는 생각이 들기도 했다. 내가 전쟁에 대해 아는 것은 책이나 〈람보〉 같은 영화에서 본 것, BBC 뉴스를 통해 들은 이웃나라 라이베리아의 전쟁 이야기 정도가 전부였기 때문이다. 고작 열 살 먹은 내 상상력으로는 무엇이 난민들에게서 행복을 앗아갔는지 짐작할 수 없었다.

내가 처음으로 전쟁을 체감한 것은 열두 살 때였다. 1993년 1월, 나는 나보다 한 살 많은 주니어 형과 역시 한 살 위인 친구 탈로이와 함께 집을 나섰다. 마트루종 마을에서 열리는 장기자랑 대회에 참가하기 위해서였다. 나와 제일 친했던 친구 모하메드는 그날 자기 아버지와 부엌의 초가지붕을 고쳐야 한다고 해서 같이 가지 못했다. 우리 넷은 내가 여덟 살일 때 랩을 하고 춤을 추는 팀을 꾸렸다. 우리는 모범비에 갔다가 처음 랩을 접했다. 모범비는 우리 아빠가 다니는 미국계 회사에서 일하는 외국인들이 주로 거주하는 구역이었다. 모범비에 가면, 수영장에서 수영도 하고 커다란 컬러 텔레비전을 보거나 유흥가를 가득 채운 백인들을 구경할 수 있었다. 우리 넷이 모범비에 놀러 갔던 어느 날 저녁, 텔레비전에 한 무리의 젊은 흑인들이 엄청나게 빠른 속도로 가사를 읊어대는 뮤직비디오가 나왔다. 우리는 그 노래에 완전히 사로잡혀, 그 자리에 그대로 앉은 채 흑인 가수들이 도대체 뭐라고 하는 건지 알아들어보려고 애를 썼다. 뮤직비디오가 끝날 즈음 화면 아래에 "슈거힐 갱의 〈래퍼스 딜라이트〉"라는 자막이 나왔다(미국의 힙합 그룹인 Sugarhill Gang이 1979년에 발표한 〈Rapper's Delight〉는 '힙합의 시초'로 알려져 있다—옮긴이). 주니어 형이 재빨리 종이 한 장을 꺼내 노래 제목을 받아 적었다. 그때부터 우리는 텔레비전에 나오는 그와 비슷한 음악을 배우기 위해 한 주 걸러 한 번씩은 모범비에 갔다. 그때는 그 장르를 랩이라고 부른다는 것조차 몰랐고, 그저 흑인들이 그토록 빠른 박자에 맞춰 영어를 하는 것이 정말이지 신기하고 대단해 보였다.

시간이 흘러 중학교에 간 주니어 형은 새로 사귄 친구들에게 외국 음악과 춤에 대해 더 많은 것을 배울 수 있었다. 휴일마다 형은 카세트테이프를 가져와 나랑 내 친구들에게 힙합이라는 음악에 맞춰 춤을 추는 법을 가르쳐줬다. 나는 힙합 춤이 너무나 마음에 들었고 특히 힙합 가사를 배우는 과정이 참 재미있었다. 가사가 시적인 것은 물론이고 영어 어휘를 늘리는 데에도 도움이 됐기 때문이다. 어느 날 오후, 우리 집에서 주니어 형과 모하메드, 탈로이와 함께 에릭 비&라킴의 〈아이 노우 유 갓 소울〉 버스(후렴 전의 1절과 2절 부분—옮긴이)를 연습하고 있는데 아빠가 집에 들어오셨다. 아빠는 진흙 벽돌에 양철지붕으로 된 우리 집 문가에 서서 웃음을 터뜨리며 이렇게 물어보셨다. "지금 너희들이 하는 말, 뜻은 아는 거니?" 주니어 형이 대답도 하기 전에 마당으로 가신 아빠는 망고나무, 구아바나무, 오렌지나무 그늘 아래에 있는 해먹에 앉아, 라디오를 BBC 뉴스가 나오는 채널에 맞추셨다.

아빠가 큰 소리로 외쳤다. "자, 이런 게 좋은 영어란다. 너희들도 이런 영어를 들어야지."

아빠가 뉴스를 듣고 계시는 동안 주니어 형은 우리에게 박자에 맞춰 발을 움직이는 법을 가르쳐줬다. 우리는 상체와 머리를 흔들면서 오른발과 왼발을 번갈아가며 앞뒤로 뻗었고 동시에 두 팔도 앞뒤로 움직였다. 주니어 형이 "이게 러닝맨이라는 동작이야"라고 말했다. 춤 연습 다음에는 외운 가사대로 랩을 흉내내는 연습을 했다. 저녁이 되어 물을 긷거나 등을 닦는 등의 집안일을 하러 헤어지기 전에도 우리는 "피스!"라든가 "아임 아웃!" 같은 랩 가사의 표현을 써먹었다. 밖에서는 새와 귀뚜라미의 저녁 노래가 시작되고 있었다.

마트루종으로 떠나던 날 아침, 가방에는 연습 중인 가사가 적

13

힌 공책을, 주머니에는 랩 앨범 카세트테이프들을 잔뜩 쑤셔넣었다. 우리는 편하게 춤을 출 수 있도록 배기팬츠 차림이었으며 바지 안에는 축구용 반바지나 스웨트팬츠를 입었다. 상의로는 소매가 없는 속옷이나 저지티셔츠 위에 긴팔티셔츠를 겹쳐 입었다. 또 스니커즈가 빵빵해 보이도록 양말을 세 겹 겹쳐 신은 다음에 아래로 돌돌 말거나 접어놓았다. 낮에 날씨가 더울 때는 옷을 몇 개 벗어서 어깨에 걸치고 다녔다. 최신 유행을 따른 이 특이한 옷차림이 나중에 도움이 되리라는 건 상상하지 못했다. 바로 다음 날 돌아올 생각이었기 때문에 우리는 아무에게도 작별인사를 하지 않았고 어디로 가는지도 말하지 않았다. 그렇게 집을 떠나 영영 돌아오지 못할 줄은 꿈에도 몰랐다.

돈을 아끼기 위해 우리는 마트루종까지 16마일을 걸어가기로 결정했다. 해가 그리 뜨겁지 않은 아름다운 여름날이었다. 이런저런 잡담을 나누기도 하고 서로 쫓고 쫓기는 장난을 치며 걷는 길은 그다지 멀게 느껴지지 않았다. 새총을 쏴서 새를 맞추거나 포장이 안 된 큰길을 가로지르려는 원숭이를 쫓는 것도 재미있는 장난거리였다. 이따금 걸음을 멈추고 강으로 뛰어들어 헤엄을 치기도 했다. 다리가 놓여 있는 어느 강에서 수영을 하고 있을 때였는데, 멀리서 차가 오는 소리가 들렸다. 우리는 차를 좀 얻어 탈 수 있을지 알아보기로 했다. 내가 주니어 형과 탈로이보다 먼저 물에서 나와, 둘의 옷가지를 집어들고 냅다 다리 위를 달려갔다. 벌거숭이가 된 형과 탈로이는 차가 오기 전에 나를 잡으려 뛰어왔지만, 불가능하다는 걸 깨닫고는 도로 강쪽으로 달려갔다. 그러다 다리 중간쯤에서 차를 맞닥뜨렸다. 트럭에 타고 있던 소녀들이 꺄르르 웃음을 터뜨렸고 운전사는 빵빵 하고 경적을 울렸다. 어찌나 우습던지. 남은 여정 내내 둘은 내게 복수할 기회를 노렸지만 결국 성공하지는 못했다.

우리는 오후 두 시쯤 우리 할머니가 사시는 마을인 카바티에 도착했다. 사람들은 할머니를 '마미에 크파나'라고 불렀다. 할머니는 키가 크셨고, 아름다운 광대뼈와 커다란 갈색 눈망울과 조화를 이룬 갸름한 얼굴을 지닌 분이었다. 할머니는 언제나 양손을 엉덩이나 머리에 짚고 서 계셨다. 할머니를 보면 우리 어머니가 우아하게 까무잡잡한 피부, 눈부실 만큼 하얗게 빛나는 치아, 희미한 목주름을 어디서 얻었는지 알 수 있었다. 할아버지는 마을 안팎으로 명성 높은 아랍어학자이자 치료사셔서, 마을 사람들에게 선생님이라는 뜻의 '카모르'라고 불리셨다.

카바티에서 밥을 먹고 잠깐 쉰 다음에 우리는 다시 남은 6마일을 걸을 준비를 했다. 할머니는 우리가 하룻밤 자고 가기를 바라셨지만 우리는 다음 날 집으로 가야 해서 어렵다고 말씀드렸다.

"너희 아버지는 요즘 너희한테 잘해주니?" 할머니가 걱정 어린 목소리로 부드럽게 물어보셨다.

"학교 때문도 아니면 무슨 일로 마트루종까지 가는 거니? 그리고 왜들 이렇게 마른 거야?" 할머니가 이것저것 계속 물어보셨지만 우리는 대답을 피했다. 할머니는 마을 끝까지 따라와 우리가 언덕을 내려가는 모습을 지켜보셨다. 그러다가 지팡이를 왼손으로 바꿔 드시고는 잘 가라고 오른손을 흔들어주셨다. 우리의 행운을 비는 행동이었다.

두어 시간 뒤 우리는 마트루종에 도착해 오랜 친구들인 지브릴라, 칼로코, 칼릴루를 만났다. 그날 밤 우리는 노점상들이 밤늦게까지 음식을 파는 보 거리로 나갔다. 우리는 삶은 땅콩을 사 먹으면서 다음 날 할 일을 궁리했다. 장기자랑 장소와 연습을 할 곳에 대해서도 의견을 나눴다. 그날 우리가 잘 곳은 칼릴루네 집 베란다 방이었는데, 조그마한 침대만 하나 있는 비좁은 공간이었다. 우리 넷은(지브릴라와 칼로코는 자기네 집으로 돌아갔다) 발을 침대 밖으로 내놓은 채 한 침대에 가로로 누워 잤다. 나는 넷 중에 키나 덩치가 가장 작았기 때문에 침대 밖으로 발이 덜 삐져나왔다.

다음 날 주니어 형과 탈로이, 나는 칼릴루네 집에 머무르면서 친구들이 학교에서 돌아오기를 기다렸다. 그런데 오후 두 시쯤 올 예정이었던 친구들이 그보다 일찍 도착했다. 그때 나는 스니커즈를 빨면서, 팔굽혀펴기 시합 중인 주니어 형과 탈로이를 위해 수를 세어주고 있었다. 지브릴라와 칼로코가 베란다로 들어와 시합에 합류했다. 탈로이가 친구들에게 왜 벌써 왔냐고 숨을 헐떡이며 천천히 물었다. 그러자 지브릴라가 말하길, 우리 집이 있는 모그브웨모를 반군들이 습격했다는 얘기를 학교 선생님들에게 들었다고 했다. 학교도 휴교에 들어갔다고 전했다. 우리는 동작을 멈췄다.

선생님들 말씀에 따르면 반군은 오후에 광산 지역을 습격했다. 갑작스레 총성이 터져나오자 사람들은 목숨을 부지하기 위해 사방으로 도망쳤다. 일터에 있던 아버지들은 집까지 쏜살같이 달려왔지만, 가족들 모두 어디로 떠났는지 흔적도 없고 집은 텅 비어 있었다. 그들은 그저 멍하니 빈 집 앞에 서 있는 수밖에 없었다. 어머니들은 자식들을 찾으려고 학교로, 강으로, 수돗가로 울음을 터뜨리며 뛰어갔다. 아이들은 부모를 찾아 집으로 달려갔으나, 정작 부모들은 아이들을 찾아 거리를 헤매고 있었다. 총격이 더욱 거세지자 사람들은 사랑하는 이들을 찾는 일조차 포기하고 마을 밖으로 달아났다.

지브릴라가 시멘트 바닥에서 몸을 일으키며 말했다. "선생님들은 우리 마을이 다음 차례가 될 거래." 주니어 형과 탈로이와 나는 배낭을 챙겨 친구들과 함께 부두로 향했다. 광산 지역 곳곳에서 도망친 사람들이 그곳으로 몰려들고 있었다. 우리가 아는 사람들도 몇 있었지만 아무도 우리 가족의 행방은 알지 못했다. 그들 말로는 갑작스러운 폭격으로 상황이 혼란스럽다 보니 모두들 정신없이 사방으로 흩어졌다고 했다.

우리는 혹시 가족을 만날 수 있지 않을까, 아니면 우리 식구들을 본 사람을 찾을 수 없을까 기대하면서 세 시간이 넘도록 부둣가를 초조하게 서성였다. 하지만 가족들의 소식은 전혀 들을 수 없었고, 얼마 지나지 않아 강을 건너는 사람들 중 아는 얼굴도 전혀 보이지 않게 되었다. 자연 풍경은 이상할 만큼 평소와 똑같았다. 태양은 한적하게 구름 사이를 지나갔고 새들은 나무 꼭대기에서 노래를 불렀으며 나무들은 평온한 바람에 맞춰 춤을 췄다. 전쟁이 뻗은 손아귀가 우리 고향까지 닿았다는 사실이 아직도 믿기지 않았다. 말도 안 된다는 생각이 들었다. 바로 어제 집을 나설 때만 해도 근처에 반군이 있다는 기미가 전혀 보이지 않았으니까.

지브릴라가 우리에게 물었다. "어떻게 할 거야?" 우리는 한동안 멍하니 있었다. 침묵을 깬 건 탈로이였다. "돌아가서 너무 늦기 전에 가족을 찾아봐야지."

주니어 형과 나도 동의하며 고개를 끄덕였다.

아빠가 일터에서 슬렁슬렁 돌아오시는 모습을 본 것이 불과 사흘 전이었다. 빳빳한 모자를 겨드랑이에 끼고 돌아오는 아빠의 길쭉한 얼굴에는 오후의 강렬한 햇볕 탓에 땀이 줄줄 흐르고

있었다. 나는 베란다에 앉아 있었다. 계모가 우리 부자 관계를
망쳐놓았기 때문에 한동안 아빠를 못 뵌 상태였다. 하지만 그날
오후에는 아빠가 계단을 올라오면서 나에게 미소를 지어주셨
다. 아빠는 내 얼굴을 찬찬히 들여다보더니 무언가를 말하려는
듯 입을 달싹이셨다. 그런데 바로 그 순간에 계모가 나왔다. 아
빠는 시선을 계모 쪽으로 돌리고는 나를 못 본 체하셨다. 두 사
람은 말없이 거실로 들어갔다. 나는 애써 눈물을 참으며 베란다
에서 나와, 주니어 형을 만나러 정류장으로 갔다. 우리는 화물
차를 타고 3마일 정도 떨어진 옆마을에 있는 엄마를 만나러 갈
생각이었다. 아빠가 학비를 대주실 때에는 학교가 쉬는 날인 주
말에만 엄마를 뵐 수 있었다. 하지만 아빠가 학비를 끊으신 후
로는 이삼일마다 엄마를 만나러 갔다. 그날 오후 우리는 시장에
서 엄마를 만났고, 엄마가 장을 보는 동안 같이 걸어다녔다. 무
표정했던 엄마의 얼굴은 엄마가 우리를 보고 끌어안는 순간 금
세 환해졌다. 엄마는 우리 남동생 이브라힘이 아직 학교에 있기
때문에 시장에 들렀다 가는 길에 이브라힘을 데리러 가야 한다
고 말씀하셨다. 함께 걸어가는 내내 엄마는 우리 손을 꼭 잡고
계셨고 우리가 제대로 붙어 있는지 확인하려는 듯 이따금 우리
를 돌아보셨다.

  이브라힘네 학교로 가던 도중 엄마가 우리 쪽으로 몸을 돌리
더니 말씀하셨다. "지금은 돈이 없어서 너희를 다시 학교에 보

내주지 못해 미안해. 엄마가 노력하고 있어." 엄마가 잠깐 말을 멈췄다가 물어보셨다. "아버지는 요즘 어떻게 지내시니?"

내가 대답했다. "잘 계세요. 오늘 오후에도 뵀어요." 그러나 주니어 형은 아무 말도 하지 않았다.

엄마가 형의 눈을 똑바로 바라보면서 말씀하셨다. "너희 아버지는 좋은 분이란다. 너희를 아주 많이 사랑하셔. 단지 너희랑 맞지 않는 새엄마들이 꼬일 뿐이지."

우리가 학교에 도착했을 때 이브라힘은 운동장에서 친구들과 축구를 하고 있었다. 여덟 살치고는 꽤 괜찮은 실력이었다. 이브라힘은 우리를 보자마자 달려와 몸을 부딪혔다. 동생은 나보다 자기 키가 더 커졌을지도 모른다며 키를 대보았고, 엄마는 웃음을 터뜨렸다. 이브라힘의 작고 둥근 얼굴이 환하게 빛났다. 엄마를 닮은 목주름에는 땀방울이 맺혀 있었다. 우리 넷은 함께 엄마 집으로 향했다. 나는 이브라힘의 손을 잡고 걸었고, 이브라힘은 학교에서 무슨 일이 있었는지 말해줬다. 이따 저녁에 축구 시합을 하자고 도전장을 내밀기도 했다. 엄마는 재혼을 하지 않은 채 이브라힘을 돌보는 데만 전념하고 계셨다. 엄마 말로는 이브라힘이 종종 아빠 얘기를 한다고 했다. 그래서 주니어 형과 내가 학교에 가고 없을 때, 몇 번 이브라힘을 데리고 아빠를 보러 오신 적도 있다고 했다. 그때마다 엄마는 아빠가 이브라힘을 안아주시는 모습을 보면서 눈시울을 적시셨다. 둘이 서로를 보면서 너무나 행복해 했기 때문이다. 엄마는 이야기 중에 생각에 잠기시더니 마치 그 순간을 다시 만끽하고 계시는 것처럼 미소를 지으셨다.

그렇게 엄마를 뵙고 이틀간 함께 지낸 후 헤어졌었다. 그런데 이제 마트루종의 부두에 형과 함께 서 있자니, 아빠가 빳빳한 모자를 쥐고 일터에서 집으로 헐레벌떡 뛰어오는 모습과 엄마가 울면서 이브라힘네 학교로 뛰어가는 모습이 눈에 선하게 그려졌다. 심장이 덜컥 내려앉았다.

주니어 형과 탈로이와 나는 카누에 올라탔다. 그리고 카누가 마트루종 뭍에서 멀어지는 동안 친구들을 향해 애처롭게 손을 흔들었다. 강 건너편에 도착해서 보니, 점점 더 많은 사람들이 급히 몰려들고 있었다. 우리는 걷기 시작했다. 슬리퍼를 머리에 이고 지나가던 한 여자가 우리를 쳐다보지도 않은 채 말했다. "너희가 가는 곳은 온통 피바다야. 죄 없는 사람들이 그곳에서 도망쳐나와야 했단다." 그녀는 우리를 지나쳐 갔다. 강을 따라 나 있는 수풀에서 여자들이 찢어질 듯 날카로운 목소리로 절규했다. "신이시여, 우리를 도와주세요!" 그러고는 자식들 이름을 외쳤다. "유수푸, 자부, 포데이……." 속옷 바람의 아이들이 부모 없이 무리를 따라 걷고 있는 모습도 보였다. 그 아이들은 엄마, 아빠를 부르며 울었다. 위험 지대에서 벗어난 지 오래인데도 사람들은 여전히 뛰고 있었고, 개들도 사람들 사이를 달렸다. 개들은 주인을 찾으려는 듯 코를 킁킁거렸다. 그 광경을 보고 있노라니 혈관이 바짝 조여드는 것 같았다.

우리는 6마일을 걸어 할머니네 마을인 카바티에 도착했다. 마을은 황량했다. 남은 것이라고는 모래에 찍힌 발자국뿐이었다. 발자국은 마을 너머로 펼쳐져 있는 울창한 숲으로 이어져 있었다.

해가 저물 무렵, 광산 지역에서 도망친 사람들이 몰려오기 시작했다. 귀뚜라미와 새가 부르는 저녁 노래 대신 사람들이 수군대는 소리, 걷다가 지친 꼬마 아이들이 부모를 찾으며 흐느끼는 소리, 배가 고픈 아기들이 울부짖는 소리만 가득했다. 우리는 할머니네 집 베란다에 앉아 기다리면서 귀를 기울였다.

주니어 형이 물었다. "모그브웨모로 돌아가는 게 좋은 생각인 것 같아?" 탈로이와 내가 그 말에 대답하기도 전, 멀리서 폭스바겐 한 대가 요란하게 달려왔다. 길을 걷던 사람들 모두 근처 수풀로 몸을 숨겼다. 우리도 달음박질쳤지만 그리 멀리 가지는 못했다. 심장이 쿵쾅거리고 숨이 거칠어졌다. 차는 우리 할머니 집 앞에 섰다. 몸을 숨긴 곳에서 보니, 차에 탄 사람이 무장을 하고 있는 것 같지는 않았다. 다른 사람들을 따라 우리도 덤불에서 나왔다. 차를 타고 온 남자가 운전석에서 튀어나오더니 피를 토했다. 그의 팔에서 피가 나고 있었다. 남자는 구토를 멈추고는 엉엉 울기 시작했다. 다 큰 남자가 어린아이처럼 우는 모습을 본 것은 그때가 처음이었다. 가슴이 저릿했다. 어떤 여자가 그 남자를 팔로 감싸안아 일으켜주면서 그에게 일어나보라고 권했다. 남자는 두 발로 일어서서 밴을 향해 걸어갔다. 남자가 조수석 문을 열자, 차 안에서 문에 기대고 있던 여자가 땅바닥으로 풀썩 떨어졌다. 여자의 귀에서 피가 쏟아졌다. 사람들이 아이들의 눈을 가렸다.

밴 뒷좌석에는 시체가 세 구 더 있었다. 여자아이 둘에 남자아이 하나였다. 자동차 시트며 천장이며 사방이 피투성이였다. 나는 그 광경으로부터 멀어지고 싶었지만 그럴 수 없었다. 두 발이 마비되고 온몸이 얼어붙었다. 나중에 들은 바로는 남자가 가족을 데리고 탈출하려고 했는데 반군이 차에다 대고 총을 갈겨 온 가족을 몰살시킨 것이라고 한다. 남자가 잠깐이나마 위안을 느낄 수 있었던 것은 남자를 부축해줬던 여자가 함께 울어주면서 적어도 그에게는 가족을 묻어줄 기회라도 있지 않냐고 말했을 때였다. 여자는 남자에게 가족이 어디에서 안식을 취하고 있는지는 알 수 있으니 다행이라고 위로했다. 그녀는 다른 사람들보다 전쟁에 관해 아는 것이 조금 더 많은 것 같았다.

바람이 잦아들고 날이 빠르게 어두워졌다. 일몰이 가까워올수록 더 많은 사람들이 마을을 통과해 지나갔다. 어떤 남자는 죽은 아들을 짊어지고 있었다. 아들이 아직 살아있다고 생각하는 모양이었다. 남자는 아들의 피를 뒤집어쓴 채 달려가면서 계속 중얼거렸다. "아가, 내가 병원에 데려다줄게. 그럼 다 괜찮아질 거야." 헛된 희망이라도 붙잡아야만 했을지 모른다. 위험을 피해 계속 달아날 힘을 줬을 테니까 말이다. 뒤이어 유탄에 상처를 입은 사람들 무리가 달려왔다. 찢어져 흘러내린 살가죽에는 아직 피가 마르지도 않았다. 몇몇은 자기가 상처를 입은 줄도 모르다가, 다른 사람들이 손가락으로 상처를 가리키면 그제야 부상을 당한 걸 알았다. 그걸 알고 기절하거나 토악질을 하는 사람들도 있었다. 나도 속이 메슥거렸고 머리가 팽팽 돌았다. 땅이 저절로 움직이는 것 같았고 내가 부들거리며 서 있는 곳에서 사람들 목소리가 점점 멀어지는 것 같았다.

그날 저녁 우리가 목격한 마지막 피해자는 등에 아이를 업고 가던 여자였다. 그녀의 옷에서 피가 뚝뚝 떨어져 그녀가 지나간 자리로 선명한 핏자국을 남겼다. 도망치는 여자의 등에 업힌 채로 아이는 총에 맞아 죽은 상태였다. 총알이 아이의 몸을 관통해 여자에게 닿지 않은 것이 그나마 다행이었을까. 우리가 서 있던 곳까지 걸어온 여자가 땅바닥에 주저앉더니 아이를 내려놓았다. 여자아이였다. 눈도 감지 못하고 죽은 아이의 얼굴에는 여전히 순진무구한 미소가 어려 있었다. 아이의 몸은 잔뜩 부어오른 상태였고, 그 몸에 박힌 총알이 끝이 살짝 보이게 튀어나와 있었다. 아기 엄마가 아이의 몸을 잡고 흔들었다. 고통과 충격이 너무 커서인지 그녀는 눈물조차 흘리지 못했다.

주니어 형과 탈로이와 나는 서로를 바라봤다. 우리 셋 다 마트루종으로 돌아가는 것밖에 도리가 없다는 사실을 알고 있었다. 모그브웨모는 더 이상 집이라고 부를 만한 곳이 아닐 것이며 부모님도 그곳에 계실 리가 없기 때문이었다. 부상당한 사람들 중 몇몇은 카바티가 반군의 다음 표적이 될 것이라고 말했다. 반군이 도착하기 전에 어서 카바티를 벗어나야 했다. 잘 걷지 못하는 사람들마저 어떻게든 카바티에서 빠져나가려 안간힘을 쓰며 움직이고 있었다. 마트루종으로 돌아가는 내내 아까 봤던 엄마와 아이의 모습이 내 머릿속에서 떠나지 않았다. 어디로 어떻게 가고 있는지도 모르겠고, 물을 마셔도 갈증이 전혀 사라지지 않았다. 다만 그 여자가 떠나온 곳으로는 절대 가고 싶지 않았다. 모든 것이 사라져버렸음을 죽은 아이의 눈에서 분명히 보았기 때문이다.

"네가 태어나기 19년 전이었지." 1961년 독립 이후에 시에라리온 생활이 어땠는지 여쭤보면 아빠는 그렇게 말씀하시곤 했다. 시에라리온은 1808년부터 영국의 식민지였다. 밀턴 마르가이 경이 초대 수상이 되어 시에라리온인민당(SLPP, Sierra Leone People's Party)이라는 정치적 깃발 아래 나라를 통치하다가 1964년에 사망했다. 그후에는 그의 이복동생인 앨버트 마르가이 경이 1967년까지 집권했으나, 전인민회의당(APC, All People's Congres)의 당수인 시아카 스티븐스가 선거에서 승리하자 자리에서 물러났다. 그러다 군부 쿠데타가 일어났다. 시아카 스티븐스는 1968년에 다시 권력을 잡았으며 몇 해 후 APC만을 합법적인 정당으로 인정하겠노라고 일당독재 체제를 선포했다. 아빠 말로는 바로 이때부터 "썩은 정치"가 시작됐다고 한다. 지금 내가 도망치고 있는 전쟁에 관해서는 뭐라고 하실까 궁금했다. 어른들은 이 전쟁이 국민을 부패한 정부로부터 해방하기 위한 혁명전쟁이라고들 했다. 하지만 대체 어떤 해방운동이 무고한 시민들과 아이들과 그 어린 여자 아기마저 총으로 쏜다는 말인가? 그런 질문에 대답해줄 사람은 아무도 없었다. 내 머리는 머릿속에 담긴 온갖 이미지 때문에 너무나 무겁게 느껴졌다. 걸어가는 내내 길도 무섭고 멀리 떨어진 산도 무섭고 양쪽에 있는 수풀도 무서웠다.

그날 밤 늦게야 우리는 마트루종에 도착했다. 주니어 형과 탈로이가 친구들에게 우리가 본 광경을 들려주는 동안 나는 입을 다물고 있었다. 내가 봤던 것들이 진짜인지 아닌지가 아직도 혼란스러웠다. 밤에 간신히 깊은 잠에 빠져서는 옆구리에 총을 맞는 꿈을 꿨다. 사람들은 다들 자기 목숨만 챙기느라 나를 도와주지 않고 지나쳐 달려갔다. 내가 몸을 숨기기 위해 수풀로 기어가려 하는데 갑자기 누군가가 총을 들고 나타나 내 머리맡에 섰다. 빛을 등지고 서 있어서 얼굴을 알아볼 수 없는 사람이었다. 그 사람은 내가 총을 맞은 자리에 다시 총을 겨누더니 방아쇠를 당겼다. 화들짝 잠에서 깬 나는 옆구리를 만져보았다. 더이상 무엇이 꿈이고 무엇이 현실인지 분간이 되지 않아 너무나 두려웠다.

마트루종에서 우리는 매일 아침 부둣가로 내려가서 우리 마을 소식이 없나 알아보곤 했다. 하지만 일주일 뒤부터는 우리 마을 방향에서 오던 난민 행렬도 끊어지고 더는 아무 소식도 들을 수 없게 되었다. 한편 마트루종에는 정부군이 배치되었다. 군인들은 부둣가를 비롯한 마을 곳곳의 전략적 요충지에 검문소를 세웠다. 반군이 공격한다면 강을 건너서 오리라고 확신해서 강가에 중화기를 설치했고, 저녁 일곱 시부터는 나다니지 말라고 통행금지령을 내렸다. 우리는 잠이 오지 않는데도 일찍부터 집 안에 들어가 있어야 했기 때문에 더욱 극심한 긴장감을 느꼈다. 낮에는 지브릴라와 칼로코가 우리가 있는 곳으로 왔다. 우리 여섯 명은 베란다에 앉아 상황이 어떻게 돌아가고 있는 것인지 의견을 나눴다.

주니어 형이 차분하게 말했다. "이 난리가 그렇게 오래 갈 것 같지는 않아." 형은 우리가 곧 집에 돌아갈 수 있을 거라고 안심시키려는 듯 내 눈을 바라봤다.

탈로이가 바닥을 내려다보며 말했다. "기껏해야 한두 달이면 끝나겠지."

지브릴라가 웅얼거렸다. "누가 그러는데 광산 지역에서 반군을 몰아내려고 군인들이 벌써 가고 있는 중이래." 전쟁은 잠깐 스쳐 지나가는 과정일 뿐이며 석 달 이상은 이어지지 않을 거라는 데 우리 모두의 생각이 일치했다.

주니어 형과 탈로이, 나는 가사를 떠올리려 애쓰면서 랩 음악을 들었다. 잠시라도 우리 눈앞에 놓인 상황을 외면하고 싶었기 때문이다. 너티 바이 네이처, LL 쿨 J, 런 D.M.C., 헤비 D&더 보이즈. 집에서 가져온 카세트테이프는 그게 다였고, 입고 있는 옷가지 외에 그것이 우리가 가져온 유일한 짐이기도 했다. 나는 베란다에 앉아 헤비 D&더 보이즈의 〈위 파운드 러브〉를 듣던 것을 기억한다. 노래를 들으면서 마을 끝에 서 있는 나무들을 바라보니, 나무들이 더디게 부는 바람에 마지못해 흔들거렸다. 그 뒤편에는 야자나무들이 마치 무언가를 기다리는 것처럼 꼿꼿이 서 있었다. 나는 눈을 감았다. 그러자 문득 카바티에서 본 광경들이 떠올랐다. 그 끔찍한 참상들을 머릿속에서 지워버리기 위해 나는 전쟁이 일어나기 전 카바티의 옛 모습을 기억해내려 애썼다.

할머니가 계시던 카바티 마을 한편에는 울창한 숲이 있었고 반대편에는 커피 농장이 있었다. 숲에서부터 시작된 강은 야자수 밭을 지나 마을 끝에 있는 늪지대까지 이어졌다. 늪 위로는 지평선을 따라 바나나 농장이 쭉 펼쳐져 있었다. 카바티를 가로지르는 넓은 흙길에는 구멍과 웅덩이가 움푹 패어 있어서 낮에는 오리들이 그 안에서 목욕을 즐기곤 했다. 집집마다 뒷마당에 새들이 둥지를 튼 망고나무가 서 있었다.

아침이면 숲 뒤편에서 태양이 떠올랐다. 나뭇잎 사이로 햇빛을 비추면서 나타난 태양은 닭들과 참새들이 힘차게 아침이 왔음을 알리기 시작하면 숲 위로 금빛 찬란한 위용을 드러냈다. 저녁에는 원숭이들이 잠자리로 돌아가기 위해 나무 사이로 이리저리 뛰어다니는 광경을 볼 수 있었다. 커피 농장에서는 암탉이 매에게서 병아리를 지키느라 늘 분주했다. 농장 너머에서는 야자나무가 바람에 맞춰 긴 잎사귀를 흔들었다. 이따금 이른 저녁에 야자주를 채취하는 농부가 야자나무를 오르는 모습도 볼 수 있었다.

숲에서 나뭇가지가 부러지는 소리, 마을에서 절구로 쌀을 빻는 소리가 나면 저녁이 끝나가는구나 싶었다. 그 소리가 마을 전체에 울리면 새들이 지저귀면서 푸드덕 날아갔다가 다시 돌아왔다. 그 뒤를 이어 귀뚜라미, 개구리, 두꺼비, 부엉이가 은신처에서 나와 큰 소리로 밤을 불러냈다. 초가지붕을 얹은 부엌에서는 연기가 피어올랐고 농장에 나갔던 사람들은 등불을 들고 하나둘 돌아오기 시작했다. 때로는 장작에 불을 지피기도 했다.

카바티의 어느 어르신은 자기 집을 지나 물을 길러 가는 사람, 사냥하러 가는 사람, 야자주를 채취하러 가는 사람, 농장에 일하러 가는 사람에게 "우리는 달을 닮으려고 애써야 해"라고 반복해서 말씀하셨다. 그게 무슨 뜻인지 할머니에게 여쭤봤던 기억이 난다. 할머니는 그 격언이 늘 최대한 선하게 살고 다른 사람들에게 친절을 베풀라는 뜻이라고 설명하셨다. 사람들은 햇볕이 너무 쨍쨍해서 견디기 힘들 만큼 덥거나, 비가 너무 많이 오거나, 날씨가 너무 추우면 흔히들 불평을 한다. 하지만 달이 빛을 발할 때는 아무도 불평하지 않는다. 모두가 행복해 하면서 자신만의 특별한 방식으로 달을 만끽한다. 아이들은 달빛 아래 자기 그림자를 보면서 즐겁게 논다. 사람들은 광장에 모여 밤새도록 이야기를 나누고 춤을 춘다. 달이 빛나는 동안 수많은 행복한 일들이 펼쳐진다. 그러니 우리도 달을 닮으려 노력해야 한다.

할머니가 설명을 마무리하면서 말씀하셨다. "배고파 보이는 구나. 카사바(열대지방의 구황식물 중 하나로 뿌리를 가루로 만들어 요리 재료로 활용한다─옮긴이)로 뭘 좀 해줘야겠네."

할머니가 우리가 달처럼 살고자 애써야 하는 이유를 설명해 주신 뒤로 나는 그 격언을 내 좌우명 삼아 충실히 따르고자 했다. 하늘에 달이 밝게 뜨는 밤이면 나는 밖에 나가 땅바닥에 누워 조용히 달을 바라보았다. 달이 왜 그토록 매력적이고 사랑스러운지 알아내고 싶었다. 특히 나는 달 속에 보이는 다양한 그림에 매료되었다. 어느 밤에는 남자 얼굴이 보였다. 남자는 어중간한 길이로 수염을 길렀고 선원 모자를 썼다. 또 어느 밤에는 남자가 도끼를 들고 나무를 패는 모습이 보였고 때로는 여자가 아기를 안고 있는 모습이 보였다. 요즘도 달을 관찰할 기회가 있을 때면 나는 내가 여섯 살 때 보았던 것과 똑같은 그림들을 찾아낼 수 있다. 그러면 내 유년 시절의 일부가 아직도 내 안에 남아 있는 것만 같아 참 기쁘다.

2

나는 녹슨 외바퀴 손수레를 밀고 있다. 피비린내와 불에 탄 살가죽 냄새가 온 마을에 진동한다. 으스러진 몸 밖으로 마지막 숨을 내쉬는 자들의 희미한 탄식이 산들바람을 타고 들려온다. 나는 그들 옆을 지나간다. 그들은 팔다리가 없다. 총알이 꿰뚫고 지나가 구멍이 난 배에서 내장이 튀어나와 있다. 코와 귀에서는 뇌수가 흘러나온다. 신이 난 파리들은 피비린내에 취해 피웅덩이에 뛰어들었다가 죽음을 맞이한다. 죽어가는 자들의 두 눈은 그들이 흘린 피보다 더 빨갛다. 잔뜩 굳은 얼굴 가죽을 찢고 금방이라도 뼈가 튀어나올 것만 같다. 나는 고개를 떨궈 내 발을 바라본다. 넝마처럼 너덜너덜해진 스니커즈가 피에 흠뻑 젖었다. 군복 반바지에서 피가 흘러내렸나 보다. 물리적인 고통은 느껴지지 않아서 내 몸에 상처가 난 건지 아닌지 확신이 서

지 않는다. 등에 멘 AK-47 총신의 뜨뜻한 기운이 느껴진다. 마지막으로 이 총을 쏜 게 언제인지 기억나지 않는다. 누가 내 머리통 곳곳에 망치로 바늘을 박아놓은 것 같다. 낮인지 밤인지도 분간이 되지 않는다. 내가 밀고 가는 손수레에는 하얀 침대보로 싼 시체 한 구가 실려 있다. 내가 왜 굳이 이 시체만을 묘지로 옮기고 있는 건지 모르겠다.

묘지에 다다라 손수레에서 시체를 들어 옮기려는데 잘 되지 않는다. 마치 시신이 내게 저항하고 있는 것 같다. 나는 양팔로 시체를 안고, 시체를 누이기에 적당한 곳을 찾는다. 그런데 몸이 욱신욱신 쑤시기 시작하더니, 한 발짝씩 걸음을 옮길 때마다 엄청난 고통이 발끝부터 척추까지 휘감는다. 나는 시체를 끌어안은 채 땅바닥에 주저앉는다. 하얀 침대보 위로 핏방울이 번지기 시작한다. 시체를 땅바닥에 내려놓고 발 쪽부터 침대보를 벗겨 올린다. 발끝에서 목까지 곳곳에 난 총알구멍들이 보인다. 총알 하나는 목젖을 박살내고 그 뼛조각이 목 뒤까지 박혔다. 나는 마침내 시체의 얼굴을 덮고 있던 침대보를 들춘다. 내 얼굴이 보인다.

나는 내가 굴러떨어진 차가운 나무 바닥 위에 그대로 누운 채 몇 분 동안 식은땀을 흘렸다. 그러다 불을 켜고 나서야 겨우 꿈에서 헤어나올 수 있었다. 날카로운 통증이 척추를 훑고 지나갔다. 칠을 전혀 하지 않은 빨간 벽돌 벽을 뚫어져라 쳐다보면서 나는 지나가는 차에서 들려오는 랩 음악이 무슨 곡인지 알아내려 애썼다. 부르르 몸서리를 치고는 뉴욕 시에서의 새 삶을 생각하려 했다. 뉴욕에 온 지도 한 달이 넘었다. 하지만 방황하는 내 영혼은 여전히 대서양 너머 시에라리온에 있었다. AK-47 소총을 들고 커피 농장을 행군하는 내 모습이 보였다. 어른은 몇 사람 없고 대부분 소년인 다른 분대원들과 함께였다. 우리는 탄약과 식량을 탈취하기 위해 어느 작은 마을을 습격하러 가는 길이었다. 커피 농장을 벗어나자마자 뜻하지 않게 다른 무장한 무리와 맞닥뜨렸다. 폐허로 변한 마을 근처의 축구장에서였다. 우리는 총을 난사하기 시작했다. 계속된 총격 끝에 마침내 마지막 적이 쓰러졌다. 우리 부대원들은 서로 하이파이브를 하면서 시체 쪽으로 걸어갔다. 적군들도 우리와 마찬가지로 소년들이었으나 딱히 신경 쓰지 않았다. 우리는 적군들의 몸을 뒤져 탄약을 챙긴 뒤, 시체에 걸터앉아 그들이 소지하고 있던 음식을 먹었다. 시체에 난 총알구멍에서 새빨간 피가 새어나와 우리 주위를 물들였다.

나무 바닥에서 몸을 일으킨 나는 하얀 수건에 물을 적셔 머리에 둘렀다. 잠을 자기가 무서웠지만 깨어 있자니 고통스러운 기억들이 떠올라 그 또한 고역이었다. 물론 그 기억들이 지금

의 내 삶, 지금의 나를 이루는 중요한 일부분임을 잘 알고 있었
으나 때로는 '머릿속에서 이 기억들을 완전히 씻어낼 수 있다
면 얼마나 좋을까?'라는 생각이 들었다. 결국 나는 밤새도록 잠
을 이루지 못한 채 해가 뜨기만을 초조하게 기다렸다. 날이 밝
아 다시 새로운 삶으로 완전히 돌아갈 수 있기를 바랐다. 어릴
때 느꼈던 행복을, 삶 자체가 짐으로 느껴지던 시기에도 내 속
에 살아 숨 쉬던 기쁨을 다시 찾을 수 있기를 바랐다. 요즘 나는
세 개의 세계를 살아간다. 내 꿈속의 세계, 새로운 삶이 펼쳐지
고 있는 세계, 그리고 새 삶이 불러일으키는 옛 기억의 세계를.

3

마트루종에 머무르는 기간이 예상보다 길어졌다. 우리는 가족들의 소식을 전혀 듣지 못했고, 그저 가족들이 모두 무사하기만을 바라며 시간을 보내는 수밖에 없었다.

들리는 소문으로는 마트루종에서 북동쪽으로 20여 마일 떨어져 있는 숨부야라는 마을에 반군이 주둔해 있다고 했다. 얼마 지나지 않아 숨부야에서 편지들이 도착함으로써 그 소문이 사실로 확인되었다. 반군이 학살 와중에도 겨우 살아남은 사람들을 시켜 마트루종 사람들에게 보낸 편지였다. 거기에는 반군이 곧 도착할 테니, 국민을 위해 싸우는 반군을 환영해달라고 적혀 있었다. 편지를 가져온 심부름꾼 중 한 명은 젊은 청년이었다. 반군은 뜨겁게 달군 총검으로 청년의 몸에 RUF(Revolutionary United Front: 혁명연합전선)라는 이니셜을 새겨놓았다. 또 청년의 엄지손가락만을 남긴 채 나머지 손가락을 모조리 잘라버렸다. 반군은 이런 신체절단 행위를 '원 러브'라고 불렀다. 전쟁 전에는 사람들이 엄지를 치켜세우며 서로에게 "원 러브"라고 말하곤 했다. 사랑을 주창하는 레게 음악의 영향을 받아 인기를 얻은 표현이었다.

끔찍한 몰골을 한 청년에게 편지를 전달받은 마트루종 사람들은 그날 밤 곧장 숲 속으로 피신했다. 하지만 우리는 그냥 그곳에 남았는데, 칼릴루네 가족이 우리에게 뒤에 남아 있다가 날이 지나도 상황이 나아지지 않으면 살림살이들을 챙겨서 뒤따라오라고 권했기 때문이다.

그날 밤, 마을에 생기를 불어넣는 것은 사람들의 물리적인 몸과 혼이라는 사실을 난생처음 깨달았다. 수많은 사람들이 한꺼번에 빠져나가버린 마을은 소름끼칠 만큼 음산해졌다. 밤은 여느 때보다 더 어두웠으며 침묵은 견디기 힘들 정도로 불길하게 느껴졌다. 전에는 해가 지기 전 이른 저녁부터 노래하던 귀뚜라미들과 새들도 그날은 아무 소리를 내지 않았고, 어둠은 더 일찍 깔렸다. 자연마저 앞으로 벌어질 일을 두려워하는 것인지, 하늘에는 달도 보이지 않았고 대기의 흐름조차 멈춰버렸다.

마을 사람들 대다수는 일주일 내내 숲에 숨어 있었다. 전령들이 속속 도착할수록 몸을 숨기는 사람들도 더 많아졌다. 하지만 오겠다고 예고한 날에도 반군이 나타나지 않자 사람들은 다시 마을로 돌아오기 시작했다. 사람들이 다 제자리로 돌아왔을 즈음 또 다른 사자가 도착했다. 그는 선교 활동을 하다가 반군을 맞닥뜨린, 유명한 가톨릭 주교였다. 반군은 주교에게 다른 위해를 가하지는 않았지만 메시지를 제대로 전달하지 않으면 그를 다시 잡으러 올 거라고 협박했다. 마을 사람들은 그 소식을 듣자마자 또다시 마을을 떠나 숲 속 곳곳에 마련해둔 각자의 은신처로 향했다. 우리는 이번에도 마을에 남았다. 칼릴루네 가족의 물건들 때문은 아니었다. 물건들은 이미 은신처로 옮겨놓았다. 이번에는 칼릴루네 집을 보다가 소금, 후추, 쌀, 생선 등의 식량을 사서 숲 속에 있는 칼릴루네 가족에게 가져다주어야 했다.

그러고 나서 또 열흘이 지났지만 반군은 오지 않았다. 사람들은 반군이 오지 않을 모양이라고 결론지었다. 마을에는 다시 활기가 돌았다. 학교가 다시 문을 열었고 사람들은 일상으로 돌아왔다. 그렇게 평화롭게 닷새가 흘렀고 마을에 있던 군인들마저 마음을 놓았다.

나는 이따금 늦은 저녁에 혼자 산책을 나갔다. 여자들이 저녁 식사를 준비하는 모습을 볼 때마다 엄마가 요리하던 걸 구경하던 기억이 떠올랐다. 남자아이들은 부엌 출입을 삼가야 했지만 엄마는 "네가 혼자 살 때를 대비해서 뭐든 요리하는 법을 배워야 한단다"라고 말씀하시면서 나에게만 예외를 허락해주셨다.

엄마는 요리를 잠깐 멈추시고는 마른 생선 한 조각을 내게 먹여주고 계속 말씀하셨다. "엄마는 손주를 보고 싶으니까 평생 혼자 살지는 말고." 마트루종의 비좁은 자갈길을 걷는 내 두 눈에 눈물이 그렁그렁 맺혔다.

마침내 반군이 들이닥쳤을 때 나는 요리를 하고 있었다. 밥은 다 됐고 오크라(생김새가 풋고추와 비슷한 아열대 채소—옮긴이) 수프도 거의 다 만들어졌을 때 총성 한 발이 마을 전체에 울려퍼졌다. 방 안에 있던 주니어 형, 탈로이, 칼로코, 지브릴라, 칼릴루가 밖으로 뛰쳐나와 "소리 들었어?"라고 물었다. 우리는 가만히 서서, 총을 쏜 것이 마을에 주둔한 군인들은 아닐까 가늠해보려 했다. 그런데 곧바로 각기 다른 총구에서 터져나온 세 발의 총성이 들렸다. 슬슬 걱정이 되기 시작했다. "군인들이 무기를 시험해보는 소리일 거야." 친구들 중 한 명이 우리를 안심시키려고 말했다. 마을은 쥐 죽은 듯 조용해졌다. 그후 15분이 넘도록 더 이상의 총성은 들리지 않았다. 나는 부엌으로 돌아가 그릇에 밥을 담기 시작했다. 바로 그 순간 천둥번개가 양철지붕을 내리치는 듯한 요란한 총성들이 마을을 집어삼켰다. 무시무시한 굉음을 들은 사람들은 혼비백산했다. 냉정하게 상황을 판단하기란 불가능했다. 불과 몇 초 사이에 사람들은 소리를 지르며 서로가 서로를 밀치고 넘어진 사람을 짓밟으면서 아무데로

나 도망치기 시작했다. 무언가를 챙길 겨를도 없었다. 그저 자기 목숨만을 부지하기 위해 달렸다. 엄마는 아이들을 잃어버렸고 겁에 질린 아이들이 목놓아 우는 소리가 총성과 함께 울려퍼졌다. 평생에 걸쳐 일궈놓은 모든 것을 남겨둔 채 가족들이 뿔뿔이 흩어졌다. 내 심장이 그렇게 빠르게 뛴 것은 생전 처음이었다. 한 발씩 총성이 울릴 때마다 그 박자에 맞춰 심장이 쿵쿵 뛰는 것 같았다.

반원 모양으로 대형을 갖춘 반군은 신나게 소리를 지르며 몸을 흔들어대며 마을로 들어왔다. 그러면서 쉬지 않고 하늘에다 총질을 해댔다. 마트루종으로 들어오는 방법은 두 가지가 있었다. 하나는 큰길을 통해 들어오는 것이었고 다른 하나는 종 강을 건너오는 것이었다. 반군들이 내륙 쪽에서 마을을 향해 공격해 들어왔기 때문에 마을 사람들은 강 쪽으로 내몰릴 수밖에 없었다. 수많은 사람들이 겁에 질려 무작정 강으로 뛰어들었지만 헤엄칠 힘도 남아 있지 않은 상태였다. 마을에 있던 군인들은 어떻게 알았는지 반군이 공격해 올 것은 물론 자신들이 수적으로 불리한 것까지 예상하고는 반군이 도착하기 전에 마을을 떠났다. 나와 주니어 형, 탈로이, 칼릴루, 지브릴라, 칼로코는 당혹스러웠다. 우리가 제일 먼저 본능적으로 떠올린 생각이 군인들이 있는 곳으로 달려가는 것이었기 때문이다. 우리는 모래주머니가 쌓여 있는 곳 앞에 서서 이제 어디로 가야 하나 고민하다,

그나마 총성이 덜 들리는 것 같은 곳을 향해 달리기 시작했다.

마을 밖으로 나가는 길은 하나뿐이었다. 모두가 그리로 몰려들었다. 어머니들은 잃어버린 자식들의 이름을 목이 터져라 외쳤고, 부모를 잃어버린 아이들은 아무 소용도 없이 엉엉 울었다. 우리는 서로 뒤처지지 않으려 애쓰면서 함께 달렸다. 탈출로로 가려면 작은 언덕을 끼고 있는 축축한 진흙투성이 늪을 건너가야 했다. 우리는 진흙에 몸이 빠져 움직이지 못하는 사람들과 몸이 성치 않은 사람들을 그냥 지나쳐 달렸다. 다른 사람을 돕겠다고 걸음을 멈추었다가는 우리 목숨까지 위험할 게 뻔했다.

늪을 건너자 진짜 난관이 시작됐다. 반군이 이제 하늘에 대고 총을 쏘는 대신 사람들에게 총을 쏘기 시작했기 때문이다. 그들은 정부군에 맞설 방패막이로 쓸 민간인이 필요했기 때문에 사람들을 마을 밖으로 나가지 못하게 하려 했다. 반군이 마을을 습격한 주된 목표 중 하나가 마을 사람들, 특히 여성들과 아이들을 자기들 곁에 붙잡아두는 것이었다. 그러면 정부군이 군사적 개입을 미룰 수밖에 없기 때문에 반군이 더 오래 버틸 수 있었다.

우리는 어느새 늪 바로 뒤 수풀이 우거진 언덕 꼭대기에 있었다. 이 개활지(앞이 막히지 않고 트여 있는 땅—옮긴이)만 넘어서면 바로 탈출로였다. 마을 사람들이 얼추 그곳에 다다른 것처럼 보이자 반군은 RPG(로켓추진식 수류탄—옮긴이), 기관총, AK-47, G3(AK-47, M16과 함께 세계의 3대 돌격소총이라는 평가를 받는 독일제 자동소총—옮긴이) 등 가지고 있는 무기를 죄다 이용해 직격으로 총탄을 퍼부었다. 하지만 우리는 그 개활지를 지나가는 것 외에 달리 선택지가 없다는 사실을 잘 알고 있었다. 우리 같은 어린 소년들은 설령 탈출 시도를 하다 목숨을 잃는다 하더라도, 마을에 남는 것이 더 위험했다. 반군은 소년들을 곧바로 징집해 뜨겁게 달군 총검으로 자기들이 원하는 신체 부위 어디에든 RUF라는 이니셜을 새길 것이 뻔했다. 그러면 평생 흉터를 지니고 살아야 하는 것은 물론이고 절대 반군에게서 벗어날 수 없게 된다. 반군의 이니셜을 새긴 채 탈출하는 것은 죽여달라고 간청하는 것이나 다름없기 때문이다. 정부군은 말할 것도 없고 무장한 민간인들도 반군 소년병을 보면 묻지도 않고 바로 죽여버릴 테니까.

우리는 수풀에서 수풀로 빠르게 몸을 옮기면서 건너편까지 가는 데 성공했다. 하지만 이는 앞으로 닥칠 수많은 위기의 시작에 불과했다. 한 차례 폭발이 지나간 후, 우리는 곧바로 일어나 고개를 숙인 채 다 같이 내달렸다. 그러는 와중에, 방금 숨이 끊어진 시체들과 불길이 타오르는 고목을 뛰어넘기도 했다. 거의 개활지 끝에 다다랐을 때 로켓수류탄이 하나 더 날아오는 소리가 윙 하고 들렸다. 우리는 달리는 속도를 높여 수류탄이

땅에 떨어지기 전에 수풀 속으로 몸을 던졌다. 몇 차례의 기관
총 세례가 이어졌다. 우리 바로 뒤에 있던 사람들은 우리만큼
운이 좋지 못했다. 로켓수류탄이 그들을 덮쳤고, 한 남자의 몸
에 무수한 수류탄 파편들이 박혔다. 그는 크게 포효하고는 앞
이 보이지 않는다고 소리쳤다. 하지만 누구도 감히 그를 도우
러 수풀 밖으로 나갈 엄두를 내지 못했다. 로켓수류탄이 하나
더 날아와 터지자 남자의 비명이 멎었다. 산산조각 난 남자의
몸뚱이와 피가 근처 수풀과 나뭇잎에 비처럼 흩뿌려졌다. 이
모든 과정이 순식간에 벌어졌다.

　우리가 개활지를 벗어나자마자 반군은 수풀 속으로 도망친
사람들을 잡아오도록 병사 몇을 보냈다. 그들이 우리를 발견하
고 총을 쏘며 쫓아오기 시작했다. 우리는 쉬지 않고 한 시간 이
상을 달렸다. 우리가 그렇게 빨리, 오래 달릴 수 있다는 게 믿기
지 않을 정도였다. 그런데도 땀도 나지 않았고 지치지도 않았
다. 내 앞에는 주니어 형이, 그 앞에는 탈로이가 있었다. 주니어
형은 내가 뒤처지지 않았는지 확인하려고 몇 초 간격으로 내 이
름을 불렀다. 형의 목소리에는 슬픔이 배어 있었다. 거기에 대
고 대답하는 내 목소리 역시 매번 떨렸다. 지브릴라와 칼로코와
칼릴루는 내 뒤에 있었다. 다들 숨소리가 거칠었다. 그들 중 누
군가가 울지 않으려고 애쓰느라 꺽꺽대는 소리가 들렸다. 어릴

때부터 탈로이는 유난히 달리기를 잘했다. 하지만 그날 저녁에는 우리 모두 탈로이와 비슷한 속도로 달릴 수 있었다. 한 시간, 어쩌면 그 이상 달렸을 즈음 반군이 추격을 포기하고 마트루종으로 돌아갔다. 그럼에도 우리는 계속 달렸다.

4

　며칠 동안 우리 여섯은 길 양쪽으로는 빽빽한 수풀이 벽처럼 우거져 있고, 길 너비는 보폭 한 폭 정도밖에 되지 않는 좁은 길을 걸었다. 내 바로 앞에는 주니어 형이 걷고 있었다. 학교에서 돌아올 때면 팔을 앞뒤로 힘차게 흔들던 형이었는데 지금은 걷는 내내 팔이 축 처져 있었다. 형이 무슨 생각을 하고 있는지 궁금했다. 하지만 다들 침묵을 지키고 있었기에 그 침묵을 깨뜨릴 수 없었다. 나는 우리 가족이 어디 있을까, 가족을 다시 볼 수 있을까를 생각했다. 그리고 가족이 모두 안전하기를, 나랑 형 걱정을 하느라 너무 마음 아파하지 않기를 바랐다. 눈에 눈물이 맺혔지만 너무 허기가 져서 울 힘이 없었다.

　우리는 버려진 마을에서 잠을 잤다. 맨땅에 누운 채 내일은 생 카사바 말고 다른 무언가를 먹을 수 있기를 바랐다. 우리가 지나친 어느 마을에는 바나나나무, 오렌지나무, 코코넛나무가 있었다. 우리 중 가장 나무를 잘 타는 칼릴루가 나무마다 올라가, 과일을 품에 안을 수 있는 한 최대한 많이 따서 내려왔다. 바나나가 채 익지 않아서, 야외 부엌 중에 불이 피어 있는 곳을 찾아 땔감을 넣고 바나나를 삶았다. 불을 방금 피워놓은 것으로 보아 누군가 우리가 오는 것을 보고 마을을 떠난 것이 분명했다. 소금을 친 것도 아니고 다른 재료를 넣은 것도 아니었으니 바나나는 아무 맛이 없었다. 하지만 배를 채우는 것이 급선무였기 때문에 하나도 남기지 않고 다 먹어치웠다. 그 다음에는 조금 있는 오렌지와 코코넛을 먹었다. 제대로 된 음식은 찾을 수 없었다. 날이 갈수록 점점 더 허기가 심해져서 급기야 배가 아픈 지경에 이르렀다. 눈앞이 흐릿할 때도 가끔 있었다. 우리는 길에서 만난 몇몇 사람들과 함께 다시 마트루종으로 숨어 들어가는 수밖에 없었다. 그곳에 두고 온 돈으로 음식을 살 수 있을지도 몰랐다.

조용하다 못해 황량하기까지 한 마트루종은 예전에 우리가 알던 곳이 아니었다. 마을로 들어가보니 사람들이 미처 챙기지 못한 썩은 음식이 담긴 단지들이 눈에 띄었다. 시체는 물론 가구나 옷가지 등 온갖 종류의 물건들이 사방에 널려 있었다. 어느 베란다에는 마치 의자에 앉아 잠든 것 같아 보이는 노인이 있었는데, 이마에 총알구멍이 나 있었다. 현관 아래에는 남자 둘의 시체가 널브러져 있었다. 마체테(날이 넓고 무거운 칼로, 주로 수풀을 헤치고 나아가는 데 사용되지만 무기로도 사용된다—옮긴이)로 난도질당해 잘려나간 그들의 성기, 팔다리, 손이 시체 옆에 쌓여 있었고, 바로 옆 땅바닥에 마체테가 놓여 있었다. 나는 구역질이 나면서 몸이 확 달아올랐다. 하지만 계속 나아가야 했다. 우리는 까치발을 세워 최대한 빠르고 조심스럽게, 큰길을 피해 달렸다. 집 외벽에 바짝 붙어 서서 집과 집 사이의 좁은 자갈길을 유심히 살펴본 후 다음 집으로 건너가는 식이었다. 그런데 길을 막 건넜을 때, 누군가의 발소리가 들렸다. 당장 몸을 숨길 곳이 없었기 때문에 우리는 재빨리 베란다로 뛰어가 시멘트 벽돌 더미 뒤에 숨었다. 벽돌 뒤에서 살짝 내다보니 헐렁한 청바지에 슬리퍼, 흰 티셔츠 차림을 한 반군 두 명이 보였다. 머리에는 빨간 손수건을 둘렀고 등에는 총을 메고 있었다. 그들은 솥, 쌀자루, 절구, 공이를 짊어진 한 무리의 여자들을 끌고 가고 있었다. 우리는 그들이 시야에서 완전히 사라질 때까지 지켜보다가 다시 움직이기 시작했다. 마침내 칼릴루네 집에 도착해서 보니, 문은 전부 박살났고 집은 난장판이 되어 있었다. 다른 집들과 마찬가지로 칼릴루네 집도 약탈당했다. 문틀에 총알구멍이 하나 나 있었고 유명 브랜드인 스타 맥주 상표가 새겨진 맥주잔들이 깨진 채 나뒹굴고 있었다. 베란다 바닥에 떨어져 있는 담뱃갑에는 담배가 남아 있지 않았다. 쓸만한 물건은 전혀 찾아볼 수 없었다. 먹을거리라고는 자루에 담긴 생쌀뿐이었는데, 들고 가기에는 너무 무거워서 그걸 가져가면 재빨리 움직일 수 없을 게 뻔했다. 그런데 다행히도 돈은 내가 숨겨뒀던 곳에 그대로 남아 있었다. 나는 작은 비닐봉지에 돈을 담아 침대 발치에 놔두었었다. 그 돈을 스니커즈 속에 넣었다. 우리는 다시 늪으로 향했다.

우리 여섯은 마을로 함께 돌아왔던 사람들과 미리 계획했던 대로 늪지대 끝에 모였다. 그리고 한 번에 세 명씩 개활지를 건너기 시작했다. 나와 탈로이는 다른 한 사람과 함께 두 번째 조에 배치되었다. 먼저 건너간 첫 번째 조가 신호를 보내준 후 우리 셋이 개활지를 기어가기 시작했다. 중간쯤 갔는데 첫 번째 조 사람들이 납작 엎드리라는 신호를 보냈다. 우리가 엎드리자 그들은 그 상태로 계속 기어오라는 몸짓을 했다. 사방에 시체가 널려 있었고 파리들이 시체 위에 엉겨붙은 핏덩이를 신나게 포식하고 있었다. 건너편에 도착해서 보니, 부둣가에 작은 탑이 하나 있었다. 그 탑은 개활지가 내려다보이는 위치에 있었는데, 거기에서 반군들이 보초를 서고 있었다. 다음 조는 주니어 형과 다른 두 사람이었다. 그들이 건너오는 사이에 누군가의 주머니에서 뭔가가 흘러나와 개활지에 있던 알루미늄 냄비 위로 떨어졌다. 보초를 서던 반군들의 주의를 끌고도 남을 만큼 커다란 소리가 났다. 반군들이 소리가 난 쪽을 향해 총을 겨눴다. 형이 시체처럼 보이려고 꼼짝 않고 바닥에 엎드려 있는 모습을 보고 있자니 통증이 느껴질 만큼 가슴이 쿵쾅거렸다. 그때 마을 쪽에서 총성이 여러 발 들렸고, 그리로 정신이 쏠린 반군들은 몸을 반대쪽으로 돌렸다. 덕분에 주니어 형과 다른 두 사람이 무사히 건너오는 데 성공했다. 형의 얼굴은 흙투성이였고 치아 사이에는 진흙이 껴 있었다. 형은 주먹을 꽉 쥔 채 숨을 거칠게 내쉬었다. 마지막 조에 속한 어느 소년은 집에서 가져온 물건들을 담은 자루를 지고 오느라 좀처럼 속도를 내지 못했다. 결국 작은 탑에서 보초를 서던 반군이 소년을 보고는 사격을 가했다. 탑 아래에 있던 몇몇 반군은 아예 우리 쪽으로 뛰어오면서 총을 쏴대기 시작했다. 우리가 소년에게 속삭였다. "자루 버리고 빨리 움직여. 반군이 오고 있다고. 어서." 하지만 소년은 말을 듣지 않았다. 소년이 막 개활지를 건너왔을 때, 자루가 그의 어깨에서 미끄러졌다. 달아나면서 돌아보니 소년은 나무 그루터기 사이에 낀 자루를 끌어당기고 있었다. 우리는 최선을 다해 뛰었고 마침내 반군을 따돌렸다. 해가 질 무렵이었다. 우리는 커다란 붉은 태양과 어둠을 기다리는 고요한 하늘을 향해 묵묵히 걸어갔다. 처음으로 사람들이 붐비는 마을에 도착했다. 그러나 우리가 반군에게 발각되게 만들었던 소년은 보이지 않았다.

그날 밤 우리는 돈이 좀 생겼음에 잠깐이나마 행복했다. 저녁

식사로 카사바 잎이나 감자 잎을 곁들인 쌀밥을 사 먹을 수 있지 않을까 기대가 됐다. 우리는 마을 시장으로 가면서 서로 하이파이브를 했다. 저녁을 짓는 오두막에서 흘러나온 야자유 냄새를 맡으니 배가 요동치듯 꼬르륵거렸다. 하지만 음식을 파는 가판에 도착한 우리는 실망할 수밖에 없었다. 말린 생선과 야자유를 듬뿍 넣어 조리한 카사바 잎, 오크라 수프, 감자 잎을 밥이랑 같이 팔던 상인들이 장사를 그만뒀기 때문이다. 어떤 사람들은 상황이 나빠질 때를 대비해 식량을 아끼려는 것이었고 어떤 상인들은 별 이유는 없지만 더 이상 장사를 하지 않으려 했다.

온갖 고생과 위험을 무릅쓰고 겨우 돈을 손에 넣었건만 죄다 헛수고가 되었다. 마트루종까지 먼 길을 갔다가 돌아오는 대신 그냥 마을에 머물러 있었다면 배가 덜 고팠을 텐데. 우리가 처한 곤경을 두고 누군가를 탓하고 싶었지만 탓할 사람이 없었다. 우리는 논리적으로 결정해 행동했는데 그 결과가 안 좋게 난 것뿐이다. 전쟁 중에는 흔한 일이었다. 모든 상황이 초 단위로 급변했고 그런 상황에서는 누구도 손을 쓸 수가 없다. 우리는 상황에 적응해야 했고, 결국 생존전략이라 할 수 있는 행동을 취해야 했다. 그날 밤 우리는 너무나 배가 고픈 나머지 사람들이 자는 동안 음식을 훔쳤다. 그러지 않고는 그날 밤을 버틸 수 없었다.

5

　너무 굶은 탓에, 물을 마시면 장이 꼬이는 것처럼 배가 아팠다. 무언가가 내 뱃속을 갉아먹고 있는 것 같았다. 입술은 바짝 말랐고 약해진 관절은 쿡쿡 쑤셨다. 옆구리를 만져보니 갈빗대가 잡혔다. 어디서 음식을 구해야 할지 생각이 나지 않았다. 카사바 밭 하나를 찾아서 카사바를 있는 대로 해치우기는 했지만 그것도 금세 바닥이 났다. 새라든가 토끼 같은 동물조차 전혀 보이지 않았다. 우리는 잔뜩 짜증이 나서는, 같이 붙어 앉으면 배가 더 고프기라도 한 것처럼 서로 떨어져 앉았다.

　어느 날 저녁에는 혼자 삶은 옥수수 두 개를 먹고 있던 조그마한 소년을 뒤쫓아간 적도 있었다. 다섯 살쯤 되어 보이는 소년은 옥수수를 양손에 하나씩 쥐고는 번갈아가며 맛있게 뜯어 먹고 있었다. 우리는 서로 의견을 나누거나 눈빛을 교환하지도 않았지만, 동시에 소년에게 달려들어 소년이 무슨 일이 벌어지는지 알아차리기도 전에 옥수수를 빼앗았다. 소년이 울면서 자기 부모에게 달려가는 동안 우리는 옥수수를 여섯 등분으로 나눠 얼마 되지 않는 각자의 몫을 해치웠다. 그러나 소년의 부모는 우리를 탓하지 않았다. 죽을 만큼 배가 고프지 않고서야 남자아이 여섯이서 고작 옥수수 두 개를 빼앗겠다고 자기 아들에게 덤벼들었을 리 없었을 거라고 판단했던 게 아닐까 싶다. 그날 저녁 늦게 소년의 어머니는 우리 여섯에게 옥수수를 하나씩 쥐여주었다. 나는 잠깐 죄책감을 느꼈지만 우리 처지에는 양심의 가책을 느끼고 있을 여유도 없었다.

우리가 머물렀던 마을의 이름이 무엇이었는지도 모르겠다. 사실 군이 이름을 알아볼 생각도 하지 않았다. 매일매일 부딪히는 난관을 헤쳐나가는 것만으로도 정신이 없었기 때문이다. 다른 동네나 마을 이름도 몰랐고 어떻게 다른 곳으로 갈 수 있는지도 몰랐다. 굶주림에 시달리던 우리는 결국 다시 마트루종으로 가기로 했다. 그곳이 위험하다는 것은 잘 알았지만 배가 고픈 게 더 우선이었다. 한여름이고 건기여서 초원은 누렇게 말라 있었고, 싱그러운 초록빛의 숲이 그 주위를 에워싸고 있었다.

우리는 셔츠를 어깨나 걸치거나 머리에 두른 채 한 줄로 서서 초원 한복판을 걸어갔다. 그때 갑자기 마른 풀숲에서 반군 셋이 나타나 맨 앞에 있던 지브릴라에게 총을 겨눴다. 그들이 총의 공이치기를 잡아당겼다. 한 명은 총구를 지브릴라의 턱 밑에 갖다 댔다. 그러고는 낄낄대며 말했다. "물에 빠진 원숭이처럼 잔뜩 겁을 먹었군." 다른 두 명이 내 옆으로 지나갈 때 나는 그들과 눈을 마주치지 않으려고 고개를 숙였다. 둘 중 어려 보이는 반군이 칼집을 씌운 총검으로 내 고개를 들어올렸다. 녀석은 나를 무표정하게 쳐다보면서 총검을 칼집에서 꺼내 총부리에 붙였다. 나는 입술이 바들바들 떨렸다. 녀석은 아무런 감정도 없이 씩 웃었다. 반군들은 우리를 끌고 우리가 지나왔던 마을로 가기 시작했다. 세 명 중 가장 나이가 많은 듯한 반군도 많아야 스물한 살쯤 되어 보였다. 한 명은 군용 민소매 셔츠에 청바지 차림이었고 머리에 붉은 천을 둘렀다. 다른 둘은 긴 바지에 청재킷 차림이었고 야구 모자를 뒤로 젖혀 쓰고 새 아디다스 운동화를 신었다. 셋 다 양쪽 손목에 화려한 시계들을 주렁주렁 차고 있었다. 죄다 힘으로 빼앗거나 집이나 가게에서 약탈한 것들이었다.

걸어가는 내내 반군들은 이런저런 말을 많이 했다. 그 말들이 우리에게 곱게 들렸을 리 없다. 게다가 내 머릿속은 그저 죽음에 대한 생각으로 가득했기 때문에 그들이 무슨 말을 하는지 귀에 들어오지 않았다. 나는 정신을 잃지 않으려고 안간힘을 썼다.

마을 부근에 다다르자 반군들 중 두 명이 앞장서서 달려나갔다. 그 순간 내 머릿속에 우리는 여섯인데 반군은 하나라는 생각이 들었다. 하지만 녀석은 반자동 기관총을 들고 있었고 온몸에 긴 탄띠를 두르고 있었다. 그는 우리를 세 명씩 두 줄로 서게 한 다음에 양손을 머리에 올리고 걸어가라고 했다. 녀석은 우리 머리에 총을 겨눈 채 뒤에서 따라왔다. "한 놈이라도 움직이면 다 죽을 줄 알아. 숨도 크게 쉬지 마. 그게 마지막 숨이 될 수도 있으니까." 그가 그렇게 말하더니 웃음을 터뜨렸다. 웃음소리가 저 멀리 숲 속까지 메아리가 되어 퍼졌다. 나는 친구들이나 형이 갑자기 움직이지 않기를, 간지러운 곳이 있더라도 긁지도 말기를 간절히 바랐다. 당장에라도 총알이 박힐 수 있다는 생각에 뒤통수가 점점 화끈거렸다.

마을에 도착해서 보니 먼저 앞서간 반군 두 명이 마을에 있던 사람들을 전부 한데 모아뒀다. 마을 사람들은 열다섯 명이 넘었는데, 대부분 어린 소년들이었지만 여자아이와 어른도 몇몇 있었다. 반군들은 우리 모두를 덤불 근처에 있는 어느 집 울타리 안에 들어가 서 있게 했다. 날이 점점 어두워졌다. 반군들은 우리를 감시하려고 각자 큰 손전등을 꺼내 쌀을 빻는 절구 위에 올려놓았다. 다들 총구 앞에 서서 떨고 있는데, 마트루종에서 탈출한 어느 노인이 마을로 이어지는 나무다리를 건너오는 소리가 삐걱삐걱 들려왔다. 가장 어린 반군이 노인이 오는 쪽으로 가서 노인이 나무다리를 건너오기를 기다렸다. 노인이 다리를 건너자마자 반군은 즉시 노인에게 총을 겨누고는 그를 우리 앞으로 데려왔다. 예순 살 정도 됐을 듯한 노인은 몹시 허약해 보였다. 배고픔과 두려움으로 얼굴에 깊은 주름이 패어 있었다. 반군은 노인을 땅바닥으로 밀어 넘어뜨리고는 그의 머리에 총을 겨눈 후 일어나라고 명령했다. 노인이 다리를 덜덜 떨며 간신히 일어섰다. 반군은 노인을 비웃으면서 우리에게도 함께 웃으라고 총을 들이대며 명령했다. 나는 큰 소리로 웃었지만 속으로는 울음을 터뜨렸다. 다리와 손이 후들거렸다. 주먹을 꽉 쥐었지만 오히려 떨림이 심해졌다. 포로들이 모두 총구 앞에 서서 지켜보는 가운데 반군이 노인을 심문하기 시작했다.

반군 하나가 총검을 살펴보면서 질문했다. "왜 마트루종을 떠났지?" 녀석은 손가락으로 총검의 길이를 재보고는 총검을 노인의 목에 겨눴다.

"길이가 딱 맞겠네." 반군은 총검으로 노인의 목을 꿰뚫는 시늉을 했다.

"이제 내 질문에 대답하겠나?" 벌벌 떠는 노인의 얼굴을 벌겋게 충혈된 눈으로 사납게 노려보는 반군의 이마에 핏줄이 툭 튀어나왔다. 노인의 눈꺼풀이 통제력을 잃고 심하게 흔들렸다. 젊은 청년이 자기보다 나이 많은 어르신에게 이렇게 무례하게 말하는 건 전쟁 전에는 상상조차 할 수 없는 일이었다. 우리 문화

는 누구나 선하게 행동해야 한다고 가르쳤으며, 어린아이에게
는 그런 교육이 더욱 강조되었다. 젊은 사람은 연장자는 물론
공동체에 속한 모두를 공경해야 했다.

노인이 간신히 숨을 고르고는 겁에 질린 목소리로 대답했다.
"가족을 찾으려고 마을에서 나왔습니다." 반자동 기관총을 들
고 나무에 기대서서 담배를 피우던 반군이 분노에 차 노인에게
다가왔다. 그리고 총을 노인의 두 다리 사이에 겨눴다.

"우리가 마음에 안 들어서 마트루종을 떠난 거잖아!" 그가 노
인의 이마에 총을 대고 계속 말했다. "자유를 위해 싸우는 우리
의 대의명분에 반대해서 떠난 거잖아. 그치?"

노인은 두 눈을 꼭 감고 흐느끼기 시작했다.

명분은 무슨 명분? 나는 마음속으로 그렇게 생각했다. 내게
남은 자유라고는 생각할 자유밖에 없었다. 생각은 눈에 보이지
않으니까. 심문이 계속되는 동안 반군 한 명은 집집마다 돌아다
니며 RUF라는 글자를 담벼락에 휘갈겨 썼다. 글씨를 그렇게 못
쓰는 사람은 생전 처음 봤다. 알파벳도 제대로 모르는 모양이었
다. 그저 R, U, F가 각각 어떤 모양인지만 아는 것 같았다. 녀석
은 칠을 끝내고는 노인에게 다가와 노인의 머리에 총을 겨눴다.

"마지막으로 할 말 있나?" 노인은 말조차 할 수 없는 상태였
다. 입술이 파르르 떨리긴 했지만 입 밖으로 말소리를 내지는
못했다. 반군이 방아쇠를 당겼다. 번개 치는 것처럼 총구에서

불꽃이 확 튀었다. 나는 고개를 떨궜다. 무릎이 부들부들 떨렸고 심장박동이 점점 더 빨라지고 거세졌다. 다시 고개를 들고 보니, 노인이 꼬리에 앉은 파리를 잡으려는 개처럼 땅바닥을 빙글빙글 돌고 있었다. 노인은 계속해서 "내 머리! 내 머리!" 하고 외쳤다. 반군들은 깔깔거리며 웃었다. 마침내 자리에서 도는 걸 멈춘 노인이 감히 거울을 들여다보지 못하는 사람처럼 천천히 양손을 얼굴 쪽으로 들어올렸다. 노인은 "앞이 보여! 소리가 들려!"라고 울부짖다가 기절해버렸다. 반군이 노인을 쏘는 대신 그의 머리 바로 옆을 쏜 것이었다. 그들은 노인의 반응을 한껏 즐겼다.

그러고 나서 반군들은 우리를 쳐다보면서 우리 중 몇 사람을 신병으로 차출하겠다고 했다. 애초에 정찰을 돈 목적이 그것이었다. 반군은 우리를 일렬로 세웠다. 남자, 여자, 심지어 나보다 어린 아이들도 예외는 아니었다. 반군들은 앞뒤로 왔다갔다 하면서 사람들과 눈을 마주치려 했다. 그들은 첫 번째로 칼릴루를, 두 번째로 나를 뽑고, 그 뒤로도 몇 명을 더 선택했다. 선택당한 사람들은 원래 서 있던 사람들을 마주보고 한 줄로 서게 했다. 주니어 형은 선택되지 않았기 때문에 나는 반대편 무리에 속한 형을 마주보고 서야 했다. 이제 내가 곧 반군으로 차출될 판국이었다. 내가 형을 바라보자 형은 고개를 숙이고 내 시선을 피했다. 우리 둘을 이어주던 연결고리가 끊어지고 서로 다른 세계에 속하게 된 것만 같았다. 다행히 어떤 이유에선가 반군은 신병을 새로 뽑기로 결정했다. 그들 중 한 명이 뽑힌 사람들 대부분이 계집애처럼 벌벌 떨고 있다며 신병을 잘못 뽑았다고 말했다.

"우리는 강인한 신병이 필요해. 약해빠진 것들은 쓸모없어." 반군은 처음에 뽑힌 사람들을 다시 다른 사람들 속으로 밀어넣었다. 주니어 형이 내 쪽으로 슬금슬금 다가와 내 옆구리를 살짝 찔렀다. 내가 형을 올려다보자 형은 고개를 끄덕이고는 내 얼굴을 어루만졌다.

반군 하나가 소리쳤다. "다시 뽑게 똑바로 서." 형이 내 얼굴에서 손을 내렸다. 두 번째 선발 과정에서는 주니어 형이 뽑혔다. 뽑힌 사람들을 제외한 나머지는 필요가 없었기 때문에 반군은 우리를 강가로 데리고 갔다. 선발당한 사람들은 그 뒤를 따라오게 했다.

반군 한 명이 사람들 쪽으로 팔을 휘저으면서 외쳤다. "너희 앞에 있는 이 녀석들을 처형하는 것으로 신고식을 치러주마. 너희들도 피를 봐야 더 강해질 수 있거든. 여기 있는 사람들 중 누구도 다시는 보지 못할 거다. 사후 세계 같은 걸 믿는 게 아니라면 말이지." 그는 주먹으로 자기 가슴을 두드리면서 웃음을 터뜨렸다.

나는 뒤로 돌아서 주니어 형을 바라보았다. 형은 눈물을 흘리지 않으려고 애쓰느라 두 눈이 빨개져 있었다. 형이 손을 떨지 않으려는 듯 주먹을 꽉 쥐었다. 나는 소리 없이 울기 시작했고 갑작스레 현기증을 느꼈다. 선발된 소년들 중 한 명이 구역질을 했다. 그러자 반군이 개머리판으로 소년의 얼굴을 후려치고는 소년을 우리 쪽으로 밀어넣었다. 소년의 얼굴에 피가 흐르는 가운데 신고식이 계속되었다.

"걱정 마. 다음 순서로 널 죽여줄 테니까." 반군 하나가 그렇게 덧붙이고는 이번에도 역시 웃음을 터뜨렸다.

우리는 강가에 무릎을 꿇고 앉아 양손을 머리 뒤로 올렸다. 그때 갑자기 마을에서 그리 멀지 않은 곳에서 커다란 총성이 들렸다. 반군 둘은 가장 가까운 나무 뒤로 몸을 숨겼고, 나머지 하나는 땅바닥에 납작 엎드려 총소리가 난 방향으로 총을 겨눴다.

"저것들은 혹시……." 땅바닥에 엎드린 반군의 말은 연이어 들려온 총소리에 묻혀버렸다. 다른 반군들도 총성이 난 쪽을 향해 총을 쏘기 시작했다. 우리는 제각기 흩어져 수풀 속으로 몸을 숨겼고, 그것을 알아챈 반군은 우리에게 사격을 가했다. 나는 최대한 빨리 달려서 수풀 깊숙이 들어간 다음에 통나무 뒤에 납작 엎드렸다. 하지만 총소리가 점점 더 가까워졌기 때문에 수풀 속 더 깊숙한 곳으로 기어가야 했다. 총알 하나가 날아와 내 머리 바로 위 나무를 맞추고 옆으로 떨어졌다. 나는 동작을 멈추고 숨을 골랐다. 엎드린 채로 보니 빨간 총알들이 숲을 꿰뚫고 밤하늘을 향해 날아갔다. 내 심장 뛰는 소리가 내 귀에도 들렸다. 숨소리도 너무 거칠어서 숨을 참기 위해 코를 막았다.

몇몇 사람들은 반군에게 다시 붙잡혔다. 무슨 고문을 당하는 것인지 그들이 울부짖는 소리가 들렸다. 섬뜩할 만큼 날카로운 한 여자의 비명 소리가 숲 전체에 울려퍼졌다. 그 비명에 담긴 두려움이 내 혈관을 꿰뚫고 지나가는 것 같았다. 앙다문 이 사이로 신맛이 느껴졌다. 나는 수풀 속으로 더 깊이 기어 들어갔고, 나무 밑에 숨을 곳을 발견해 몇 시간 동안 그곳에 가만히 엎드려 있었다. 반군들은 여전히 마을에 남아, 잔뜩 성이 나 욕지거리를 하며 총을 쏘아댔다. 그러다 어느 순간, 반군들이 떠났는지 마을이 조용해졌다. 도망쳤던 사람들 중 한 명이 반군이 가버린 줄 알고 마을로 돌아갔다가 단박에 붙잡혔다. 그가 두들겨 맞는 소리가 났다. 몇 분이 지난 후 총성이 몇 발 울리고 하늘 높이 짙은 연기구름이 피어올랐다. 반군이 마을에 불을 지른 탓에 온 숲이 환하게 밝아졌다.

다시 한 시간 가량이 지나니 반군들이 총을 쏘는 소리가 점차 사그라들었다. 나무 밑에 엎드려 이제 무엇을 해야 하나 생각하는데, 뒤에서 속삭이는 소리가 들렸다. 처음에는 두려운 마음이 들었지만 이내 목소리를 알아들을 수 있었다. 주니어 형과 친구들이었다. 다행히 모두가 같은 방향으로 도망친 것이었다. 아직은 소리 내서 그들을 불러도 되나 망설여져서 완전히 확신할 수 있을 때까지 기다렸다. "반군이 떠난 것 같아." 주니어 형이 속삭이는 목소리가 들렸다. 그제야 확신이 들었다. 그러자 나도 모르게 입 밖으로 말이 튀어나왔다. "주니어 형, 탈로이, 칼로코, 지브릴라, 칼릴루. 맞지?" 속사포처럼 내뱉었다. 그러나 아무 대답도 없었고 내가 다시 형을 불렀다. "주니어 형, 내 말 들려?" 형이 대답했다. "응, 우리는 여기 썩은 통나무 옆에 있어." 형과 친구들이 나를 그쪽으로 불렀다. 다시 한데 모인 우리는 길을 찾기 위해 마을 쪽으로 살금살금 기어갔다. 길을 찾은 후에는 전에 우리가 많은 시간을 굶주리며 보냈던 마을을 향해 걷기 시작했다. 주니어 형과 나는 서로 눈빛을 주고받았다. 형이 나를 보며 미소를 지었다. 내가 죽음을 코앞에 두었을 때는 짓지 못했던 미소였다.

그날 밤 여정은 굉장히 조용했다. 우리 중 누구도 입을 떼지 못했다. 걷고 있는 것은 분명하지만 발이 땅에 닿는 느낌조차 들지 않았다.

마을에 도착한 뒤 우리는 불가에 둘러앉아 동이 틀 때까지 기다렸다. 아무도 한마디도 하지 않았다. 모두가 각자의 세계에 갇혀 있거나 무언가를 골똘히 생각하는 것 같았다. 다음 날 아침이 되어서야 우리는 다시 태어났거나, 아니면 악몽에서 깨어난 것처럼 서로 이야기를 나누기 시작했다. 우리는 바로 그 다음 날, 그 마을을 떠나 어딘가 안전한 곳으로, 우리가 있던 곳에서 멀리 떨어진 곳으로 가기로 결정했다. 정확히 어디로 가야 할지, 어떻게 안전한 장소를 찾을지 전혀 감이 잡히지 않았지만 어쨌든 안전한 곳을 찾아야겠다고 생각했다. 그날 우리는 옷을 빨았다. 비누가 없었기 때문에 그냥 옷을 물에 적신 다음에 햇빛에 마르도록 널어놓았다. 그리고 발가벗은 채 근처 수풀 속에 앉아 옷이 마르기를 기다렸다. 우리는 다음 날 아침 일찍 떠나기로 의견을 모았다.

6

    소년 여섯이서 무리를 지어 다니는 것은 결코 좋은 조건이 아니었다. 하지만 매일 마주치는 곤경을 모면할 가능성을 높이려면 같이 뭉쳐 다녀야 했다. 사람들은 우리 또래 소년들을 보면 겁을 먹었다. 어린 소년들이 반군의 강압으로 자기 가족들을 죽이고 마을을 불살랐다는 소문이 돌았다. 그 소년들이 무리를 지어 여기저기를 돌아다니면서 주민들을 죽이거나 팔다리를 자르고 있다고들 했다. 실제로 그런 테러를 당한 피해자들이 그 증거로 아직 아물지 않은 상처를 드러내 보여주기도 했다. 그러니 사람들이 우리 같은 소년들을 볼 때마다 과거의 학살을 떠올리면서 공포에 질리는 것이 당연했다. 스스로를 보호하기 위해, 자신의 가족과 공동체를 보호하기 위해 우리를 해치려는 사람들도 있었다. 그래서 우리는 마을로 들어가지 않고 마을 근처의 수풀로 빙 돌아서 가는 길을 택했다. 그러면 불필요한 혼란도 일어나지 않고 우리도 안전할 것 같았다. 이것이 바로 내전이 초래한 여러 결과들 중 하나였다. 사람들은 더 이상 다른 사람을 믿지 않았으며 낯선 이는 모두 적으로 간주했다. 심지어 잘 알고 지내던 사람들끼리도 극도로 조심하면서 서로 말을 섞지 않으려 했다.

어느 날, 우리가 숲이 우거진 지역을 따라 마을을 우회해 지나가는데 우락부락한 근육질 사내들이 덤불에서 튀어나와 우리 앞을 가로막았다. 마체테와 사냥용 소총을 든 사내들이 우리에게 멈추라고 지시했다. 마을을 지키기 위해 자원한 경비대였다. 그들은 촌장이 시킨 대로 우리를 마을로 데려갔다.

도착해서 보니 촌장 집 마당에는 많은 사람들이 모여 있었다. 우락부락한 사내들이 우리를 밀어 군중 앞에 엎드리게 한 뒤 튼튼한 밧줄로 우리의 발을 묶었다. 그러고는 양 팔꿈치가 맞닿을 정도로 양손을 등 뒤로 세게 잡아당겨 묶었다. 자동적으로 가슴이 쫙 펴질 때 너무 아파서 눈물이 찔끔 났다. 등을 똑바로 펴보려 했지만 아프기만 할 뿐이었다.

촌장이 지팡이로 땅을 쿵쿵 찍으면서 물었다. "너희들, 반군이냐, 스파이냐?"

우리가 떨리는 목소리로 대답했다. "둘 다 아니에요."

촌장이 불같이 화를 내며 외쳤다. "사실대로 말하지 않으면

이 사람들을 시켜서 너희들 몸에다 바위를 묶어 강에 던져버릴
거야."

우리는 우리가 학생일 뿐이며 그들이 크게 오해를 하고 있다
고 말했다.

군중들이 외쳤다. "반군 놈들을 물에 처넣어!"

경비대가 우리 주위를 둘러싸고는 우리의 주머니를 뒤지기
시작했다. 한 사람이 내 주머니에 들어 있던 랩 카세트테이프를
발견하고는 촌장에게 건넸다. 촌장은 테이프를 틀어보라고 지
시했다.

OPP(이미 짝이 있는 사람의 성기를 가리키는 은어—옮긴이)도 괜
찮지? (물론, 날 알잖아)

OPP도 괜찮지? (물론, 날 알잖아)

OPP도 괜찮지? (물론, 날 알잖아)

OPP도 괜찮은 사람? (우리 애들은 다 괜찮지)

촌장이 음악을 껐다. 그러고는 턱수염을 쓰다듬으면서 생각
에 잠겼다.

"말해봐." 촌장이 나를 보며 물었다. "이 외국 음악은 어디서
난 거지?"

나는 우리가 랩을 한다고 대답했다. 촌장은 랩 음악이 무엇인

지 몰랐기 때문에 나는 최선을 다해 설명하려고 애썼다. 최종적으로는 이렇게 설명했다. "이야기하는 거랑 비슷한데 그 이야기를 백인들 언어로 하는 거예요." 또 우리가 춤을 췄으며, 학교를 다녔던 마트루종에서는 댄스 팀도 만들었었다고 덧붙였다.

촌장이 "마트루종?"이라고 하더니 마트루종 출신이라는 소년 한 명을 불렀다. 소년이 도착하자 촌장은 우리를 아느냐, 우리가 백인 언어로 이야기를 읊는 것을 들어본 적이 있느냐고 물었다. 다행히 소년은 우리들의 이름을 전부 알고 있었다. 우리의 공연을 본 적이 있어서 기억하고 있는 것이었다. 우리는 소년의 얼굴조차 기억나지 않았지만 마치 그를 잘 알기라도 하는 것처럼 따뜻한 미소를 지어 보였다. 그 소년 덕분에 목숨을 건졌다.

마을 사람들은 우리를 묶었던 줄을 풀어준 뒤 약간의 카사바와 구운 고기를 줬다. 우리는 맛있게 먹고 감사를 표했다. 그런 다음 떠날 준비를 했다. 촌장과 우리의 손발을 묶었던 사내들 중 일부는 우리에게 머무를 곳을 내주겠다고 제안했다. 우리는 그들의 인자한 마음씨가 고마웠지만 떠나기로 결정했다. 머지않아 반군이 이 마을에도 들이닥치리라 생각했기 때문이다.

우리는 빽빽한 숲 사이로 난 길을 따라 천천히 걸어갔다. 소리 없이 바람이 불자 나무들이 마지못해 조금씩 몸을 흔들었다. 하늘은 저 멀리까지 잿빛 연기로 가득 차 있는 것 같았다. 연기 때문에 햇빛조차 흐릿해 보일 정도였다. 해 질 무렵 우리는 어느 버려진 마을에 도착했다. 진흙으로 만든 집 여섯 채가 있는 마을이었는데, 그 중 한 집을 골라 베란다 바닥에 앉았다. 주니어 형을 보니 얼굴이 땀으로 흠뻑 젖어 있었다. 형은 요즘 말을 거의 하지 않았다. 형이 나를 쳐다보고는 살짝 미소를 지어주었지만 이내 다시 무표정한 얼굴로 돌아갔다. 형이 자리에서 일어나 마당으로 나갔다. 거기 우두커니 서서 해가 완전히 질 때까지 멍하니 하늘을 바라보았다. 다시 베란다로 돌아올 때 돌 하나를 주워 온 형은 저녁 내내 그것만 만지작거렸다. 나는 눈을 떼지 않고 형을 바라보았다. 다시 눈이 마주치면 형이 무슨 생각을 하고 있는지 뭐라도 말해주지 않을까 싶었다. 하지만 형은 고개를 들지 않았다. 그저 돌멩이를 손에 쥐고서 땅바닥만 내려다볼 뿐이었다.

전에 주니어 형이 강에 물수제비뜨는 법을 가르쳐준 적이 있었다. 같이 물을 길러 갔을 때였다. 형은 돌멩이가 물 위를 걷게 하는 마술을 새로 배웠다고 말했다. 그러고는 몸을 비스듬히 굽힌 채 돌을 던졌다. 돌멩이들은 정말로 물 위를 걷는 것처럼 수면 위를 스쳤고, 돌멩이를 거듭 던질수록 앞의 것들보다 더 멀리 튕겨 나갔다. 형은 나에게도 해보라고 했지만 나는 성공하지 못했다. 형은 언젠가 시간이 나면 내게 기술을 가르쳐주겠다고 약속했다. 머리에 물동이를 이고 집으로 돌아오는 길에 내가 그만 발이 미끄러져 넘어지고 말았다. 물론 물을 다 쏟았다. 형은 나에게 자기 물동이를 주고는 내 빈 물동이를 가지고 다시 강으로 갔다. 형은 집으로 돌아오자마자 나보고 혹시 넘어져서 다친 데는 없냐고 물어봤다. 내가 괜찮다고 말했지만 형은 내 무릎과 팔꿈치를 살뜰히 살펴보았다. 내가 다치지 않은 걸 확인한 형은 내게 간지럼을 태웠다. 그날 저녁, 이름 모를 마을에서 남의 집 베란다에 앉아 형을 바라보면서, 나는 형이 그때처럼 내가 괜찮은지를 확인해주길 바랐다.

지브릴라, 탈로이, 칼로코, 칼릴루는 마을을 둘러싸고 있는 숲 꼭대기를 바라보고 있었다. 지브릴라는 턱을 무릎에 괴고 앉아 코를 씰룩거렸다. 숨을 내쉴 때마다 지브릴라의 온몸이 같이 들썩였다. 탈로이는 지금 우리가 처한 상황을 생각하지 않으려고 애쓰는 듯 계속 발로 바닥을 두드렸다. 칼로코는 끊임없이 움직였다. 가만히 앉아 있지 못하고 계속 자세를 바꿨다. 그리고 그럴 때마다 한숨을 내쉬었다. 칼릴루는 조용히 앉아 있었다. 얼굴에는 아무 감정도 드러나 있지 않았다. 넋이 나간 것 같았다. 나는 주니어 형이 어떤 감정을 느끼고 있는지 알고 싶었다. 하지만 그날 저녁 내내 침묵을 깨뜨릴 적당한 타이밍을 찾지 못했다. 지금은 그때 형에게 말을 건네지 못했던 것을 후회한다.

다음 날 아침, 많은 수의 사람들이 우리가 있던 마을을 지나갔다. 그 가운데에 지브릴라를 아는 여자가 있었다. 그녀는 지브릴라에게 그곳에서 30마일쯤 떨어진 마을에 지브릴라의 이모가 있다며, 그리로 가는 방향까지 짚어주었다. 우리는 주머니 가득 덜 익은 오렌지를 챙겼다. 시고 맛도 없었지만 우리가 손에 넣을 수 있는 먹을거리가 그것뿐이었다. 우리는 다시 길을 떠났다.

카마토르는 반군이 장악한 마트루종에서 굉장히 멀리 떨어진 마을이었지만, 그 마을 사람들은 경계 태세를 단단히 갖추고 언제든 떠날 준비를 하고 있었다. 우리 여섯은 음식과 잘 곳을 제공받는 대가로 파수꾼 역할을 맡았다. 마을에서 3마일 떨어진 곳에 커다란 언덕이 있었다. 언덕 꼭대기에 서면 마을로 진입하는 길이 1마일 너머까지 훤히 보였다. 바로 그 언덕 꼭대기에서 우리는 이른 아침부터 해질녘까지 보초를 섰다. 그후 한 달이 지나도록 아무 일도 일어나지 않았다. 물론 반군이 언제든 들이닥칠 수 있다는 사실을 잘 알고 있었지만, 시간이 지나면서 점점 경계심이 느슨해졌다.
어느새 씨 뿌리는 시기가 되었고 첫 비가 내려서 흙이 부드러워졌다. 새들이 망고나무에 둥지를 짓기 시작했다. 매일 아침 이슬이 내려 나뭇잎과 흙을 촉촉이 적셨다. 한낮이 되면 젖은 땅에서 나는 강렬한 흙 냄새가 코를 찔렀다. 그럴 때면 땅바닥에 누워 신나게 구르고 싶었다. 예전에 삼촌 중 한 분도 딱 이 맘때 죽었으면 좋겠다고 농담을 하시곤 했다. 해는 다른 때보다 일찍 떠올라, 구름 한 점 없는 파란 하늘에서 그 어느 때보다 찬란하게 빛났다. 길 옆으로 난 풀은 아직 말라 있는 상태였지만, 반쯤은 파릇파릇하게 자라기 시작했다. 개미들이 음식을 지고 땅굴로 들어가는 모습도 보였다. 우리는 반군이 반드시 올 것이라고 거듭 말했지만 마을 사람들은 점차 반군이 오지 않으리라는 생각을 갖게 됐다. 그래서 우리한테도 경비를 서던 곳에서 내려와 밭으로 나오라고 했다. 밭일도 만만하지는 않았다.

나는 늘 농사 짓는 걸 구경만 했기 때문에 농사일이 얼마나 힘든지 전혀 몰랐다. 1993년 카마토르 마을에서 몇 달 동안 농사일을 돕기 전까지는 말이다. 마을 사람들이 전부 농부였기 때문에 나도 농사일을 하지 않을 도리가 없었다.

전쟁 전에도 수확철에 할머니네 댁에 간 적이 있었지만, 할머니가 내게 시키신 일은 딱 하나뿐이었다. 수확을 시작하기 전 기름진 땅, 건강한 쌀, 풍년을 허락하신 조상님들과 신들께 감사를 표하는 의식으로서 밭 주변의 흙에 포도주를 뿌리는 것 말이다.

카마토르에서 우리가 처음으로 맡은 농사일은 축구장만 한 넓은 땅을 개간하는 것이었다. 우리가 쳐내야 할 수풀을 보니 앞으로 진짜 고생스럽겠구나 싶었다. 덤불이 빽빽하게 자라 있었다. 또 야자나무도 굉장히 많았는데 주위의 다른 나무들과 가지가 꼬일 대로 꼬여 있었다. 일일이 돌아다니면서 나무들을 베어 넘기기란 여간 힘든 일이 아니었다. 땅에는 썩은 나뭇잎이 수북이 쌓여 있어서 황토색을 띠고 있어야 할 땅이 시커멓게 보일 정도였다. 썩은 나뭇잎 아래에서 흰개미들이 무언가를 뒤지고 다니는 소리가 들렸다. 우리는 매일 수풀 아래에 구부정하게 서서 갖가지 나무와 야자수를 향해 마체테나 도끼를 휘둘렀다. 나무들이 금세 자라나 나중에 심을 농작물의 성장을 방해하지 못하게 하려면, 나무를 최대한 땅바닥에 바짝 붙여서 베어내야 했다. 마체테나 도끼를 휘두르다가 그 무게 때문에 우리가 수풀 속으로 곤두박질칠 때도 이따금 있었다. 그러면 우리는 엎어진 김에 잠깐 그대로 누워 아픈 어깨를 주물렀다. 그 모습을 볼 때마다 지브릴라의 이모부가 고개를 절레절레 저으며 말씀하셨다. "게을러터진 도시 애들 같으니."

밭을 정리하기로 한 첫날 아침에 지브릴라의 이모부는 우리에게 각자 쳐내야 할 수풀의 양을 할당해주셨다. 우리가 각자 맡은 몫을 끝내기까지 꼬박 사흘이 걸렸다. 아저씨는 세 시간도 안 돼 똑같은 양을 해치우셨는데 말이다.

내가 손에 칼을 들고 수풀을 쳐내기 시작하자 아저씨가 도저히 못 참겠다는 듯 웃음을 빵 터뜨렸다. 그러고는 칼을 제대로 잡는 시범을 보여주셨다. 아저씨는 딱 한 번 칼을 휘둘러서 나무를 잘라냈지만 나는 쉬지 않고 몇 분 동안 전력을 다해 칼을 휘둘러야 간신히 나무를 베어낼 수 있었다.

처음 2주 동안은 고되기가 이루 말할 수 없었다. 등이 찢어질 듯 아팠고 온몸의 근육이 욱신거렸다. 최악은 통통 부은 손바닥에 살이 벗겨지고 물집이 잡혔다는 것이다. 마체테나 도끼를 쥐는 데 익숙한 손이 아니었으니 당연한 결과였다. 밭을 정리하는 작업이 끝난 뒤 잘라낸 수풀은 바싹 마르도록 내버려뒀다. 나중에 수풀이 다 마른 뒤 우리는 수풀에 불을 붙였다. 짙은 연기구름이 새파란 여름 하늘 위로 피어올랐다.

그 다음에는 카사바를 심어야 했다. 우선 우리는 괭이로 땅에 조그만 구멍을 팠다. 그러는 동안 몇 시간이고 상체를 땅바닥 쪽으로 굽히고 있어야 했다. 쉬는 시간이라고 해봐야 카사바 줄기를 가져와서 잘게 나눈 다음에 구멍에 집어넣느라 잠깐 허리를 펼 수 있을 때가 쉬는 시간이었다. 작업하는 동안 들리는 소리라고는 능숙한 농부들이 콧노래를 부르는 소리, 이따금 새가 날개를 퍼덕이는 소리, 근처 숲에서 나뭇가지가 딱딱 부러지는 소리, 마을에서 밭으로 오고가는 길에 이웃끼리 인사를 나누는 소리밖에 없었다. 하루가 끝날 무렵이면 나는 종종 마을 공터에 있는 통나무 위에 앉아, 나보다 어린 소년들이 몸싸움을 하며 노는 모습을 지켜봤다. 일곱 살쯤 되어 보이는 소년이 늘 먼저 싸움을 걸었다. 그러면 아이 엄마가 와서 아이 귀를 잡아 끌고 갔다. 저 아이만큼이나 사고뭉치였던 나도 학교나 강가에서 늘 싸움을 일으키곤 했다. 때려눕히기 힘든 상대에게는 돌을 들고 덤비기도 했다. 주니어 형과 나는 집에 엄마가 안 계셨기 때문에 동네에서 모난 돌 취급을 받았다. 그 사실이 우리 얼굴에 적혀 있기라도 한 건지 우리 부모님이 헤어지신 걸 동네에서 제일 어린 아이까지도 알고 있었다. 저녁마다 동네 사람들은 우리를 두고 입방아를 찧었다.

어떤 사람들은 "아이고, 불쌍한 녀석들"이라고 말했다.

또 어떤 사람들은 우리가 지나가면 걱정된다는 듯이 "제대로된 교육은 못 받고 자라겠네"라고 혀를 찼다.

사람들이 우리를 동정하는 게 너무나 짜증났던 나는 때때로 학교에서 그 사람들 자식을 찾아다가 엉덩이를 걷어차곤 했다. 특히 '부모님이 네 얘기 많이 하시더라' 하는 표정을 짓는 녀석의 엉덩이는 어김없이 차주었다.

카마토르에서 석 달이나 농사일을 거들었지만 도무지 일이 손에 익지 않았다. 유일하게 즐거웠던 시간은 오후 휴식 시간에 강에 수영을 하러 갈 때였다. 나는 모래바닥이 훤히 보이는 곳에 자리를 잡고 웅크렸다가 강물에 몸을 맡기고 강 하류까지 내려갔다. 그러고는 다시 물 밖으로 나와 더러운 옷을 챙겨 입고 밭으로 돌아왔다. 농사일이 고된 것도 힘들었지만 진짜 안타까운 점은 따로 있었다. 그것은 바로 반군이 결국 카마토르에도 들이닥쳐서 우리의 노력이 모두 헛수고가 되었다는 것이다. 마을 사람들이 모두 땅을 버리고 도망쳐야 했으니, 남겨진 밭은 잡초로 뒤덮이거나 굶주린 짐승들 차지가 되었다.

반군이 카마토르를 습격했을 때 나는 친구들과 헤어졌다. 주니어 형을 마지막으로 본 것도 바로 그때였다.

7

반군은 사람들이 전혀 예상치 못했던 어느 날 밤에 마을을 습격했다. 반군이 카마토르에서 불과 50마일밖에 안 떨어진 곳에 진입했다더라 하는 소문조차 없었다. 그들은 그야말로 난데없이 쳐들어왔다.

오후 여덟 시쯤이었다. 마을 사람들은 하루를 마무리하는 마지막 기도를 올리고 있었다. 이맘(이슬람교에서 예배를 주관하는 지도자─옮긴이)이 무슨 일이 벌어졌는지 알아차렸을 때는 이미 한참 늦은 뒤였다. 이맘은 그대로 사람들 앞에 서서 동쪽을 바라보면서 코란의 긴 장을 우렁차게 암송했다. 일단 예배가 시작되면 예배와 관련이 없는 어떤 말도 해서는 안 되었다. 그날 밤 나는 모스크(이슬람교 예배당─옮긴이)에 가지 않았는데 모스크에 갔던 칼로코의 말에 따르면, 사람들은 반군이 마을을 습격했다는 사실을 알아차리자마자 소리를 죽인 채 한 번에 한 명씩 재빨리 모스크를 빠져나왔다고 한다. 결국 예배를 인도하던 이맘 혼자 모스크에 남았다. 몇몇 사람들이 반군이 쳐들어왔다고 귀띔을 해주려 했지만 이맘은 그 말을 들으려 하지 않았다. 반군은 이맘을 붙잡아 마을 사람들이 어느 쪽 숲에 숨었는지 실토하라고 했지만 이맘은 대답하기를 거부했다. 반군은 이맘의 손발을 와이어로 묶고 몸을 쇠기둥에 묶은 다음 불을 붙였다. 몸이 다 타버린 것은 아니었지만 어쨌든 이맘은 죽었다. 반쯤 불에 탄 이맘의 시체는 마을 광장에 버려졌다. 칼로코는 근처 수풀에 숨어서 그 광경을 모두 지켜보았다고 했다.

반군이 습격했을 때 주니어 형은 우리 다섯이 잠을 자는 베란다 방에 있었고, 때마침 나는 밖으로 나와 계단에 앉아 있었다. 반군이 워낙 갑작스레 들이닥쳤기 때문에 나는 형을 찾으러 갈 겨를이 없었다. 혼자 수풀로 도망칠 수밖에 없었다. 그날 밤 나는 나무에 기대어 혼자 잤다. 날이 밝은 후 칼로코를 만날 수 있었고 우리는 함께 마을로 돌아왔다. 칼로코가 말했던 대로 반쯤 불에 탄 이맘의 시체가 마을 광장에 있었다. 이를 앙다문 이맘의 모습에서 그가 느꼈을 고통을 짐작할 수 있었다. 집은 하나도 빠짐없이 불에 탔다. 그 마을에 살아있는 것은 하나도 남아있지 않았다. 칼로코와 나는 주니어 형과 다른 친구들을 찾아 울창한 숲을 뒤지고 다녔지만 어디에서도 그들을 찾을 수 없었다. 그러다 우연히 우리를 아는 어느 가족을 만났다. 그들은 늪 옆에 있는 수풀에 우리를 숨겨주었다. 우리는 그들과 함께 2주 동안 숨어 지냈다. 여러 달만큼 길게 느껴지는 2주였다. 앞으로 무슨 일이 생길지 여러 가능성을 끊임없이 고민하는 동안 하루가 너무나 더디게 지나갔다. 이 광기에 찬 전쟁에 끝이 있을까? 수풀을 벗어난 나에게 미래라는 게 존재할까? 주니어 형, 지브릴라, 탈로이, 칼릴루는 어떻게 됐을까? 다들 반군에게 붙잡히지 않고 도망칠 수 있었을까? 가족에 친구들까지, 모두를 잃게 생겼다. 나는 우리 가족이 모그브웨모로 처음 이사 왔을 때를 떠올렸다. 아빠는 새 집으로 이사한 것을 축복하기 위해 새 이웃들을 초대해 예식을 치렀다. "신들과 조상님들께 빕니다. 우리 가족이 늘 함께할 수 있도록 돌봐주소서." 아빠가 그렇게 말한 후 우리를 쳐다보셨다. 그때 엄마는 동생을 안고 계셨고, 주니어 형과 나는 토피 사탕을 입에 물고 나란히 서 있었다.

마을의 어르신 한 분이 자리에서 일어나서 덕담을 해주셨다. "자네 가족이 늘 함께할 수 있도록 신들과 조상님들께 기도하겠네. 설령 한 사람이 먼저 영혼의 세계로 건너가게 되더라도 함께하기를." 어르신께서는 "가족과 공동체를 위하여"라고 말을 맺으시면서 양 손바닥을 들어올리셨다. 아빠가 우리 쪽으로 와서 엄마 옆에 섰다. 그러고는 형과 나에게 가까이 오라고 손짓을 하셨다. 우리가 다가가자 아빠가 양팔을 벌려 우리 가족 모두를 안으셨다. 모여 있던 사람들이 박수를 쳤고 사진사는 사진을 몇 장 찍었다.

나는 눈물이 흐르지 못하게 손가락으로 눈꺼풀을 꾹 눌렀다. 우리 가족이 다시 모일 수만 있다면 얼마나 좋을까.

칼로코와 나는 혹시 사람들이 돌아왔나 보려고 사흘에 한 번씩 카마토르에 갔다. 하지만 매번 허탕만 쳤다. 인기척은 전혀 없었고 마을이 너무 고요해서 무서울 정도였다. 간혹 바람이 불어서 초가지붕이 흔들릴 때면 몸이 오싹해졌다. 마치 내가 유체 이탈을 해서 어딘가를 떠돌고 있는 느낌이었다. 사람은커녕 짐승 발자국도 보이지 않았다. 도마뱀조차 카마토르를 기어다닐 엄두를 내지 못하는 모양이었다. 새들도, 귀뚜라미들도 노래하지 않았다. 내 발소리가 심장박동 소리보다 크게 들렸다. 카마토르를 찾아갈 때마다 우리는 꼭 빗자루를 챙겨 갔다. 반군에게 추적당하지 않으려면 은신처로 돌아오는 길에 우리 발자국을 모두 쓸어 없애야 했다. 칼로코와 내가 마지막으로 카마토르를 찾아갔을 때는 개 두 마리가 타다 남은 이맘의 시체를 포식하고 있었다. 한 녀석은 팔을, 다른 녀석은 다리를 뜯어먹었다. 그 위에서는 독수리들이 허공을 빙빙 돌며 당장에라도 시체의 마지막 살점을 뜯어먹으러 내려올 준비를 하고 있었다.

나는 두려움 속에서 하루하루를 살아가는 데 질려버렸다. 언제든 죽음이 나를 찾아오기만을 기다리고 있는 것 같았다. 그래서 조금이라도 평안을 찾을 수 있는 곳을 찾아 떠나기로 결심했다. 그러나 칼로코는 떠나기를 두려워했다. 수풀을 벗어나는 것이 죽음을 향해 나아가는 것이나 마찬가지라고 생각했다. 결국 칼로코는 늪지대에 남기로 결정했다.

챙겨 갈 물건은 전혀 없었다. 주머니에 오렌지를 가득 채우고 닳고 닳은 스니커즈 끈을 묶는 것만으로 떠날 준비가 끝났다. 나는 모두에게 작별을 고하고 서쪽으로 향했다. 은신처를 떠나자마자 슬픔이 담요처럼 나를 감쌌다. 순식간에 슬픔에 압도당한 나는 울기 시작했다. 그 눈물의 이유는 알 수 없었다. 앞으로 벌어질 일이 두려워서였을까. 나는 잠시 길 옆에 앉아 눈물이 멎을 때까지 기다렸다가 다시 길을 떠났다.

하루 종일 걸었지만 길에서나 마을에서나 누구와도 마주치지 못했다. 발자국이 전혀 보이지 않았고 내 숨소리와 발소리밖에 들리지 않았다.

해가 뜰 무렵부터 해가 질 무렵까지 꼬박 닷새 동안을 걸었다. 이번에도 역시 사람은 한 명도 만나지 못했다. 밤에는 버려진 마을에서 잠을 잤고, 아침이 되면 오늘은 어느 쪽으로 갈지 정함으로써 나 자신의 운명을 결정했다. 유일한 목표는 내가 지나온 방향을 피해서 나아가는 것이었다. 오렌지는 첫날에 다 떨어졌다. 하지만 자러 들어간 마을들에서 오렌지를 더 구할 수 있었다. 때로는 카사바 밭을 마주치기도 했다. 그때마다 카사바를 뿌리째 뽑아 날로 먹었다. 그 외에 대부분의 마을에서 구할 수 있는 음식이라고는 코코넛뿐이었다. 나는 코코넛나무에 오를 줄 몰랐다. 옛날에 시도해본 적은 있었지만 성공하지는 못했다. 그런데 너무 배가 고프고 목이 마르던 어느 날, 마을에 도착했는데 코코넛 말고는 먹을 게 하나도 없었다. 코코넛은 마치 자기를 딸 수 있으면 한번 따보라고 약을 올리는 것처럼 나무에 아슬아슬하게 매달려 있었다. 어떻게 그런 일이 가능했는지는 모르겠지만 나는 나도 모르는 사이에 코코넛나무 위로 잽싸게 올라갔다. 문득 내가 무슨 행동을 하고 있는지 알아차리고 내가 코코넛나무 위에 올라본 적이 없다는 사실을 깨달았을 때는 이미 제일 높은 나뭇가지까지 올라가서 코코넛을 따고 있었다. 나는 올라갈 때만큼 재빠르게 내려와 코코넛을 쪼갤 만한 것이 없나 주위를 둘러봤다. 운 좋게도 낡은 마체테 하나가 있어서 마체테로 코코넛 껍질을 쪼갤 수 있었다. 코코넛으로 끼니를 때운 뒤에는 해먹에 뻗어 잠깐 휴식을 취했다.

충분히 쉬고 일어나서, 이제 힘도 회복했으니 다시 코코넛나무에 올라 코코넛 몇 개를 더 따서 들고 가야겠다고 생각했다. 하지만 이번에는 도저히 나무에 올라갈 수가 없었다. 나무 중간 높이까지 올라가는 것도 불가능했다. 계속 시도해보았지만 시도하면 할수록 점점 더 올라갈 수 있는 높이가 낮아졌다. 웃음을 잃은 지 오래되었지만 이번만큼은 자지러지게 웃지 않을 수 없었다. 이 경험을 가지고 논문이라도 쓸 수 있을 것 같았다.

여섯째 날에 드디어 사람들과 마주쳤다. 전날 밤을 보낸 마을을 막 떠나 다음 마을을 찾아 걷던 길이었는데, 앞에서 사람 목소리가 들렸다. 바람이 부는 방향이 바뀔 때마다 목소리도 커졌다가 작아졌다가를 반복했다. 나는 길에서 벗어나 조심조심 걸었다. 숲에서 소리를 내지 않으려면 마른 잎사귀를 밟지 않도록 주의해야 했다. 수풀 뒤에 서서 목소리의 주인들이 누구인지 살펴보니, 강가에 여덟 사람이 있었다. 나랑 마찬가지로 열두 살쯤 되어 보이는 어린 소년 넷, 소녀 둘, 성인 남자 하나, 여자 하나였다. 다들 강물에 몸을 담그고 있었다. 한동안 지켜보니 위험한 사람들은 아니라는 판단이 서서, 나도 강가로 내려가 몸에 물을 적시기로 했다. 나는 그들이 놀라지 않도록 먼저 수풀에서 길로 나왔다가 그들 쪽으로 걸어갔다.

제일 먼저 나를 발견한 사람은 성인 남자였다. 내가 "안녕하세요?" 하고 인사를 건넸다. 남자는 내 웃는 얼굴을 뚫어져라 쳐다보았다. 그가 아무 말도 하지 않기에 나는 그가 크리오 말(시에라리온에서 사용되는 영어 기반의 언어—옮긴이)을 못하나 보다 생각했다. 그래서 우리 부족 언어인 멘데 말로 다시 "안녕하세요?" 하고 인사를 건넸다.

남자는 여전히 반응이 없었다. 나는 옷을 벗고 강으로 뛰어들었다. 수면 위로 올라와서 보니, 사람들이 다들 동작을 멈추고 물 속에 가만히 서 있었다. 아버지로 보이는 남자가 나에게 물었다. "너는 어디서 왔고 어디로 가는 중이니?" 남자는 멘데 부족 사람이었고 크리오 말도 아주 잘 알아들었다.

"마트루종에서 왔는데 어디로 갈지는 저도 모르겠어요." 나는 얼굴에서 물기를 닦아내고 말을 이었다. "아저씨네 가족은 어디로 가시는데요?" 남자는 내 말을 듣지 못한 척하며 대답을 피했다. 나는 굴하지 않고 남자에게 혹시 본데 섬으로 가는 가장 빠른 길을 아시냐고 물어보았다. 본데는 시에라리온 남쪽에 있는 섬으로, 그곳이 가장 안전한 장소 중 하나라는 말을 들은 적이 있었다. 남자는 바다 쪽으로 쭉 가다 보면 본데로 가는 길을 잘 아는 사람들을 마주칠지도 모른다고 대답했다. 나를 믿지 못하겠으니 얼른 제 갈 길로 가줬으면 좋겠다는 마음이 그의 목소리에 묻어났다. 아이들과 여자의 얼굴을 보니 호기심과 의심에 찬 표정으로 나를 쳐다보고 있었다. 오랜만에 다른 사람들을 만난 것이 반가웠건만, 전쟁이 사람들을 만나는 즐거움까지 앗아간 현실에 실망감을 느낄 수밖에 없었다. 열두 살짜리 애마저 믿을 수 없는 세상이 되어버렸다. 나는 물 밖으로 나와 남자에게 고맙다고 말하고는 다시 길을 나섰다. 남자가 바다 쪽이라고 가리킨 방향으로 나아갔다.

　아쉽게도 이 시기에 내가 잘 곳과 먹을 것을 얻었던 마을들 이름은 대부분 알지 못한다. 물어볼 사람도 없었거니와 그 지역에는 마을 이름을 알려주는 표지판 따위도 전혀 없었기 때문이다.

8

잠도 자지 않고 내리 이틀을 걸었다. 개울에서 물을 마시고 싶을 때만 잠시 걸음을 멈췄다. 누군가가 나를 쫓아오는 느낌이 떨쳐지지 않았다. 내 그림자를 보고 내가 놀라 몇 마일이고 뛴 적도 많았다. 만물이 이상하리만큼 난폭하게 느껴졌다. 공기마저 나를 덮쳐 내 목을 부러뜨리고 싶어하는 것 같았다. 머리로는 배고픈 것을 알았지만 도통 입맛도 없었고 음식을 찾을 힘도 없었다. 사방이 불에 탄 가운데, 마치 폭풍이 휩쓸고 간 뒤 잎사귀들이 나뒹구는 것처럼 남녀노소의 시체들이 여기저기 널브러져 있는 마을들도 지나쳤다. 죽은 사람들의 눈에는 아직도 두려움이 서려 있었다. 심지어 죽은 뒤에도 점점 불어나는 광기로부터 자유로워지지 못한 것 같았다. 마체테에 잘린 머리, 시멘트 벽돌에 으깨진 머리도 있었다. 어떤 강에는 피가 너무 많이 쏟아져서 더 이상 물이 흐르지 않을 정도였다. 이런 광경들이 머릿속에 떠오를 때마다 내 발걸음도 점차 빨라졌다. 때로는 생각이 떠오르는 것을 도저히 막을 수가 없어서 눈을 질끈 감았다. 하지만 정신의 눈은 감기지가 않아서 계속 끔찍한 이미지가 불쑥불쑥 머릿속에 나타나 나를 괴롭혔다. 그럴 때면 나는 두려움으로 몸을 부르르 떨면서 현기증을 느꼈다. 분명 나무에 매달린 잎이 흔들리고 있는데 바람이 느껴지지는 않았다.

사흘째 되는 날, 정신을 차려보니 울창한 숲 한가운데에 있었다. 거대한 아름드리나무들의 가지와 잎이 사방으로 뻗쳐 있어서 하늘이 거의 보이지 않을 정도였다. 어떻게 여기까지 왔는지 기억이 나지 않았다. 밤이 가까워지고 있었기 때문에 나는 오르기에 너무 높지 않은 적당한 나무를 하나 찾았다. 다른 나무와 가지가 서로 얽혀 있어서 해먹 대용으로 쓸 수 있었다. 그렇게 하늘과 땅 사이에서 나무들의 팔에 안긴 채 그날 밤을 보냈다.

다음 날 아침, 나무에서 자느라 등이 끊어질 듯 아프기는 했지만 어떻게든 숲에서 나가는 길을 찾아야겠다는 결심이 섰다. 길을 가다 보니 거대한 바위 아래 샘이 솟아나고 있었다. 샘 옆에 앉아 쉬고 있는데 수풀 뒤로 물러가고 있는 커다란 검은 뱀과 눈이 마주쳤다. 나는 방어 수단으로 길고 튼튼한 막대기를 하나 구했다. 그리고 내 머릿속을 어지럽히는 생각들을 떨쳐내려고 땅바닥에 놓인 잎사귀를 만지작거렸다. 하지만 정신은 계속해서 나를 괴롭혔다. 끔찍한 생각들을 지워버리려고 아무리 애를 써도 소용없었다. 그래서 나는 다시 걷기로 결정했다. 손에 쥔 막대기로 땅을 짚으면서 걸어갔다. 아침부터 내리 걷다가 저녁이 되었는데도 나는 전날 밤 잤던 곳에 그대로 돌아와 있었다. 그제야 내가 길을 잃었다는 사실을 깨달았다. 그곳에서 벗어나려면 시간이 꽤나 걸릴 터였다. 이렇게 된 김에 새 집이나 좀 더 편안하게 만들어보자 싶었다. 잘 때 덜 배기도록 얽혀 있는 나뭇가지들 위에 나뭇잎을 깔았다.

그러고는 주변 환경을 눈에 익히기 위해 걸어서 돌아다녔다. 새 집에 익숙해지는 동안 마른 잎들도 치웠다. 그 다음에 막대기를 하나 집어다가 내 잠자리가 있는 곳부터 새로운 이웃인 뱀을 만났던 샘터까지 쭉 줄을 그었다. 샘에 도착해서 보니 다른 뱀 한 마리가 물을 마시고 있다가 나를 보고는 그 자리에 얼어붙었다. 내가 다시 내 일에 집중하자 녀석이 기어서 도망가는 소리가 들렸다. 줄은 땅바닥에 수북이 쌓여 있는 마른 잎을 갈라놓는 식으로 그었다. 그 줄을 보면 잠자리와 샘터 사이에서 길을 잃는 일은 없을 터였다. 주변 환경에 완전히 익숙해진 다음에 나는 자리에 앉아 숲을 어떻게 빠져나갈지 고민했다. 하지만 생각을 한다는 것 자체가 두려웠기 때문에 집중해서 궁리하지는 못했다. 결국 이곳에 그대로 머무르는 편이 나을지도 모른다는 결론이 났다. 길을 잃고 외로운 상태이기는 하지만 잠깐이나마 안전할 테니까.

　잘 익은 열매가 달린 나무들이 샘터를 따라 여러 그루 서 있었다. 여태까지 본 적이 없는 열매였다. 아침이면 새들이 이 낯선 열매를 쪼아 먹으러 왔다. 주변에 먹을거리가 따로 없었기 때문에 나도 그 열매를 좀 맛보기로 했다. 독이 있는 과일을 따 먹고 죽든가 아니면 굶어 죽든가 둘 중 하나였다. 하지만 열매를 먹은 새들이 멀쩡한 것을 보면 나도 문제가 없지 않을까 싶었다. 과일은 레몬처럼 생겼고 껍질 색깔은 노란색과 빨간색이 뒤섞여 있었다. 껍질을 까보니 즙이 뿜어져 나오는 아삭아삭한 과육에 아주 작은 씨가 하나 있었다. 향은 잘 익은 망고와 오렌지에 유혹을 뿌리칠 수 없을 만큼 구미가 당기는 다른 무언가를 섞어놓은 것 같았다. 잠깐 망설이다가 나는 과일 하나를 따서 한 입 베어 물었다. 향만큼 맛이 좋지는 않았지만 꽤 만족스러웠다. 아마 열두 개는 따 먹었던 것 같다. 그런 다음에 나는 물을 조금 마시고 가만히 앉아 결과를 기다렸다.

　주니어 형과 카바티에 가서 할아버지와 함께 마을 옆 커피 농장 주변의 길을 산책했던 때가 생각났다. 산책하는 길에 할아버지는 줄기를 약재로 쓰는 나무라든가 약초를 가르쳐주시곤 했다. 우리가 카바티에 갈 때마다 할아버지는 지식을 흡수하고 기억하는 두뇌의 능력을 끌어올려준다는 특별한 약을 지어주셨다. 약을 만들려면 또 다른 약재로 만든 잉크를 가지고 석판에 아랍어로 된 특별한 기도문을 써야 했다. 석판에서 기도문을 씻어낸 물을 '네시'라고 불렀는데 할아버지는 네시를 병에 담아 우리에게 주셨다. 그러면 우리는 약을 집으로 들고 가 몰래 지니고 있다가 시험공부를 하기 전에 마셨다. 약은 효과가 있었다. 나는 초등학교와 중학교를 다니는 동안 배운 것들을 하나도 잊지 않고 기억할 수 있었다. 때로는 약효가 너무 좋아서, 시험을 보는 중에도 필기를 한 내용이나 교과서에 적힌 내용이 한 페이지씩 그림처럼 떠오를 정도였다. 책을 내 머릿속에 그대로 복사해 넣은 것 같았다. 어린 시절에는 이런 놀라운 일들이 한둘이 아니었다. 지금도 나는 사진을 찍어놓는 듯한 정확한 기억력을 가지고 있어서 삶의 매 순간을 아주 세세한 부분까지 온전히 기억할 수 있다.

혹시 할아버지가 몸에서 독소를 제거해준다고 가르쳐주셨던 약초가 있을까 싶어서 나는 숲을 쭉 둘러봤다. 내가 먹은 과일에 독이 들어 있다면 그런 약초가 필요할지도 몰랐다. 하지만 약초는 보이지 않았다.

몇 시간이 흘렀지만 내 몸에는 아무 일도 일어나지 않았다. 그래서 나는 목욕이나 하기로 했다. 한동안 목욕을 하지 못했다. 옷은 무진장 더러웠고 스니커즈에서는 고약한 냄새가 났다.

몸에는 어찌나 때가 많이 꼈는지 살에 물을 끼얹자 질척거릴 정도였다. 비누는 없었다. 하지만 숲 한 곳에 비누 대신 쓸 수 있는 특별한 풀이 자라고 있었다. 할머니네 댁에 갔던 어느 여름에 이 특이한 풀에 관해 배운 적이 있었다. 풀을 한 뭉치 모아 손으로 꽉 짜자 풀에서 거품이 일어났고, 거품으로 몸을 씻자 몸에서 싱그러운 향기가 났다. 목욕을 마친 후에는 옷을 빨았다. 아니, 빨았다기보다는 물에 적신 뒤에 물이 마르도록 풀밭에 펼쳐놓았다. 나는 발가벗은 채 앉아 나무 속껍질로 이를 닦았다. 사슴 한 마리가 지나가다 의심에 찬 눈초리로 나를 보고는 다시 제 할 일을 하러 떠났다. 나는 생각이 떠오르지 않도록 숲의 소리에 귀를 기울였다. 새들이 노래하는 소리가 원숭이들이 꽥꽥 고함을 지르는 소리와 뒤섞여 들려왔다.

저녁이 되었는데도 옷이 아직 축축했다. 밤이 되기 전에 체온으로 옷을 말리려 옷을 입었다. 이름 모를 과일을 잔뜩 먹고도 나는 여전히 살아있었다. 그래서 저녁으로 과일을 몇 개 더 먹었다. 다음 날 아침에도, 그후 점심에도, 나중에 저녁에도 같은 과일을 또 먹었다. 이름 모를 과일이 내 유일한 먹을거리가 되었다. 하지만 그 과일도 당장은 넉넉히 있지만 얼마 지나지 않아 바닥날 것이 분명했다. 이따금 새들이 자기네 식량을 잔뜩 빼앗겼다고 성난 얼굴로 나를 노려보는 것 같았다.

숲에서 지내면서 가장 힘든 점은 외로움이었다. 날이 갈수록 견디기 힘들어졌다. 혼자 있으면 자연스럽게 생각을 너무 많이 하게 된다. 달리 할 일이 없으면 특히 더 그렇다. 그게 마음에 들지 않아서 생각을 멈추려고 갖은 애를 써봤지만 전혀 소용이 없었다. 머릿속에 떠오르는 생각마다 크나큰 슬픔을 불러일으켰기 때문에 아예 그 생각들을 다 무시하기로 결심했다. 과일을 먹고 물을 마시고 이틀에 한 번 목욕을 할 때 빼고 대부분의 시간을 내 정신과 싸우면서 보냈다. 내가 보았던 광경을 떠올리지 않기 위해서였다. 내 삶이 어디를 향해 가는지, 가족과 친구들이 어디에 있는지 궁금해 하지 않기 위해서였다. 생각에 저항하면 할수록 하루하루가 더 길어졌고, 머리는 나날이 더 무거워지는 것 같았다. 나는 안절부절못했고, 억눌렀던 생각이 꿈으로 나타날까 봐 두려워 잠도 이루지 못했다.

식량도 찾고 빠져나갈 길도 찾으려고 숲을 탐색할 때면 표범, 사자, 멧돼지 같은 야생동물을 마주치게 될까 봐 두려웠다. 그래서 동물들로부터 몸을 숨길 수 있게 쉽게 올라갈 수 있는 나무들 가까이로 붙어 다녔다. 그리고 가능한 한 빨리 걸었다. 하지만 걸으면 걸을수록 울창한 숲 속 깊숙이 빨려 들어가는 것 같았다. 숲에서 빠져나가려고 애를 쓰면 쓸수록 점점 더 키가 크고 울창한 나무들이 나타났다. 그것은 난감한 문제였는데, 오르기 쉬운 나무를 찾기도 어려웠을뿐더러 나뭇가지가 자기 좋게 뻗어 있는 나무를 찾기도 어려웠기 때문이다.

　어느 날 저녁, 잠을 자기에 좋게 나뭇가지가 갈라진 나무가
있나 찾아보고 있는데 꿀꿀거리는 소리가 들렸다. 도대체 어떤
녀석들이 그렇게 시끄러운 소리를 내는 건지 확실히 알 수는 없
었지만 분명한 것은 소리가 점점 커지고 있다는 점이었다. 나
는 안전을 위해 나무로 올라갔다. 나무 위에 앉아서 보니 멧돼
지 한 무리가 달려오고 있었다. 멧돼지를 본 것은 그때가 처음
이었다. 죄다 덩치가 산만 했다. 두 발로 선다 치면 전부 나보다
키가 클 것 같았다. 주둥이 밖으로는 어금니가 삐죽 뻗어나와
있었다. 멧돼지들이 내 밑을 지나가는데, 가장 큰 놈 한 마리가
가만히 멈춰 서서 사방을 향해 킁킁거리기 시작했다. 내 존재를
알아차린 게 분명했다. 나는 멧돼지들이 다 가버려 보이지 않을
때까지 기다렸다가 나무에서 내려왔다. 그런데 갑자기 거대한
멧돼지 몇 마리가 나를 향해 돌진했다. 멧돼지들은 거의 반 마
일 가량 나를 쫓아왔다. 나는 다행히 한 번에 뛰어서 오를 수 있
는 나무를 발견해 그 위로 올라갈 수 있었다. 멧돼지들이 나무
앞에 멈춰 서서 나무 밑동을 들이박기 시작했다. 그러면서 시끄
럽게 꽥꽥 소리를 질렀다. 그러자 나머지 멧돼지들도 모여들었
다. 멧돼지들이 다 같이 나무를 들이박기 시작했다. 밑동을 씹
어 먹으려는 녀석들도 있었다. 나는 나무 위로 더 높이 올라갔

다. 한참 뒤 귀뚜라미들이 귀뚤귀뚤 밤의 시작을 알리자, 그제야 멧돼지들이 추격을 포기하고 돌아갔다.

예전에 할머니가 악명 높은 멧돼지 사냥꾼 이야기를 해주신 적이 있었다. 사냥꾼은 마술을 사용해 자기 모습을 야생 수돼지로 바꿀 수 있었다. 모습을 바꾼 사냥꾼은 멧돼지 무리를 숲 속 공터로 유인했다. 그런 다음 다시 인간의 모습으로 돌아와 덫이나 총으로 멧돼지를 잡았다. 그러던 어느 날 작은 멧돼지 한 마리가 사냥꾼이 마술을 부리는 장면을 목격했다. 돼지로 변한 사냥꾼이 어느 풀을 베어 물자 다시 인간의 모습으로 돌아간 것이다. 작은 멧돼지는 친구들에게 자기가 목격한 광경을 다 이야기해줬다. 멧돼지 무리는 숲을 샅샅이 뒤져 사냥꾼이 마술에 사용하는 풀을 하나도 남김 없이 없애버렸다. 다음 날 사냥꾼은 마술을 부려 돼지로 모습을 바꾼 뒤 멧돼지 무리를 공터로 유인했다. 하지만 다시 인간으로 돌아가는 풀을 찾을 수 없었다. 기회를 잡은 멧돼지들은 사냥꾼을 발기발기 찢어 죽였다. 그날 이후 멧돼지들은 인간이라면 전부 불신하게 되었으며 숲 속에서 어떤 인간을 마주치든 사냥꾼의 복수를 하러 왔다고 생각하게 되었다고 한다.

멧돼지들이 떠난 후, 나는 주변을 충분히 살핀 뒤 나무에서 내려와 쉬지 않고 걸었다. 해가 뜨기 전에 빨리 이 지역을 벗어나고 싶었다. 계속 머무르다가 멧돼지들을 다시 마주치게 될까 봐 겁이 났다. 밤새 걸었고 날이 밝은 뒤에도 계속 걸었다. 다시 밤이 시작될 무렵 올빼미들이 은신처에서 나오는 것을 보았다. 올빼미들은 눈을 요리조리 굴려 주변을 둘러보고 밤을 준비하려는 듯 기지개를 쭉 폈다. 나는 아주 빨리, 하지만 아주 조용히 걸었다. 그러다 그만 뱀의 꼬리를 밟고 말았다. 뱀이 쉭쉭거리면서 재빨리 내 쪽으로 다가왔다. 나는 전속력으로 한참을 달렸다. 내가 여섯 살일 때 할아버지가 뱀에 물리지 않도록 막아주고 뱀을 부릴 수 있게 해주는 약을 놓아주신 적이 있었다. 하지만 학교에 가고 나서부터 나는 그 약의 효력을 의심하기 시작했고, 그후로는 더 이상 뱀을 멈춰 세워 내 앞길을 막지 못하게 만들 수가 없었다.

내가 아주 꼬마였을 때 아빠가 이런 말씀을 해주시곤 했다. "네가 살아있는 한 더 나은 날이 오리라는, 더 좋은 일이 일어나리라는 희망이 있는 거란다. 인간은 자기 운명에 더 이상 좋은 일이 남아 있지 않다고 생각하는 순간 비로소 죽는 거야." 길을 가는 내내 아빠 말씀을 생각했다. 그 덕분에 내가 어디로 가는지 알지 못할 때조차 나는 계속 나아갈 수 있었다. 아빠가 해주신 말씀은 내 영혼이 계속 살아 숨 쉬며 앞으로 나아갈 수 있게 해주는 원동력이었다.

마침내 다시 사람들을 마주친 것은 숲에서 생활한 지 한 달여만이었다. 그때까지 내가 만난 대상 가운데 살아있는 것이라고

는 원숭이, 뱀, 멧돼지, 사슴뿐이었다. 당연히 대화를 나눌 상대
는 없었다. 이따금 꼬마 원숭이들이 나무 사이를 연습 삼아 폴
짝폴짝 뛰는 모습을 구경하거나 인기척을 느낀 사슴이 초롱초
롱 호기심 어린 눈빛으로 나를 쳐다보는 모습을 바라보는 일이
전부였다. 나무에서 나뭇가지가 부러지는 소리가 내 음악이었
다. 나뭇가지가 일정한 리듬에 맞춰 딱딱 부러져서 정말 듣기
좋은 날도 있었다. 소리는 메아리가 되어 한동안 울려퍼지다 점
차 숲 속 깊숙이 잦아들곤 했다.

배는 고프고 등은 아프고 피로는 쌓이고. 고통스럽게 비틀비
틀 천천히 걷고 있을 때였다. 두 갈래 길이 하나로 만나는 지점
에서 내 또래 소년들을 맞닥뜨렸다. 나는 얼마 전 어느 버려진
마을에서 바지 하나가 장대에 걸려 있는 걸 보고 그걸 주워서
입고 있었다. 나한테는 너무 큰 바지라 걸을 때 흘러내리지 않
도록 밧줄을 가지고 단단히 동여매야 했다. 우리는 길이 만나
는 지점에 동시에 도착했고 서로를 보자마자 두려움으로 몸이
얼어붙었다. 도망가지도 못하고 그대로 서 있는데, 아는 얼굴이
몇 있었다. 그래서 긴장과 의심을 풀어보려고 미소를 지었다.
상대는 모두 여섯 명이었는데 그 중 세 명이 마트루종에서 나랑
같이 센테니얼중학교를 다녔던 알하지, 무사, 카네이였다. 아주
친한 친구들은 아니었지만 우리 넷은 상급반 대표에게 말대꾸

를 했다가 같이 매를 맞은 적도 있는 사이였다. 매를 맞고 나서는 모두 처벌이 지나쳤다는 데 동의하는 표시로 서로를 보며 고개를 끄덕였다. 나는 소년들과 악수를 나눴다.

뺨에 새겨진 표식과 이목구비를 보면 누가 어느 부족 출신인지 구별할 수 있었다. 알하지와 사이두는 템네 부족이었고 카네이, 주마, 무사, 모리바는 멘데 부족이었다. 그들은 본데 지구에 있는 옐레라는 마을로 가는 중이라고 했다. 듣기로는 시에라리온 국군이 점령하고 있어서 안전한 곳이라고 했다.

나는 조용히 그 아이들을 따라갔다. 뒤쪽으로 약간 간격을 유지한 채 걸어가면서, 그들의 이름, 특히 내가 얼굴을 알아본 아이들의 이름을 기억하려고 애썼다. 다른 사람들과 섞여 있는 것이 불편했다. 나보다 나이가 많은, 아마 열여섯 살 정도 돼 보이는 카네이가 나에게 그 동안 어디서 지냈느냐고 물었다. 나는 미소만 지을 뿐 대답하지 못했다. 무슨 일을 겪었는지 다 안다는 듯이 카네이가 내 어깨를 두드렸다. "상황이 바뀌면 한결 나아질 거야. 조금만 더 버티자." 그러면서 다시 내 어깨를 두드리고 고개를 끄덕였다. 나는 미소로 화답했다.

또다시 소년들 사이에 끼게 되었다. 이번에는 나까지 해서 총 일곱 명이었다. 이렇게 무리를 지어 다니면 문제가 생길 수 있다는 건 알았지만, 더 이상 혼자 있고 싶지 않았다. 우리는 속에 순수 대신 공포가 자리를 잡은 괴물들로 변해 있었다. 어쩔 수 없는 일이었다. 때로는 사람들을 쫓아가, 우리는 당신들 생각처럼 끔찍한 존재가 아니라고 소리치기도 했다. 하지만 그렇게 하면 사람들이 더 겁을 먹을 뿐이었다. 그저 길을 물어보려던 것뿐이었지만 그럴 수 없었다.

그렇게 엿새가 넘게 걸었다. 우리는 나이가 너무 많아 잘 걷지도 못하는 노인을 마주쳤다. 어르신은 마을 중앙에 있는 집 베란다에 홀로 앉아 계셨다. 얼굴은 산 사람이 맞나 싶을 만큼 주름이 가득 져 있었지만 까무잡잡한 피부만큼은 윤기를 뽐내고 있었다. 어르신은 한참 입맛을 다시다가 천천히 말씀을 내뱉으셨다. 말씀을 하시는 동안 이마에 핏줄이 선명하게 붉어졌다.

"다들 '일곱 소년'이 온다는 말을 듣고 도망갔어. 나는 뛸 수가 없어서 이렇게 뒤에 남겨졌지. 나를 업고 가겠다는 사람도 없었거니와 나도 짐이 되기는 싫었거든."

우리는 우리가 어디에서 왔으며 어디로 가려고 하는지를 설명했다. 어르신은 우리에게 자신의 말동무를 하면서 잠시 머무르다 가라고 권하셨다.

어르신이 정중하게 부탁하셨다. "어린 친구들이 아주 배가 고파 보이는구먼. 저쪽 오두막에 얌(한국에서 자라는 마와 비슷한 식물로 고구마처럼 삶거나 구워 먹는다―옮긴이)이 좀 있을 게야. 요리를 해서 나도 좀 주고 너희들도 먹지 않으련?" 우리가

얌을 거의 다 해치웠을 때쯤 어르신이 천천히 입을 떼셨다. "얘
들아, 이 나라는 선한 마음을 잃어버렸구나. 이제 사람들은 서
로를 믿지 못하지. 몇 해 전만 같았어도 마을 사람들이 너희를
따뜻하게 반겨줬을 텐데. 불신과 공포에 사로잡힌 누군가가 너
희들에게 해코지를 하기 전에 얼른 안전한 곳을 찾기 바란다."

어르신은 지팡이로 땅바닥에 지도를 그려주셨다. "옐레로 가
려면 이리로 가면 된단다."

카네이가 물었다. "할아버지 존함이 어떻게 되세요?"

우리 중 누군가가 이런 질문을 할 줄 알았다는 듯 어르신이
씩 웃어 보이셨다. 그러고는 우리 얼굴을 바라보시면서 부드럽
게 말씀하셨다. "굳이 내 이름을 알 필요가 있겠니. 다음 마을
에 닿거든 그저 뒤에 남겨진 늙은이 하나가 있었다고만 하면 되
지." 그의 목소리에서는 조금도 슬픈 기색이 느껴지지 않았다.

"나는 이 전쟁이 끝나는 모습을 살아서 보지 못할 거야. 그러
니 내 이름 대신 다른 것들이나 기억하게 내 이름은 알려주지
않으련다. 만약 너희들이 이 전쟁에서 살아남는다면 그냥 늙은
이 하나를 만난 적이 있었다고만 생각하려무나. 자, 이제 갈 길
을 가야지." 어르신은 지팡이로 우리 앞에 놓인 길을 가리키셨
다. 우리가 자리를 뜨자, 어르신은 땅에 그려진 지도를 발로 지
우시고는 오른손을 들고 고개를 한 번 끄덕이셨다. 우리를 배웅
해주신 것이다. 마을이 우리 시야에서 사라지기 전에 나는 어르

신을 마지막으로 한 번 더 뵐 겸 뒤를 돌아보았다. 어르신은 고개를 숙인 채 양손으로 지팡이를 짚고 계셨다. 살 날이 얼마 남지 않았다는 사실을 잘 알고 계신 것이 분명했다. 그럼에도 어르신은 당신 앞날을 걱정하지 않고, 우리 앞날을 걱정하셨다.

누군가 일곱 소년, 그러니까 우리에 관한 소문을 퍼뜨리기 시작했다. 여정을 이어나가는 동안 마체테를 든 근육질 사내들에게 둘러싸인 적이 한두 번이 아니었다. 그들은 우리를 죽이려고 덤벼들었다가 우리가 그저 전쟁을 피해 도망다니는 어린애들이라는 사실을 깨닫고는 우리를 살려 보내줬다. 이따금 마체테 칼날을 보면서 저 칼날이 나를 내리치면 얼마나 아플까 생각했다. 그런가 하면 어떤 때는 너무 배가 고프고 피곤한 나머지 아무렴 어때 싶기도 했다. 때때로 사람이 붐비는 마을에 들러 밤을 보낼 때면 건장한 사내들이 밤새 우리를 감시했다. 얼굴을 씻으려고 강에 가면 엄마들이 애를 둘러업고 집으로 도망쳤다.

9

　어느 날 아침, 버려진 마을을 막 지나쳤을 때였다. 갑자기 굉음이 들리기 시작했다. 거대한 엔진이 부르릉거리는 소리, 아스팔트 도로 위에 금속 드럼통을 굴리는 소리, 우르르 쾅쾅 벼락치는 소리가 연달아 들렸다. 이 모든 소리가 우리 일곱 명의 귀에 동시에 들렸다. 우리는 재빨리 길에서 벗어나 수풀 속으로 뛰어 들어가서 바닥에 납작 엎드렸다. 우리는 서로의 얼굴을 바라보며 누군가 이 괴상한 소리의 정체를 설명해주기를 바랐다. 그러나 종종 해답을 내놓곤 했던 카네이조차 대체 그게 무슨 소리인지 말해주지 못했다. 우리 모두가 카네이를 쳐다보자 그의 얼굴은 당혹감으로 일그러졌다.

　"이게 무슨 소리인지 알아내야 해. 그렇지 않으면 옐레로 갈 수 없을지도 몰라." 카네이가 속삭이고는 소리가 나는 방향을 향해 기어가기 시작했다. 우리도 카네이를 따라 썩은 나뭇잎 위로 소리가 나지 않게 조심스레 몸을 움직였다. 가까이 다가갈수록 소리는 더욱 커졌고 강렬한 바람이 우리 머리 위의 나무들을 흔들었다. 하지만 파란 하늘 외에는 아무것도 보이지 않았다. 카네이가 망설이다가 무릎을 꿇고 일어나 소리가 나는 방향을 훑어보았다.

"그냥 물이야. 근데 엄청 많아. 모래도 있어. 모래도 엄청 많아." 카네이가 눈을 떼지 못한 채 중얼거렸다.

알하지가 물었다. "그럼 어디서 소리가 나는 건데?"

카네이가 대답했다. "물이랑 모래말고는 아무것도 안 보여." 그러고는 우리보고 가까이 와서 보라는 손짓을 했다. 우리는 무릎을 꿇고 앉아 어디서 소리가 나는지 알아내려고 사방을 둘러보았다. 카네이가 우리에게는 아무 말도 하지 않고 수풀 밖으로 기어나가, 물이 있는 쪽을 향해 모래 위를 걷기 시작했다.

대서양이었다. 우리가 들었던 소리는 파도가 해안에 부딪치는 소리였다. 바다의 일부를 본 적은 있었지만 이렇게 광대한 해안에 서보기는 처음이었다. 해안이 시야 밖 저 멀리까지 뻗어 있었다. 이보다 파랄 수 있을까 싶은 하늘은 곡선을 그리며 내려가다 저 멀리서 바다와 하나로 합쳐졌다. 두 눈이 번쩍 뜨였고 얼굴에는 절로 미소가 떠올랐다. 광기 어린 전쟁이 한창 이어지는 와중에도 자연은 진정한 아름다움을 간직하고 있었다.

이 아름다운 광경에 넋을 잃고 있자니 내가 지금 처한 상황도 말끔히 잊을 수 있었다.

우리는 더 가까이 다가가서 해안 끝자락에 앉았다. 바다를 뚫어져라 바라보며 파도가 연이어 밀려오는 광경에 감탄했다. 파도는 세 겹으로 밀려왔다. 첫 번째 파도는 몸집은 작았지만 사람 다리도 부러뜨릴 수 있을 만큼 거셌다. 두 번째는 첫 파도보다 높고 거셌다. 세 번째 파도는 그야말로 장관이었다. 파도는 해안으로 다가오면 다가올수록 둥글게 말리더니 해안선 위로 점점 더 높이 치솟았다. 우리는 앉아 있던 곳에서 얼른 달아났다. 파도가 해안에 얼마나 세게 부딪쳤는지 모래 입자가 하늘 높이 날렸다. 우리가 다시 되돌아가서 보니 파도가 지나간 자리에는 바다가 원치 않는 잡동사니들이 내던져져 있었다. 그 중에는 커다란 게도 몇 마리 있었다. 바다 밑바닥을 꽉 붙들 만한 힘이 없어 밀려온 모양이었는데 어쨌든 아직 살아있었다.

이곳은 딱히 문제가 일어날 리 없는 장소라고 판단했기 때문에 우리는 해안을 따라 마음 편히 걸었다. 서로 쫓고 쫓기면서 몸싸움도 벌이고 공중제비를 넘거나 달리기 시합도 했다. 알하지의 낡은 셔츠를 돌돌 만 다음 줄로 묶어 축구공을 만들었다. 간이 축구공으로 축구를 하다가 골을 넣은 사람은 스쿠스(콩고 룸바에서 파생된 아프리카의 대중적인 음악 및 춤 장르—옮긴이) 춤을 추며 자축했다. 우리는 소리를 지르고, 웃음을 터뜨리고,

중학교에서 배운 노래도 불렀다.

　새벽 일찍 해안에서 출발해 걷기 시작한 우리는 해가 뜨는 광경도 보았다. 정오쯤 되자, 저 앞에 오두막집들이 모여 있는 것이 보였다. 우리는 누가 먼저 도착하나 경주하듯 그곳으로 달려갔지만, 막상 도착하니 갑자기 걱정이 되었다. 모래 위로 절구가 쓰러져 있고 절구 안에서 쏟아진 쌀이 흩어져 있었다. 깡통에서 물이 새어나오고 있었고 부엌으로 썼을 오두막에서는 주인 없는 불이 타오르고 있었다. 우리 머릿속에 제일 먼저 떠오른 생각은 반군이 다녀간 것 아닐까였다. 그런데 우리가 다른 가능성을 점쳐볼 겨를도 없이 오두막 뒤에서 어부들이 뛰쳐나왔다. 다들 마체테나 낚시용 작살, 그물 등을 들고 있었다. 그들의 갑작스런 등장에 너무 놀란 나머지 우리는 도망칠 엄두도 내지 못하고 이렇게 소리쳤다. "제발요! 저희는 해를 끼치지 않아요! 그냥 지나가던 길이에요!" 그 지역에서 쓰는 열여덟 가지 언어 중 각자 할 줄 아는 언어로 다 말했다. 어부들은 무기의 평평한 부분으로 우리를 때려눕혔다. 그러고는 우리를 깔고 앉아 손을 묶고는 촌장에게 데려갔다.

　반군으로 추정되는 소년들이 오고 있다는 소문이 이곳 어촌 사람들 사이에 퍼졌던 것이다. 소문을 듣자마자 사람들은 집과 가족을 보호하기 위해 무장을 하고 숨어서 기다렸다. 한두 번 겪는 일은 아니었지만, 지극히 안전하다고 생각했던 이곳에서 이런 일을 겪을 줄은 몰랐다. 사람들은 우리에게 어디서 왔는지, 어디로 가려 했는지, 왜 그곳으로 가려 했는지를 순서대로 물어보았다. 우리 가운데 키가 가장 커서 종종 연장자로 오해받는 알하지가 우리는 그저 지나가는 길이었다고 촌장에게 설명했다. 그러자 남자들이 우리 발에서 헤진 스니커즈를 홱 벗기고는 우리를 풀어줬다. 그들은 작살과 마체테를 흔들며 소리를 지르면서 우리를 마을 밖으로 쫓아냈다.

마을에서 한참을 달아나다 멈춰 선 우리는 그제야 어부들이 우리에게 어떤 벌을 내린 것인지 깨달았다. 해가 중천에 떠서 기온이 화씨 120도(섭씨 약 48도—옮긴이)를 웃돌고 있는데 우리는 맨발이었다. 내륙보다 습도가 낮기는 했지만 해안에는 그늘 역할을 하는 나무가 전혀 없었기 때문에 햇볕이 모래 위로 바로 내리쬐서 모래가 뜨겁게 달구어져 있었다. 그 위를 맨발로 걷는 것은 지글지글 끓는 아스팔트 도로를 걷는 것과 다름없었다. 뭔가 기적이 일어나길 바라면서 계속 걸을 뿐, 우리가 고통에서 벗어날 수 있는 방법은 없었다. 바닷물 속을 걷거나 해변의 젖은 모래 위로 걸어가는 것도 불가능했다. 우리가 걷던 곳과 해변의 높이 차이가 컸고, 파도도 위험했기 때문이다. 울면서 몇 시간을 걷다 보니 발의 감각이 사라졌다. 계속 걸었지만 이제는 발바닥이 땅에 닿는 느낌조차 들지 않았다.

우리는 해가 질 때까지 이글거리는 모래 위를 걸었다. 그날처럼 하루가 빨리 저물기를 간절히 바랐던 적이 없다. 해가 지고 나면 고통도 가실 줄 알았는데, 열기가 사그라들자 발의 감각이 다시 돌아오기 시작했다. 발을 들 때마다 혈관이 찢어질 듯 팽팽히 당겨졌고 모래알이 피가 흐르는 발바닥 사이를 파고드는 고통이 생생히 느껴졌다. 아직 갈 길이 한참 남았는데 도저히 끝까지 갈 수 없을 것 같았다. 땀이 줄줄 흘렀고 고통에 겨워 몸이 부들부들 떨렸다. 마침내 우리는 바닷가에 지어진 오두막을 하나 발견했다. 우리 중 누구도 말할 힘이 없었다. 무작정 오두막 안으로 들어가서 화롯가의 통나무 위에 주저앉았다. 눈에 눈물이 잔뜩 고였지만 너무 목이 말라 목소리가 나오지 않았기 때문에 소리 내 울 수도 없었다. 고통스런 여정을 함께한 친구들의 얼굴을 쭉 둘러보니, 다들 소리 없이 울고 있었다. 나는 망설이다가 발바닥을 들여다보았다. 살이 벗겨져 넝마처럼 매달려 있었고 그 살 위에는 피가 모래와 엉겨붙어 덩어리를 이루고 있었다. 문자 그대로 누군가 칼을 들고 발바닥 살가죽을 뒤꿈치부터 발가락까지 저며놓은 것 같았다. 정신이 아득해진 나는 더 이상 발 생각을 하지 않으려고 초가지붕에 난 작은 틈 사이로 하늘을 올려다보았다. 그렇게 다들 조용히 앉아 있는데 오두막 주인인 듯한 남자가 들어왔다. 그는 문 앞에서 멈칫하더니 뒤로 돌아서려고 하다가 우리가 어떤 꼴을 하고 있는지 알아차렸다.

남자의 시선이 겁에 질린 우리 얼굴에 닿았다. 무사는 막 발을 들어올려 살에 박힌 모래를 떼어내고 있는 중이었다. 나머지는 발이 땅바닥에 닿지 않도록 무릎을 꼭 끌어안고 있었다. 남자는 무사에게 모래를 억지로 떼어내지 말라는 시늉을 했다. 그러고는 고개를 절레절레 흔들며 밖으로 나갔다.

몇 분 뒤 남자가 돌아왔다. 그가 들고 있는 바구니에는 뭔지 모를 풀이 가득 담겨 있었다. 남자는 조용히 불을 피우더니 풀을 데워서 살이 덜렁거리는 우리 발밑에 놓아주었다. 풀에서 김이 모락모락 피어올라 발바닥에 닿자 고통이 점차 누그러졌다. 남자는 아무 말도 하지 않고 다시 밖으로 나갔다.

얼마 후 남자가 이번에는 튀긴 생선으로 끓인 수프, 밥, 물동이를 들고 왔다. 남자는 음식을 우리 앞에 놓고 먹으라는 시늉을 했다. 남자는 또 밖으로 나가더니 몇 분 뒤에 함박웃음을 지으며 들어왔다. 어깨에 낚시용 그물을 둘러메고, 양손에는 노 한 쌍과 큰 손전등을 들고 있었다.

"얘들아, 좀 나아졌지?" 그는 우리가 대답할 새도 없이 잘 때 깔 매트가 어디 있는지와 자신은 낚시를 하러 갔다가 다음 날 아침에 돌아올 것임을 말해주었다. 그는 우리 이름조차 묻지 않았다. 아마 당시로서는 굳이 우리의 이름을 알 필요도 없고, 중요하지도 않은 문제라고 생각했던 것 같다. 그는 떠나기 전에 우리 발에 바를 연고를 주면서 자기 전에 꼭 바르라고 당부했다. 그날 밤 우리는 굉장히 조용했다. 다들 한마디도 안 했다.

다음 날 아침, 이름 모를 집주인 남자가 음식을 들고 다시 나타났다. 그의 얼굴에 우리가 괜찮아서 다행이라는 미소가 번졌다. 우리는 아직 제대로 걸을 수가 없어서 오두막 주위를 절뚝거리며 돌아다녔다. 지루함을 달래기 위해 서로의 걸음걸이를 보고 놀리기도 했다.

카네이는 자기가 끝내주는 축구선수라고 으스댔다. 그러자 무사가 카네이에게 땅콩껍질을 집어던졌다. 카네이가 발로 땅콩껍질을 차려고 하다가 그랬다가는 발이 무진장 아플 것임을 깨닫고는 황급히 발을 뒤로 뺐다. 그러다가 도리어 발을 돌 위에 죽 긁어버렸다. 카네이는 고통에 신음하며 발바닥을 호호 불었다.

무사가 비웃었다. "땅콩껍질도 무서워서 못 차는 놈이 무슨 축구선수가 되겠다는 거야?" 우리도 하나둘 웃음을 터뜨리기 시작했다.

몸집에 비해 키가 작달막한 무사는 둥근 얼굴에 얼굴과 어울리는 작고 둥근 귀를 갖고 있었고, 눈이 어찌나 큰지 마치 눈이 얼굴 밖으로 삐져나갈 것만 같았다. 우리에게 자기 의견을 힘주어 말할 때면 그 큰 눈이 초롱초롱하게 빛났다.

카네이는 길쭉하고 차분한 얼굴에, 무사와는 달리 마른 체형이었다. 짧게 자른 머리카락은 짙은 흑발이었다. 카네이는 아침마다, 그리고 강이나 개울에 들를 때마다 머리를 야무지게 손질했다. 그가 머리카락에 물을 바르고는 한껏 시간을 들여 정성스레 정돈할 때마다 알하지가 키득거리며 물었다. "어디 여자애라도 만나러 가냐?" 카네이는 목소리가 부드러우면서도 힘이 있었고, 무슨 말을 해야 할지, 상황을 어떻게 처리해야 할지를 늘 우리보다 잘 아는 것 같았다.

알하지는 무슨 말을 할 때마다 몸짓을 굉장히 많이 썼다. 안 그래도 충분히 긴 손을 말하는 상대한테까지 쭉 뻗고 싶어하는 것 같았다. 알하지와 주마는 단짝이어서 항상 나란히 걸었다. 알하지가 길쭉한 팔을 흐느적거리며 뭐라고 말하든 주마는 늘 고개를 끄덕이면서 맞장구를 쳐주었다. 주마는 몸짓을 할 때 주로 손보다는 고개를 이용하는 편이었다. 그가 이야기를 할 때마다 고개가 좌우로 천천히 흔들렸다. 양손은 대개 노인네처럼 뒷짐을 지고 있었다.

사이두와 모리바는 나만큼이나 말수가 적었다. 둘은 항상 무리에서 떨어져 나란히 앉아 있곤 했다. 사이두는 걸을 때 거칠게 숨을 헐떡였고, 남의 이야기를 들을 때면 커다란 귀를 사슴 귀처럼 쫑긋 세웠다. 모리바는 사이두가 분명 남들이 듣지 못하는 소리를 들을 수 있을 거라고 말하곤 했다. 모리바는 주로 자기 손을 가지고 놀았다. 혼잣말을 중얼거리면서 손금을 보거나 손가락을 문지르는 식이었다.

나는 거의 말을 하지 않았다.

알하지, 카네이, 무사와 나는 전에 다니던 중학교에서부터 알던 사이였다. 하지만 우리는 우리의 과거, 특히 가족에 관한 얘기는 절대 꺼내지 않았다. 여정과 관련된 대화가 아니면 이야기를 별로 주고받지도 않았지만 그나마 간혹 하는 얘기도 축구나 학교 얘기가 대부분이었다. 짧은 대화가 끝나면 우리는 곧장 다시 입을 닫았다.

나흘째 되는 날부터 발에서 느껴지던 통증이 가라앉았다. 우리는 오두막 주변으로 산책을 나갔다가, 오두막이 마을 중심부에서 고작 반 마일 정도밖에 떨어져 있지 않다는 사실을 알게 됐다. 밤이 되면 작은 마을의 부엌에서 연기가 모락모락 피어올랐다.

우리가 오두막에 일주일간 머물렀을 때였다. 주인 남자는 매일 아침저녁으로 우리에게 음식과 물을 가져다주었다. 치아가 그렇게 하얀 사람은 본 적이 없었다. 남자는 늘 웃통을 벗고 있었다. 이따금 아침에 우리가 잘 있나 확인하러 올 때면 나무 수액으로 만든 껌을 잘근잘근 씹고 있었다. 어느 날 아침, 내가 그의 이름을 물어보았다. 그는 부드럽게 웃으며 말했다. "굳이 이름을 알 필요 있을까. 모두 안전하려면 지금처럼 모르는 편이 나아."

다음 날 밤, 주인 남자는 우리를 근처 바닷가로 데려갔다. 걸어가는 내내 그와 우리는 쉬지 않고 이야기를 나눴다. 남자는 시에라리온의 여러 부족 중 하나인 셔브로 족 사람이었다. 그는 우리가 마트루종에서 여기까지 오면서 겪었던 일들을 듣고는 아연실색했다. 전쟁에 대해 들어온 바는 있었으나 정말로 인간이 듣던 만큼 끔찍한 짓을 저지를 수 있다는 사실이 믿기지 않는다고 했다. 남자는 이곳 마을에서 태어나 한 번도 외지로 나가본 적이 없었다. 소금이나 생선을 구하러 마을에 들르는 상인들이 옷이나 쌀, 그 밖의 요리 재료를 가져와 교환했기 때문에 어디로도 나갈 필요가 없었다. 추측을 해보자면 당시 남자는 20대 초반이었던 것 같다. 바로 다음 달 결혼할 예정이라 무척 기대된다고 했으니까 말이다. 나는 왜 이 오두막만 마을에서 멀리 떨어져 있느냐고 물어보았다. 남자는 그곳이 일종의 낚시용 오두막이라고 설명했다. 그물이나 고기잡이 용품을 보관하고 우기에 생선을 말리기도 하는 곳이라는 것이다.

바다에 도착한 우리는 파도가 거세지 않은 작은 만 쪽으로 걸어가, 모래톱에 앉았다. 남자가 말했다. "발을 물에 담그렴. 소금물이 흠뻑 젖도록." 소금물이 고통을 완화하고 파상풍을 예방하는 데 효과가 있다고도 덧붙였다. 그러고는 우리 옆에 앉아 우리를 바라보았다. 나와 눈이 마주쳤던 매 순간에 남자는 미소

를 짓고 있었다. 새하얀 치아가 까만 얼굴과 대비되어 더욱 도
드라져 보였다. 내륙에서 불어오는 마른 바람이 시원한 바닷바
람과 뒤섞여 나를 어루만졌다. 완벽한 위로였다. 나는 너무나도
남자의 이름을 알고 싶었지만 꾹 참았다.

　남자가 말했다. "매일 밤 여기로 와서 바닷물에 발을 담그렴.
그럼 일주일도 안 돼서 발이 다 나을 거야."

　남자가 하늘을 바라보았다. 구름들이 빠르게 움직이며 별을
하나둘 가렸다. "난 카누를 살피러 가야겠다. 곧 비가 올 테니
다들 오두막으로 돌아가렴." 남자는 마을 중심부를 향해 해안
을 달리기 시작했다.

　알하지가 말했다. "나도 저 형처럼 되고 싶어. 자기 삶에 만족
하면서 엄청 행복해 하잖아."

　카네이도 부드럽게 말했다. "정말 착한 사람이기도 해. 이름
이 뭔지 정말 알고 싶다."

　"맞아. 맞아." 다들 카네이의 말에 맞장구쳤다. 그러고는 각자
자기 생각 속으로 빠져들려고 하는데 갑자기 폭우가 쏟아졌다.
오두막으로 돌아가라고 했을 때 진작 움직였어야 했는데 말을
듣지 않은 결과였다. 우리는 서둘러 오두막으로 향했다. 오두막
에 도착한 우리는 화롯가에 둘러앉아 몸을 말리면서 말린 생선
을 먹었다.

오두막 주인과 함께 지낸 지 2주가 되었다. 다들 몸 상태도 훨씬 좋아졌다. 그런데 어느 날 굉장히 이른 아침에 나이 지긋한 아주머니 한 분이 오두막을 찾아오셨다. 아주머니는 우리를 깨운 다음에 지금 당장 떠나야 한다고 말씀하셨다. 알고 보니 오두막 주인 형의 어머니셨다. 아주머니는 마을 사람들이 우리가 여기 있다는 사실을 알고는 붙잡으러 오고 있다고 하셨다. 말씀을 듣자 하니 아주머니는 이미 우리에 대해 잘 알고 계셨던 것 같았다. 아주머니는 떠날 때 챙겨 가라고 말린 생선과 신선한 물을 가져다주셨다. 감사하다고, 아드님께도 감사하다고 전해달라고 말씀드릴 여유는 없었다. 하지만 아주머니는 우리가 고마워한다는 것을 알고 계신 것 같았다. 그분은 오로지 우리의 안전만을 걱정했다.

"얘들아, 어서 서둘러야 해. 내 축복이 함께하기를 빈다." 슬픔이 섞인 목소리는 떨리고 있었다. 아주머니는 오두막 뒤편으로 나가시면서 얼른 불안한 표정을 감추고는 다시 마을 중심부로 돌아가셨다.

하지만 우리를 쫓아온 사내들을 따돌리기엔 우리는 너무 느렸다. 사내 열두 명이 우리 일곱을 따라잡아 모래 위에 때려눕혔다. 그러고는 우리의 손을 묶었다.

나는 어차피 붙잡힐 것임을 깨닫고는 아예 먼저 멈춰 서서 양손을 내밀었다. 나를 쫓아왔던 사내는 약간 당황한 기색이었다.

그는 조심스럽게 나에게 다가오면서, 몽둥이와 마체테를 들고 내 뒤로 걸어오고 있던 다른 사내에게 한눈 팔지 말라는 신호를 보냈다. 그 사내가 내 손을 묶는 동안 나는 그와 몇 초 정도 시선을 주고받았다. 나는 눈을 동그랗게 뜨고는 내가 그저 열두 살짜리 꼬마에 불과하다는 사실을 전달하려고 애썼다. 하지만 사내의 눈빛에는 내 안전 따위는 안중에도 없으며 오직 자기 자신과 자기 마을의 안전만이 중요하다는 메시지가 담겨 있었다.

사내들은 우리를 마을로 끌고 가서 촌장 앞에 데려갔다. 그러고는 모래 위에 앉혔다. 나는 이미 비슷한 일을 겪은 적이 있었다. 지금 같이 있는 친구들도 이런 경험이 있을까 궁금했다. 다들 억지로 울음을 참느라 몸을 들썩거렸다. 나는 슬슬 걱정이 되기 시작했다. 지난번 마을에서는 같이 학교를 다녔던 아이가 있어서 목숨을 건졌지만 지금은 마트루종에서 멀리 떨어진 곳에 와 있기 때문이었다. 참으로 먼 길을 왔다.

우리를 끌고 온 사내들은 대부분 웃통을 벗고 있었지만 촌장은 우아하게 차려입은 상태였다. 면으로 지은 전통의상을 입었는데 칼라에 노란색과 갈색 실로 놓은 정교한 자수가 가슴팍까지 지그재그로 쭉 내려와 있었다. 갈색 가죽 샌들은 새것 같아 보였다. 손에는 지팡이를 들었는데 손잡이에 새와 카누, 갖가지 동물들, 사자 머리가 장식으로 새겨져 있었다. 촌장은 우리를 유심히 뜯어보았다. 그러다 나와 눈이 마주쳤다. 내가 반쯤 입을 열어 웃어 보였지만, 촌장은 내 웃음을 묵살하듯 씹고 있던 콜라 열매를 땅에 퉤 뱉었다. 촌장이 쉰 목소리로 말했다.

"쪼그만 것들이 악마 새끼들이 되었구나. 하지만 이번에는 마을을 잘못 찾아왔어." 촌장은 손 대신 지팡이를 흔들었다. "너희 악마 놈들 생은 여기까진 줄 알아라. 저기 바다 멀리 내던지면 너희 같은 악당들이라도 살아남을 수 없겠지."

촌장이 우리를 잡아온 사내들에게 명령했다. "옷을 벗겨라." 나는 무서워서 몸이 떨렸지만 울음도 나오지 않았다. 역시 겁에 질린 알하지가 더듬거리며 무슨 말을 하려 했다. 하지만 촌장은 자기가 앉아 있던 의자 옆을 쿵 차며 외쳤다. "악마 놈 얘기는 듣기 싫다!"

이름 모를 집주인 형과 형의 어머니도 사람들 사이에 섞여 서 있었다. 촌장이 우리를 악마라고 부르거나 우리를 윽박지를 때마다 어머니는 아들의 손을 꼭 쥐었다. 어느 사내가 내 옷을 벗길 때 주머니에서 랩 카세트테이프가 떨어졌다. 사내는 카세트테이프를 주워 촌장에게 가져다주었다. 촌장은 케이스 커버에 있는 얼굴들을 찬찬히 바라보았다. 특히 너티 바이 네이처의 카세트테이프 커버를 몇 번이고 들여다보았다. 가로등을 뒤로 한 채 성인 남자 셋이 인상을 팍 쓰면서 으깨진 바위 위에 당당하게 폼을 잡고 서 있는 모습을 보고 어리둥절해 하는 것 같았다. 촌장은 카세트 플레이어를 가져오라고 지시했다. 사내 중 한 명이 촌장에게 우리가 약탈자나 용병이 아닌 이상 이런 외국 카세트테이프를 가지고 있을 리가 없다고 말했다. 촌장은 약탈자는 맞을지도 모르나 용병은 말도 안 된다며 묵살했다.

"아이들 꼴을 봐라. 절대 용병은 아니야." 촌장은 다시 카세트테이프를 꼼꼼히 살펴보기 시작했다. 또다시 '악마'라는 단어를 사용하는 대신 우리를 '아이들'이라고 불러주어 약간은 기뻤다. 하지만 모래 위에 발가벗은 채 앉아 있자니 너무나 불편했다. 결코 유쾌한 경험은 아니었다. 지금 벌어지고 있는 일을 생각하는 것만으로도 마음은 충분히 요동쳤다. 그럼에도 내 마음과 정반대되는 감정을 얼굴에 드러내기 위해 정신적으로 부단히 애를 썼다. 촌장이 우리를 살릴 것인지 죽일 것인지 결정하기를 기다리는 동안 내 얼굴이 마구 경련을 일으켰다.

카세트 플레이어가 도착하자 촌장은 테이프를 넣고 재생 버튼을 눌렀다.

OPP 이걸 어떻게 설명해야 하나?
내가 한 땀 한 땀 가르쳐줄게
너희들 모두 뛰어 놀면서 소리칠 수 있도록
O는 '다른'의 O, P는 '사람'의 P, 머리를 긁적여봐

모두가 그 노래를 유심히 들었다. 눈썹을 치켜들고 고개를

갸우뚱거리면서 대체 이게 무슨 종류의 음악인가 궁리하는 듯했다. 촌장이 갑자기 노래를 껐다. 마을 사람들 중에는 진흙으로 지은 둥근 오두막에 몸을 기대고 선 사람들도 있었고 땅바닥에 앉았거나 절구를 깔고 앉은 사람들도 있었다. 남자들은 태피터(광택이 있는 빳빳한 견직물—옮긴이) 바짓가랑이를 말아 올렸고 여자들은 치마를 고쳐 입었다. 아이들은 손을 주머니에 넣거나 콧물이 흐르는 코를 붙잡은 채 우리를 지켜보았다.

촌장이 명령했다. "저 녀석을 일으켜 세워서 이리로 데려오게."

내가 가까이 가자 촌장은 나에게 이런 종류의 음악이 어디서 났으며, 왜 이걸 갖고 있냐고 물었다. 나는 그것이 랩 음악이라고 답한 뒤, 친형과 함께 그리고 지금 같이 다니는 친구들말고 다른 친구들과 함께 랩 음악을 듣는 것은 물론 장기자랑 대회에서 공연도 했다고 말했다. 촌장은 내 이야기를 흥미로워하는 것 같았다. 잔뜩 굳었던 그의 표정이 차츰 부드러워졌다. 그는 사내들을 시켜 나를 풀어주고 바지도 돌려주었다.

촌장이 말했다. "너랑 형이랑 친구들이 어떤 식으로 공연을 했다는 건지 여기서 한번 보여다오."

나는 카세트테이프를 되감은 뒤 〈OPP〉 노래를 흉내내며 음악에 맞춰 모래 위에서 맨발로 춤을 췄다. 그러나 하나도 즐겁지 않았다. 난생처음 노래 가사를 생각해내려 머리를 쥐어짜야 했고, 비트에 가려져 잘 들리지 않는 악기 소리를 놓치지 않으려 애를 써야 했다. 여태껏 이런 적은 한 번도 없었다. 전에는 머리가 아니라 가슴으로 노랫말을 이해하고 박자를 느꼈기 때문이다. 그러나 지금은 느낌에 몸을 맡길 수 없었다. 몸을 굽힌 채 음악에 맞춰 팔다리를 들어올리면서 이리저리 뛰어다니는 내내, 나는 망망대해에 던져지는 기분이 어떨지, 피할 수 없는 죽음을 받아들이기가 얼마나 어려울지를 걱정했다. 찌푸렸던 촌장의 이마가 점점 펴졌다. 여전히 웃는 얼굴은 아니었지만, 그는 내가 그저 꼬마에 불과하다는 사실을 알아차렸는지 한숨을 내쉬었다. 촌장은 턱수염을 쓱쓱 문지르고는 내 춤이 인상깊었으며 노래도 흥미로웠다고 말했다. 그러고는 다음 카세트테이프도 틀어보라고 했다. LL 쿨 J의 테이프였다. 나는 〈아이 니드 러브〉를 따라 불렀다.

방에 혼자 있을 때면 난 가끔 벽을 뚫어져라 쳐다봐
그러면 마음 깊숙한 곳에서 양심의 소리가 들려와

촌장은 내가 부르는 노랫말을 이해하려고 애쓰는 듯 고개를 좌우로 갸웃거렸다. 나는 혹시 촌장의 얼굴이 일그러지지는 않을까 지켜보았다. 다행히 재미있다는 표정이 스치듯 지나갔다. 촌장은 사람들을 시켜 친구들을 모두 풀어주었고 옷도 전부 돌려주었다. 그러고는 마을 사람들에게 그 동안 오해가 있었으며 우리가 그저 안전한 곳을 찾아다니는 어린아이들에 불과하다고 설명했다. 촌장은 우리가 오두막에 제멋대로 들어가 머무른 것인지, 아니면 오두막 주인이 우리에 대해 알고 있었는지를 궁금해 했다. 나는 우리가 우리 마음대로 오두막에 머물렀으며 그날 아침까지 아무하고도 만나지 못했다고 대답했다. 촌장은 우리를 놓아주겠으니 지금 당장 마을을 떠나라고 말했다. 카세트 테이프를 돌려받은 뒤 우리는 곧바로 길을 떠났다. 길을 걸어가면서 우리는 손목에 난 밧줄 자국을 살펴보았다. 울음을 터뜨리지 않기 위해 방금 일어난 일을 두고 되레 웃음을 터뜨렸다.

10

길을 가는 동안 우리의 몸과 마음을 가장 힘들게 했던 것은 이 여정이 언제, 어디서 끝날지 알 수 없다는 사실이었다. 어떻게 살아야 할지 앞이 보이지 않았다. 날마다 새로 삶을 시작하는 기분이었고, 매일같이 하는 일이라고는 어딘가를 향해 움직이는 것뿐이었다. 일곱 명이 함께 걸을 때도 나는 이런 생각들을 하느라 혼자 뒤처질 때가 많았다. 하루하루 살아남는 것이 내 인생의 목표가 되어버렸다. 지나치던 마을에서 음식이나 신선한 물을 대접받게 되면 약간의 행복을 느꼈지만 찰나의 행복에 지나지 않음을 잘 알고 있었다. 우리는 그저 그 마을을 거쳐 가는 존재에 불과했다. 온전한 행복을 찾을 수는 없었다. 그리고 기분이 좋다가 나쁘다가를 반복하느니 차라리 쭉 슬픈 편이 훨씬 나았다. 그래서 나는 쉬지 않고 계속 움직여야겠다고 결심했다. 결코 실망하는 법이 없도록 언제나 최악의 상황을 가정했다. 때로는 잠을 이루지 못하고 어둠 속이 선명히 보일 때까지 칠흑 같은 어둠만 뚫어져라 바라본 밤들도 있었다. 우리 가족이 어디 있는지, 살아있기는 한 건지 머릿속이 복잡했다.

어느 날 밤, 마을 광장에 앉아 내가 얼마나 먼 길을 왔는지, 앞으로 또 무슨 일들이 펼쳐질지 생각하고 있을 때였다. 하늘을 쳐다보니, 자욱하게 깔린 구름이 계속 달을 가리려고 했다. 하지만 달은 밤새도록 몇 번이고 구름을 뚫고 나와 환하게 빛을 비추었다. 어떻게 보면 내 여정도 저 달과 비슷했다. (물론 그후 지금까지와는 차원이 다른 먹구름이 내 앞에 나타나 내 영혼을 잠식할 태세를 갖추고 있었지만 말이다.) 창과 도끼로 무장한 사내들에게 또다시 공격을 받은 어느 날 저녁에 사이두가 했던 말이 떠올랐다. 그때 주마와 모리바와 무사는 우리가 발견한 집의 베란다에서 자고 있었다. 나와 알하지, 카네이, 사이두는 잠을 이루지 못하고 조용히 밤의 소리에 귀를 기울였다. 사이두의 거친 숨소리 덕분에 침묵이 그나마 덜 어색했다. 몇 시간이 지났을까, 사이두가 마치 다른 사람의 영혼에 씌기라도 한 것처럼 아주 굵고 낮은 목소리로 물었다. "완전히 안전해질 때까지 몇 번이나 더 죽을 고비를 넘겨야 하는 걸까?"

우리 셋 다 아무 말도 하지 못했다. 몇 분 후 사이두가 다시 말을 이었다. "사람들이 우리를 죽이려고 덤벼들 때마다 난 가만히 눈을 감고 죽음을 기다려. 아직 살아있기는 하지만 죽음을 맞닥뜨릴 때마다 내 일부분이 죽어 없어지는 느낌이야. 머지않아 내 전부가 죽어버리고 빈 몸뚱이만이 너희들과 함께 걸어다니겠지. 그때의 나는 지금보다 더 말이 없을 거야." 사이두는 양손바닥을 모아 따뜻한 입김을 호호 불고는 바닥에 누웠다. 잠시 후 숨소리가 거세진 걸로 보아 사이두가 잠이 들었구나 싶었다. 시간이 지나 카네이도, 뒤이어 알하지도 잠들었다. 나는 벽에 기대놓은 나무 벤치에 앉아 사이두가 한 말을 곱씹었다. 그의 말을 생각하면 할수록 눈시울이 뜨거워지고 이마가 뜨뜻해졌다. 안전한 곳을 찾아 여정을 이어나가는 동안 나 역시 천천히 죽어가고 있다는 사실을 애써 부정하고 싶었다. 나는 새벽 미풍이 불어올 즈음에야 간신히 잠이 들었다. 부드러운 바람이 도저히 잠을 자지 않고는 버틸 수 없도록 나를 감싼 뒤에야 혼란스러운 마음을 내려놓을 수 있었다.

고된 여정이었지만 간혹 평범한 일상을 즐길 기회를 얻을 수 있었다. 그럴 때면 우리는 잠깐이나마 행복했다. 어느 날 아침에는 한 마을에 들렀는데 마을 남자들이 모두 사냥을 갈 준비를 하고 있었다. 그들은 우리에게도 함께 사냥을 가자고 했다. 사냥이 끝날 무렵 어느 나이 많은 남자가 우리를 가리키며 외쳤다. "오늘 우리가 축제를 열 예정인데, 원한다면 손님들도 환영

일세." 다른 사람들도 박수를 쳐주었다. 사람들이 마을로 출발했고 우리는 그들의 뒤를 따라 걸었다. 사람들은 어깨에 그물과 그날 잡은 동물(대개 호저나 사슴)을 둘러메고 가면서 노래를 불렀다.

마을에 도착하자 여인들과 아이들이 박수로 우리를 맞아주었다. 정오가 지났을 때라 하늘은 푸르렀고 바람은 점점 거세졌다. 남자들 몇몇이 고기를 여러 집에 나누어준 뒤 남은 고기를 여자들에게 맡겼다. 여자들은 그 고기로 축제에 쓸 음식을 장만했다. 우리는 마을 이곳저곳을 어슬렁거리다 요리를 하는 여인들을 위해 물을 길러주었다. 마을 남자들 대부분은 밭일을 하러 갔다.

나는 혼자 마을을 돌아다니다 어느 베란다에 해먹이 걸쳐져 있는 것을 보았다. 그 해먹에 누워 천천히 흔들거리며 생각에 잠겼다. 그러자 할머니 댁에 놀러 가서 밭에 있는 해먹에 누워 자던 때가 떠올랐다. 잠에서 깨면 내 머리칼을 만지작거리고 계신 할머니와 눈이 마주쳤다. 그러면 할머니는 나를 간지럽히시고는 오이를 먹으라고 건네주셨다. 때로는 서로 해먹을 차지하려고 주니어 형과 싸우기도 했다. 주니어 형이 해먹을 차지하게 되면 나는 형이 해먹에 앉자마자 넘어지도록 해먹 줄을 느슨하게 풀어서 골탕을 먹였다. 형은 토라져서는 다른 할 일을 찾아 밭을 돌아다녔다. 이런 나를 할머니는 '카르셀로이'라고 놀리셨는데, 카르셀로이는 거미를 뜻한다. 멘데 부족 설화에서 거미는 대개 자신이 원하는 바를 얻기 위해 다른 동물들을 속이지만 항상 제 꾀에 제가 걸려 넘어지는 존재로 그려진다.

이런 생각들을 하다가 해먹에서 떨어지고 말았다. 하지만 다시 해먹 위로 올라가기가 귀찮아서 바닥에 앉은 채로 형과 동생, 아빠와 엄마, 할머니를 생각했다. 가족과 함께할 수 있다면 정말 좋을 텐데.

머리 뒤로 양손을 깍지 끼고 바닥에 드러누웠다. 그리고 계속해서 우리 가족과 관련된 기억들을 붙들려고 애썼다. 가족들 얼굴이 내 마음속 깊숙이 파묻혀 있는 것만 같았다. 거기까지 파고들려면 다른 고통스런 기억들을 들추어내야만 했다. 까무잡잡하고 반질반질한 손으로 나를 부드럽게 어루만져주던 할머니가 그리웠다. 내가 찾아갈 때마다 마치 무언가로부터 나를 숨겨주고 지켜주려는 듯 나를 꼭 껴안아주던 엄마가 그리웠다. 함께 축구를 할 때나 이따금 저녁에 나를 목욕시키려고 찬물 바가지를 들고 쫓아올 때 호탕하게 웃음을 터뜨리던 아빠가 그리웠다. 같이 학교 가는 길에 내 어깨에 팔을 둘러주고, 내가 나중에 후회할 것이 뻔한 말을 하려 하면 팔꿈치로 나를 쿡 찌른 후 내 어깨를 감싸주던 형이 그리웠다. 어쩌다 잘못을 저지르면 자기이름이 이스마엘이라고 둘러대던, 나를 꼭 닮은 동생이 그리웠다. 이런 기억들을 더듬어 찾아내느라 한참 애를 먹었다. 간신히 기억을 떠올렸을 때는 너무 슬퍼서 뼈가 욱신거릴 지경이었다. 그래서 강으로 가서 물로 뛰어든 다음 강바닥에 가만히 앉아 있었다. 하지만 머릿속은 잠잠해지지 않았다.

저녁이 되어 모두 돌아오자, 사람들이 음식을 들고 마을 광장으로 나왔다. 사람들은 음식을 접시에 나눠 담은 뒤 한 접시에 일곱 사람씩 모여 식사를 했다. 식사가 끝나자 마을 사람들이 북을 치기 시작했다. 우리도 함께 어울려 달빛 아래 손을 맞잡고 원을 그리며 춤을 추었다. 노래 몇 곡을 부른 뒤 잠깐 쉬고 있을 때 어떤 남자가 큰 목소리로 농담하듯 말했다. "춤추다가 지치면, 그게 언제가 될지는 모르겠지만, 손님들이 자신들의 고향 이야기를 들려줄 겁니다." 그러고는 양손을 들어 다시 북을 울리자는 시늉을 했다. 축제 분위기가 이어지는 동안 나는 고향 마을에서 연말마다 열렸던 가장 큰 축제를 떠올렸다. 그 자리에 모인 마을 여인들은 자질구레한 가십거리부터 커다란 사건사고까지 그해에 벌어진 온갖 일들을 노래로 만들어 부르곤 했다.
과연 이 전쟁이 끝날 때까지 벌어질 일들도 노래로 만들어 부를 수 있을까?
한편 이곳 사람들이 우리에게 왜 이렇게 친절한지 살짝 궁금했다. 하지만 지금 이 시간을 즐겁게 보내고 싶었기 때문에 그 생각에 골똘히 잠기지는 않았다. 춤은 밤새도록 끝나지 않았다.

우리는 다음 날 새벽 일찍 일어나서 마을 사람들 대부분이 자고 있을 때 길을 나섰다. 마을 사람들에게 받은 커다란 플라스틱 물통과 훈제고기도 잊지 않고 챙겼다. 마을 밖으로 나가는 길에 보니, 어르신들이 베란다에 앉아 아침 햇볕을 쬐려고 기다리고 계셨다. 어르신들은 우리를 보고는 손을 흔들며 말씀하셨다. "조상님들의 영혼이 너희를 보살펴주시기를 바란다."

나는 그 마을을 떠나면서 마지막으로 한 번 더 마을을 보려고 뒤를 돌아보았다. 마을은 아직 잠들어 있었다. 끝물인 밤을 마무리하려는 듯 수탉이 꼬끼오 하고 울었다. 그러자 차마 어둠을 놓아주지 못하던 귀뚜라미들이 소리를 죽였다. 천천히 해가 떠오르고 있었고 오두막이며 집 들이 그림자를 드리우기 시작했다. 전날 밤 들었던 북소리가 아직도 머릿속에서 둥둥 울렸다. 하지만 흥이 나지는 않았다. 마을을 돌아보던 몸을 돌리니, 친구들이 어젯밤 본 동작들을 흉내내면서 모래 위에서 춤을 추고 있었다.

친구들은 나를 둘러싸고 박수를 치며 말했다. "네 실력 좀 보여주라." 거절할 수 없었다. 나는 박수 소리에 맞춰 골반을 돌리기 시작했다. 그러자 친구들도 합세했다. 우리는 서로의 어깨에 손을 올린 뒤 입으로 내는 소리에 맞춰 춤을 추면서 앞으로 나아갔다. 나는 훈제고기를 담은 작은 자루를 점점 더 빨리 돌리면서, 그 속도에 맞춰 오른쪽 왼쪽 다리를 번갈아가며 허공에 발차기를 했다. 우리는 완전히 동이 틀 때까지 신나게 웃어대며 춤을 추었다. 하지만 웃음도 춤도 점차 잦아들었다. 우리가 행복을 즐길 수 있는 시간은 잠깐뿐임을 다들 잘 알고 있는 것 같았다. 서두를 이유가 없었기 때문에 춤을 멈춘 뒤에는 말없이 천천히 길을 걸어갔다. 하루가 끝날 무렵, 마을에서 가져온 물은 바닥이 났다.

밤의 어둠이 깔릴 즈음 우리는 굉장히 특이한 마을에 도착했다. 사실 그곳이 마을인지조차 확신이 들지 않았다. 커다란 집이 한 채 있었고 그 집에서 1킬로미터에 못 미치게 떨어진 곳에 부엌이 하나 있었다. 단지에는 죄다 곰팡이가 피어 있었다. 작은 창고도 하나 보였다. 그야말로 외딴 곳에 집만 덜렁 한 채 있는 곳이었다.

주마가 웃음을 터뜨리며 말했다. "반군이 점령하기에 이만큼 쉬운 마을이 있을까."

우리는 여기저기 돌아다니며 인적이 없나 살펴보았다. 사방에 야자 씨앗 껍질이 널려 있는 것으로 보아 야자유를 생산하는 곳이었나 싶었다. 강에는 이끼에 덮인 채 버려진 카누 한 척이 떠 있었다. 낡은 집으로 돌아온 우리는 어디에서 잠을 잘지 의논했다. 우리는 베란다로 나가 구석에 놓여 있는 통나무 위에 앉았다. 무사가 브라 거미 이야기를 들려주겠다고 했다.

그 이야기라면 우리도 너무나 잘 아는 이야기였기 때문에 우리는 "됐어!"라고 말렸지만, 무사는 고집을 꺾지 않았다.

무사가 말을 이었다. "브라 거미 이야기는 아무리 많이 들어도 좋단 말이지. 우리 엄마가 그러셨는데, 이야기라면 무슨 이야기든 들을 만한 가치가 있다고 하셨어. 그러니까 제발 좀 들어봐. 빨리 끝낼 테니까." 무사가 헛기침을 하고는 이야기를 시작했다.

"옛날에 어느 마을에 브라 거미가 살았어. 그 마을은 다른 여러 마을에 둘러싸인 곳이었지. 수확이 끝날 무렵이면 마을마다 풍작을 기념하기 위해 축제를 열었어. 음식과 포도주가 넘쳐흘렀지. 사람들은 배가 불룩해져서 배에 서로의 얼굴이 비칠 때까지 쉬지 않고 먹었어."

우리 모두 어리둥절해 하며 말했다. "뭐라고?" 무사가 이야기에 난생처음 듣는 살을 붙인 탓이었다.

무사가 일어서면서 말했다. "내가 하는 이야기니까 내 식대로 들려줄 거야. 불만 있으면 자기 차례를 기다리라고." 우리는 무사가 또 얼마나 특이한 살을 붙여 이야기를 꾸미려는지 유심히 들었다. 무사가 다시 자리에 앉은 다음 이야기를 이어나갔다.

"마을마다 제일 잘하는 음식이 하나씩 있었어. 브라 거미네 마을은 야자유와 생선을 곁들인 오크라 수프를 만들었지. 그리고 음…… 음…… 음. 어느 마을에서는 카사바 잎에 고기를 곁들인 요리를 만들고 또 어느 마을에서는 감자잎 요리를 만들고,

그런 식이었지. 마을마다 자기네 요리가 얼마나 맛있을지 자랑했어. 누구나 어느 마을에서 열리는 축제든 다 참석할 수 있었지. 그런데 브라 거미는 아주 끝장을 보고 싶었어. 모든 축제에 참석하고 싶었던 거야. 그래서 아이디어를 하나 떠올렸지. 축제가 열리기 몇 달 전부터 자기 마을에 있는 밧줄을 죄다 모은 다음에 엮기 시작했어. 사람들이 쌀이랑 장작을 광장으로 나르고 여인들이 절구에 쌀을 빻아서 껍질을 벗기는 동안 브라 거미는 베란다에 밧줄을 깔아놓고 길이를 쟀지. 남자들이 사냥을 나간 동안에도 밧줄들을 자기 마을에서 주변 마을들까지 늘어놓느라 정신이 없었어. 그 다음 밧줄 끝을 각 마을 촌장에게 주고는 마을 광장에서 가장 가까운 나무에 묶어달라고 부탁했지. 코맹맹이 소리로 이렇게 말하는 것도 잊지 않았어. '요리가 준비되면 사람들한테 밧줄을 잡아당기라고 말해주세요.' 브라 거미는 만찬을 대비하겠답시고 일주일을 굶었어. 마침내 축제날이 되었지. 브라 거미는 제일 일찍 일어났어. 그러고는 베란다에 앉아 밧줄을 전부 자기 허리에 단단히 묶었지. 음식을 만드는 오두막에서 훈제고기, 말린 생선, 갖가지 수프 냄새가 흘러나오자 브라 거미는 몸을 부르르 떨면서 침을 줄줄 흘렸어.

하지만 안타깝게도 온 마을 축제가 같은 시각에 시작되고 말았어. 촌장들은 자기 마을 사람들에게 밧줄을 잡아당기라고 지시했지. 사방에서 밧줄이 잡아당겨지니 브라 거미는 자기 마을 공중에 대롱대롱 매달리고 말았어. 도와달라고 소리를 꽥꽥 질러댔지만 마을 광장에서는 한창 북을 치고 노래를 부르고 있었기 때문에 그의 목소리는 다 묻혀버렸지. 공중에 매달린 채 광장을 내려다보니 사람들이 요리 주변에 모여들어 식사를 마치고는 마무리로 손가락까지 쪽쪽 빨고 있었어. 마을을 가로질러 강가로 걸어가는 아이들은 닭고기 스튜, 염소고기, 사슴고기를 우물우물 씹고 있었지. 브라 거미가 밧줄을 풀려고 애쓰면 애쓸수록 마을 사람들은 브라 거미가 축제에 올 준비를 마쳤다는 신호인 줄 알고 밧줄을 더 세게 잡아당겼어. 축제가 끝날 무렵에야 어느 소년이 브라 거미를 발견하고는 마을 어른들을 불렀어. 어른들은 밧줄을 자른 다음에 브라 거미를 내려주었지. 브라 거미가 다 죽어가는 목소리로 음식을 좀 달라고 청했지만 남은 음식이 없었어. 모든 마을들의 축제가 다 끝난 상태였거든. 계속 굶어야지, 뭐. 이때 너무 오랫동안 밧줄로 졸라맨 탓에 거미 허리가 그렇게 가늘어진 거래."

알하지가 등을 쭉 펴며 말했다. "음식 이야기가 나오니까 배가 고파지네. 어쨌든 재밌는 이야기였어. 브라 거미 이야기를 이런 식으로 푸는 건 또 처음이네." 무사가 이야기에 살을 붙인 것을 두고 놀리는 말인 줄 알아듣고 다들 웃음을 터뜨렸다.

무사가 이야기를 끝내자마자 어둠이 마을을 덮었다. 마치 하늘이 빠르게 뒤집혀서 밝은 면 대신 어두운 면이 드러난 것 같았다. 친구들은 하나둘 잠이 들었다. 훈제고기와 물통은 방문 옆에 두었다. 나도 친구들과 함께 방에 있었지만 밤이 새도록 잠을 이루지는 못했다. 할머니와 함께 화롯가에 앉아 지새웠던 밤이 떠올랐다. 할머니는 반들거리는 얼굴로 나를 바라보며 말씀하셨다. "참 빨리도 크는구나. 명명식을 했던 날이 바로 어제 같은데 말이야." 그러고는 명명식 이야기를 해주셨다. 나도 명명식 행사에 몇 번 가보았지만 할머니는 늘 내 명명식에 관해서만 말씀하셨다.

내 명명식이 열리던 날에는 마을 사람 모두가 참석했다. 행사를 시작하기 전에 모두가 일손을 도와 음식을 풍성하게 준비했다. 남자들은 이른 새벽에 양 한 마리를 잡아 가죽을 벗긴 뒤 가장 요리 잘한다는 여자들에게 고기를 나누어주었다. 여자들은 행사를 위해 최선을 다해 요리 실력을 뽐냈다. 여자들이 요리하는 동안 남자들은 마당에 서서 힘찬 악수로 손님들을 환영했다. 웃으면서 이야기를 나눌 때면 큰 소리로 목청을 가다듬기도 했다. 어슬렁어슬렁 돌아다니면서 어른들의 대화를 엿듣는 소년들은 불려가서 심부름을 맡았다. 부엌 뒤에 가서 닭을 잡거나 장작을 패는 등의 일이었다.

초가지붕을 얹은 요리용 오두막 근처에서는 여자들이 절구에 쌀을 빻으면서 노래를 불렀다. 절구공이를 가지고 묘기를 선보이기도 했다. 공이를 공중에 휙 던졌다가 손뼉을 여러 차례

치고는 떨어지는 공이를 잡는 식이었다. 그러고는 다시 쌀을 빻으며 노래를 이어나갔다. 나이와 경험이 많은 여자들은 떨어지는 공이를 받기 전 손뼉을 여러 차례 치는 것은 물론이고 감사를 표하는 몸짓까지 노래에 맞춰 정교하게 해냈다. 요리용 오두막 안에서는 소녀들이 바닥에 앉아 대나무 부채나 낡은 접시로 벌건 숯불에다 대고 부채질을 하거나 입으로 숨을 후후 불어 커다란 솥 아래 불을 지폈다.

오전 아홉 시 즈음에 음식 장만이 끝났다. 다들 제일 멋지고 예쁜 옷을 차려입었다. 특히 여자들은 패턴이 들어간 면치마, 드레스, 셔츠, 라페이(여자들이 허리에 두르는, 면으로 된 널찍한 천), 화려한 머릿수건 등으로 한껏 치장하고 우아함을 뽐냈다. 모두들 한껏 들뜬 상태로 정오까지 이어질 명명식을 시작할 준비를 갖췄다.

할머니가 말씀하셨다. "그때 이맘이 좀 늦으셨지." 레웨(쌀 반죽)를 올리고 콜라 열매를 가장자리에 놓은 커다란 금속 쟁반과 물이 담긴 호리병박을 이맘이 건네받았다. 이맘은 마당 한가운데 놓인 의자에 앉은 다음 하얀 예복 소매를 말아올렸다. 그리고 레웨를 섞은 다음 조각마다 콜라 열매가 하나씩 올라가도록 레웨를 조심스레 여러 조각으로 나누었다. 준비를 마친 이맘은 코란을 여러 장 읽었다. 기도를 드린 후에는 조상님들의 영혼을 부르기 위해 바닥에 물을 조금 뿌렸다.

이맘이 우리 엄마에게 아이를 데려오라고 손짓을 했다. 내가 공식적으로 밖에 나오는 것은 그때가 처음이었다. 엄마는 이맘 앞에 무릎을 꿇은 다음 나를 넘겨주었다. 이맘은 호리병박에 담긴 물을 내 이마에 조금 문지르고는 기도문을 더 읊었다. 그리고 마침내 내 이름을 선언했다. "이 아이는 이스마엘이라 불릴지어다." 모두가 박수를 쳤다. 여인들은 노래를 부르며 춤을 추기 시작했다. 엄마가 나를 아빠에게 건네주었고, 아빠는 나를 사람들 머리 위로 높이 들어 보이시고는 참석한 모두가 돌아가며 나를 들어보게 했다. 이제 나는 이 마을 공동체의 일원이자 모두의 자식으로서 보살핌과 관심을 받게 된 것이다.

사람들이 아주 커다란 쟁반에 음식을 내왔다. 마을의 어르신들이 한 쟁반 주위에 모여 먼저 음식을 맛보았다. 남자들도 식사를 시작했고 그 다음에는 소년들이, 마지막으로 여자들과 소녀들이 각자의 몫을 먹었다. 식사 후에는 노래와 춤이 이어졌다. 흥에 겨운 가무가 펼쳐지는 동안 기력이 딸려 춤을 오래 출수 없는 나이 많은 여인들이 나를 안고 돌보아주었다. 여인들은 나를 안은 채 미소를 지으면서 나를 "꼬마 신랑"이라 불렀다. 그러고는 나에게 마을에 관한 이야기들을 들려주기 시작했다. 내가 방실방실 미소를 지을 때마다 그들은 말했다. "얘가 이야기 듣는 걸 좋아하네. 그렇담 우리를 잘 찾아왔지."

이야기를 끝맺으시던 할머니의 행복한 표정이 떠올라 입꼬리가 살짝 올라갔다. 친구들 몇몇은 코를 골며 자고 있었다. 늦은 밤의 미풍이 불어오자 내 눈꺼풀도 무거워졌다.

다음 날 아침 일어나서 보니 훈제고기가 온데간데없이 사라졌다. 우리는 서로를 의심하기 시작했다. 카네이는 무사의 입술을 자세히 들여다보았다. 무사가 화를 냈고 결국 둘은 서로에게 주먹을 날리기 시작했다. 내가 막 둘을 떼어놓으려는 순간, 사이두가 갈기갈기 찢어진 채 베란다 모퉁이에 놓여 있는 자루를 가리켰다.

사이두가 말했다. "이거 우리 자루 맞지?" 그러고는 잘근잘근 씹힌 자국이 있는 자루 가장자리를 가리켰다. "우리 중 누가 벌인 짓은 아니야. 봐, 자루가 아직도 묶여 있잖아." 사이두는 우리한테 자루 주둥이를 보여주었다. "다른 놈이 고기를 먹은 게 분명해. 그게 뭐든 간에 아직 이 근처에 있을 거야." 그가 막대기를 하나 집어들고 수풀 쪽으로 걸어갔다.

"거 봐, 나 아니라니까." 무사가 카네이를 밀치고는 사이두를 따라갔다.

모리바가 땅바닥에 찍힌 발자국을 보며 말했다. "무슨 짐승 같은데." 우리 중 몇몇은 마을 주변을 둘러보았고 다른 몇몇은 길에 난 발자국을 따라 강가로 갔다. 한참을 찾다가 수색을 포기하려는 순간에 사이두가 창고 건물 뒤에서 외쳤다.

"도둑놈을 찾았어! 굉장히 화가 나 있는걸."

어떤 녀석인지 보려고 우리가 와다다 달려갔다. 웬 개 한 마리가 마지막 남은 훈제고기를 우걱우걱 씹고 있었다. 개는 우리를 보자마자 왈왈 짖으면서 뒷다리로 남은 고기를 감추었다.

"못된 놈 같으니라고. 그거 우리 거야." 알하지가 사이두에게서 막대기를 빼앗아 개를 쫓았다. 개는 고기를 입에 물고 수풀 속으로 사라졌다. 사이두가 고개를 절레절레 흔들며 물통을 챙긴 다음 길을 따라 걷기 시작했다. 우리도 사이두 뒤를 따라 걸었다. 알하지는 여전히 막대기를 쥐고 있었다.

그날 오후 우리는 먹을 만한 과일을 찾아 수풀을 샅샅이 뒤졌다. 돌아다니는 동안 대화는 거의 하지 않았다.

저녁이 되어 길가에서 쉬기 위해 잠깐 멈췄을 때였다.

알하지가 벌러덩 드러누우면서 천천히 말했다. "그 개를 죽였어야 했어."

내가 물었다. "왜?"

모리바도 일어나 앉으면서 말했다. "그래, 왜? 그런다고 뭐가 달라지냐?"

알하지가 잔뜩 성이 나서 대답했다. "그냥 죽였으면 싶어. 우리한테 음식은 그게 다였는데 녀석이 전부 먹어버렸잖아."

무사가 말했다. "게다가 개고기도 꽤 괜찮을지도."

내 옆에 등을 대고 누운 무사 쪽을 바라보며 내가 말했다. "그럴 리가. 그리고 개고기를 조리하는 것도 보통일이 아닐걸."

주마가 침을 퉤 뱉고 나서 말했다. "생각만 해도 구역질난다."

무사가 자리에서 일어났다. "그래, 있잖아."

알하지가 한숨을 쉬었다. "쟤 또 이야기 시작하려나 보다."

무사가 알하지를 바라보며 말했다. "응. 아니, 딱히 이야기는 아니고." 그러고는 잠시 멈췄다가 말을 이어나갔다. "우리 아빠가 말레이시아 사람들 밑에서 일을 하셨는데 그 사람들이 개를 잡아먹는다고 하시더라고. 그러니까 혹시 알하지가 그 개를 죽였으면 나야 얼마든지 먹어볼 생각이 있었지. 그럼 다시 아빠를 만나게 됐을 때 개고기 맛이 어떤지 알려드릴 수 있잖아. 그랬다고 아빠가 나한테 화를 내실 순 없을 거야. 개고기를 먹을 수밖에 없는 사정이 있었으니까."

그 말을 들은 우리 모두는 가족을 떠올리며 침묵에 빠졌다. 다들 애써 가족 생각을 피하려 했는데 무사가 도화선에 불을 붙이고 만 것이다.

반군이 마트루종을 습격했을 때 무사는 아버지와 함께 집에 있었다. 어머니는 저녁거리로 쓸 생선을 사러 시장에 간 상태였다. 무사는 아버지와 같이 시장으로 달려가 어머니를 발견했지만 어쩌다 보니 마을을 벗어나는 길에 어머니를 다시 잃어버리고 말았다. 두 부자는 마트루종을 빠져나와 첫 번째 마을에 도착해 잠깐 쉬려고 했을 때에야 무사의 어머니가 따라오지 못했다는 사실을 깨달았다. 아버지는 어머니를 찾으러 다녀올 테니 거기에서 기다리라고 울면서 말씀하셨다. 무사는 자기도 아버지를 따라가고 싶다고 말했지만 아버지는 이렇게 말했다. "아들아, 안 된다. 여기 있으면 내가 네 어머니를 데려오마." 아버지가 떠나고 얼마 안 있어 반군은 그곳 마을에도 쳐들어왔다. 무사는 도망칠 수밖에 없었다. 그후로 지금까지 쭉.

반군이 습격했을 때 알하지는 물을 길러 강에 갔었다. 얼른 집으로 달려갔지만 집은 텅 비어 있었다. 알하지는 부모님과 두 형, 누이의 이름을 부르짖었다.

카네이는 부모님과 함께 탈출했지만 혼란 속에서 자매 둘과 형제 셋을 잃어버리고 말았다. 카네이와 카네이의 부모님은 다른 수많은 사람들과 함께 배를 타고 종 강을 건너려고 했다. 하지만 배가 강 중간쯤 다다랐을 때 반군이 배에 탄 사람들을 향해 총을 쏘기 시작했다. 모두가 어쩔 줄 모르고 허둥지둥하는 사이 배가 뒤집혔고, 카네이는 죽을힘을 다해 강 건너편으로 헤엄쳤다. 간신히 뭍으로 올라와보니, 사람들이 물 위로 올라오려고 허우적거리면서 고함을 지르고 있었다. 반군은 물에 빠져 죽어가는 사람들을 보며 웃음을 터뜨렸다. 카네이는 생존자들을 따라 강 하류 쪽에 있는 마을로 가는 내내 엉엉 울었다. 그곳에서 사람들은 카네이의 부모님 역시 그 마을을 지나갔다고 말해주었다. 카네이는 부모님을 찾을 수 있을지도 모른다는 희망 덕분에 지금까지 몇 달간을 버틸 수 있었다.

주마와 모리바는 옆집에 사는 사이였다. 반군은 RPG로 두 집 모두를 날려버렸다. 주마와 모리바는 장사를 하는 부모님을 찾아 부둣가로 달려갔지만, 그들의 부모는 어디에도 없었다. 그래서 반군이 습격하기 전에 은신처로 삼았던 숲으로 달려갔지만 그곳에서도 가족을 찾을 수 없었다.

사이두네 가족은 반군의 습격을 받고도 마을에서 빠져나오지 못했다. 사이두는 부모님과 각각 열아홉, 열일곱, 열다섯 살인 누나들과 함께 밤새 침대 밑에 숨어 있었다. 아침이 되자 반군이 집으로 쳐들어와 부모님과 누나들을 찾아냈다. 사이두만이 피난길에 먹을 쌀을 챙기러 다락에 올라가 있었던 덕분에 위험을 피했다. 사이두는 숨을 죽이고 다락에 숨어서, 자기 누나들이 반군에게 강간당하며 흐느끼는 소리를 들어야 했다. 그의 아버지가 그만두라고 소리치자 반군 한 명이 개머리판으로 아버지를 때려눕혔다. 어머니는 엉엉 울면서 딸들에게 이 험한 세상에 너희를 낳은 것이 미안하다고 말했다. 반군들은 사이두의 누나들을 몇 번이고 거듭해서 강간한 후, 집 안의 물건들을 꾸려 그의 아버지와 어머니가 짊어지게 했다. 그리고 그의 가족들을 어디론가 끌고 갔다.

버려진 마을에서 밤을 보냈던 어느 날 밤, 사이두는 자신의 사연을 들려주고 나서 이렇게 말했다. "지금까지 단 한 순간도 우리 누나들과 부모님이 느꼈을 고통을 잊은 적이 없어. 난 반군이 집에서 떠난 후 다락에서 내려왔는데 도저히 서 있을 수가 없더라. 눈물이 눈에 가득 고인 채 얼어붙은 것 같았어. 누가 몸 밖으로 핏줄을 마구 잡아당겨 뽑아버린 것 같은 느낌이랄까. 툭 하면 그날 생각이 떠오르고 아직도 매일같이 그 고통스러운 느낌이 생생하게 느껴져. 도대체 우리 누나들이 뭘 잘못했지?" 그의 이야기를 듣다 보니 앙다문 이 사이로 신물이 올라왔다. 사이두가 왜 항상 말이 없는지 그제야 이해됐다.

카네이가 바지에 묻은 먼지를 털어내면서 슬픈 목소리로 말했다. "우리 계속 걸어야 해." 우리는 밤에 이동하기로 결정했었다. 낮에는 식량을 구하고, 교대로 잠을 잤다. 밤에 걸으면 달과 함께 걷는 기분이었다. 달은 짙은 구름 사이를 뚫고 우리를 따라와 어두운 숲길 저편에서 우리를 기다리곤 했다. 해가 뜨면 사라졌다가도 다음 날 밤이면 다시 나타나 우리가 가는 길 위를 서성였다. 밤이 거듭될수록 달빛이 점차 흐려졌다. 어느 밤에는 하늘이 별들을 눈물처럼 쏟기도 했다. 별들은 하늘을 빠르게 부유하다가 우리가 소원을 빌기도 전에 어둠 속으로 사라졌다. 예전 같았으면 이런 하늘 아래에서 누군가가 들려주는 이야기를 들었을 터였다. 하지만 이제 우리에게 이야기를 들려주는 것은 하늘이었다. 하늘에서 별들이 떨어지면서 서로 격렬하게 부딪쳤다. 달은 무슨 일이 일어나는지 보고 싶지 않은 듯 구름 뒤로 숨었다.

낮에는 해가 더 이상 예전처럼 천천히 뜨지 않았다. 구름 뒤에서 나타나자마자 환하게 빛나면서 황금빛 햇살로 내 눈을 가렸다. 구름들은 파란 하늘을 요란하게 떠다니면서 서로의 모양을 망쳤다.

어느 날 오후에 버려진 마을에서 식량을 찾고 있을 때였다. 하늘에서 까마귀 한 마리가 떨어졌다. 아직 숨은 붙어 있었지만 날지는 못했다. 희한한 일이라는 것은 알고 있었지만 우리에게는 식량이 필요했고 당시로서는 이것저것 가릴 처지가 아니었다. 다 같이 까마귀 깃털을 뽑는 동안 모리바가 오늘이 무슨 날이냐고 물어보았다. 다들 자기 삶이 마지막으로 정상적이었을 때가 언제였는지 떠올리려고 애쓰느라 한참 생각에 잠겼다. 그때 카네이가 침묵을 깨고 말했다.

"오늘은 휴일이야." 그러고는 웃으며 말을 이었다. "원하는 대로 아무렇게나 이름 붙이면 되지."

무사가 말했다. "그냥 아무 날이 아니라 이상한 날 같아. 왠지 예감이 좋지 않아." 그가 덧붙였다. "이 새를 먹으면 안 될 것 같은데."

카네이가 말했다. "뭐, 이 새가 떨어진 게 저주를 상징할 수도 있고 불운을 상징할 수도 있겠지. 근데 우리는 이미 둘 다 해당

되는걸. 그러니 난 모조리 먹어치울 테야. 넌 너 좋을 대로 해."
그러고는 콧노래를 불렀다.

카네이가 콧노래를 멈추자 세상이 갑자기 으스스할 만큼 조
용해졌다. 바람도 구름도 움직이지 않았고 나무도 그대로 서 있
었다. 자연조차 상상도 못할 일이 벌어지기를 기다리고 있는 것
같았다.

때때로 밤은 자기만의 방식으로 우리에게 말을 걸려고 했다.
하지만 우리는 그 소리를 들으려 하지 않았다. 까마귀를 먹은
날 밤은 어두컴컴했다. 하늘에는 별도 없었다. 걸으면 걸을수록
어둠도 점점 짙어지는 것 같았다. 우리가 걷고 있는 숲길이 하
늘을 다 가릴 정도로 울창하지도 않았는데 서로의 얼굴이 제대
로 보이지 않았다. 우리는 서로의 손을 맞잡고 계속 걸었다. 멈
추고 싶다 한들 어딘지도 모르는 곳 한복판에서 멈춰 설 수는
없는 노릇이었다. 몇 시간을 걸은 뒤, 우리 앞에 나뭇가지를 이
어 만든 다리가 하나 나타났다. 다리 아래 강물은 마치 잠든 것
처럼 고요하게 흐르고 있었다. 그런데 우리가 다리 위에 발을
올리는 순간, 반대편에서 우리 쪽으로 오는 발소리가 들렸다.
우리는 맞잡은 손을 놓고 근처 수풀 속으로 숨었다. 나는 알하
지, 주마, 사이두와 함께 바닥에 엎드렸다.

흰 셔츠를 입은 사람들 세 명이 나타났다. 두 사람은 키가 비

슷했고 나머지 한 사람은 키가 작았다. 그들은 모두 옆구리에 옷 보따리를 끼고 있었다. 그들도 서로 손을 잡고 다리를 건너왔는데, 우리가 엎드려 있는 곳 근처에 와서 우리의 존재를 알아채기라도 한 것처럼 우뚝 멈춰 섰다. 그들이 뭐라고 중얼거렸다. 코가 막힌 것처럼 목소리가 웅웅거려서 뭐라고 말하는 것인지 알아들을 수 없었다. 그런데 서로 이야기를 마친 뒤 키가 큰 두 사람이 작은 사람을 자기 쪽으로 잡아당기기 시작했다. 한 명은 우리가 가던 길로 가고 싶어했지만 다른 한 명은 반대 방향으로 계속 가야 한다고 고집을 피웠다. 언쟁을 벌이는 것을 보고 있자니 내 심장이 빠르기 뛰기 시작했다. 나는 어떻게든 그들의 얼굴을 확인하려고 애를 썼지만 너무 어두워서 잘 보이지 않았다. 잠시 후 그들은 우리가 왔던 방향으로 걸어갔다.

몇 분이 더 지난 뒤 우리는 수풀 아래에서 몸을 일으켰다. 다들 숨을 거치게 몰아쉬느라 한마디도 하지 못했다. 카네이가 한 사람씩 우리의 이름을 속삭였다. 그런데 사이두의 이름을 불러도 사이두가 대답을 하지 않았다. 우리는 수풀을 뒤져 사이두를 찾아냈다. 사이두는 미동도 하지 않고 수풀 아래 가만히 누워 있었다. 우리가 그의 이름을 부르면서 사이두의 몸을 흔들었지만 아무 반응도 없었다. 알하지와 주마가 울기 시작했다. 카네이와 나는 사이두를 길로 끌고 나와 그 옆에 앉았다. 사이두는 여전히 가만히 누워 있었다. 다들 말없이 밤새도록 그곳에 앉아 있었다. 그러고 있자니 나는 손이 마구 떨렸다. 도대체 어떻게 해야 할지 생각하느라 머리가 터질 것 같았다. 누군지는 기억이 안 나지만 누군가 이렇게 속삭였다. "우리가 먹은 새 때문인가 봐." 친구들이 다들 흐느끼기 시작했다. 하지만 나는 울음이 나오지 않았다. 그저 가만히 앉아 무언가를 찾기라도 하는 것처럼 밤하늘만 뚫어져라 쳐다보았다.

밤이 낮으로 변하는 과정은 결코 서서히 이뤄지지 않았다. 어둠이 순식간에 물러간 하늘은 어느새 환한 빛을 발하고 있었다. 우리는 모두 길 한복판에 앉아 있었다. 사이두는 여전히 꼼짝도 하지 않았다. 그는 이마에 식은땀이 맺혀 있었고 입은 살짝 벌어져 있었다. 나는 사이두가 아직 숨을 쉬나 확인하려고 코밑에 손을 가져다 댔다. 친구들이 다들 일어섰다. 내가 손을 치우자 모두 나를 바라보았다. 내가 뭐라도 말해주기를 바라는 눈치였다.

내가 말했다. "나도 모르겠어."

다들 손으로 머리를 감쌌다. 표정을 보니 다른 말을 기대했던 것 같았다. 짐작은 가지만 감히 받아들일 엄두가 나지 않는 말.

모리바가 물었다. "이제 어떻게 해야 하지?"

무사가 말했다. "죽자고 여기 계속 서 있을 수는 없잖아."

카네이가 천천히 말했다. "얼마나 걸릴지는 모르겠지만 다음 마을까지 사이두를 업고 가자." 그러고는 덧붙였다. "일으켜 세

우게 좀 도와주라."

우리는 사이두를 일으켜 세웠다. 카네이가 사이두를 등에 업고 다리를 건넜다. 고요했던 강물이 돌덩이와 야자 알맹이 사이로 요동치며 흘렀다. 그런데 다리를 건너자마자 사이두가 기침을 했다. 카네이가 사이두를 땅바닥에 내려놓았고 모두가 사이두 주변으로 모였다. 사이두는 몇 분 동안 구역질을 하고는 입을 닦으며 말했다. "어젯밤에 그 사람들, 귀신이 분명해. 틀림없어."

친구들도 모두 수긍했다.

"아마 그 귀신들이 말을 시작할 때부터 내가 기절했을 거야." 사이두가 일어나려 하자 우리 모두 그를 부축하려고 달려들었다.

"난 괜찮으니까 어서 가자." 사이두가 우리를 떠밀었다.

무사가 말했다. "다시 살아나더니 성질이 아주 고약해졌구나."

우리 모두 웃음을 터뜨리고는 걷기 시작했다. 그런데 내 손이 다시 덜덜 떨렸다. 이번에는 이유를 알 수 없었다. 날이 음울했다. 우리는 다음 마을로 가는 길 내내 연신 사이두에게 괜찮으냐고 물어보았다.

정오가 지났을 무렵 우리는 사람이 바글바글한 어느 마을에 도착했다. 전쟁 중인데도 이렇게 활기가 넘치다니 다들 충격을 받았다. 여태까지 들른 마을 중 가장 큰 마을이었다. 소리만 들어서는 시장통 같기도 했다. 사람들은 음악을 연주하고 춤을 추고 있었고 아이들은 신나게 여기저기를 뛰어다녔다. 익숙한 냄새도 풍겼다. 야자유를 잔뜩 친 카사바 잎 요리 냄새였다.

사람들에게서 멀리 떨어진 곳에 앉을 만한 곳이 있나 마을을 둘러보는데 낯이 익은 얼굴들이 보였다. 그들은 잠깐 망설이는 듯하더니 손을 흔들어 우리에게 인사를 건넸다. 우리는 망고나무 아래에 통나무가 놓여 있는 것을 보고 거기에 자리를 잡았다. 그때 웬 낯선 여자가 다가와서 우리를 마주보고 앉았다.

여자가 나를 가리키며 말했다. "나 너 알아."

난 그녀의 얼굴을 알아보지 못했지만 그녀는 나와 내 가족을 안다고 주장했다. 그 여자 말로는 주니어 형이 몇 주 전에 이 마을에 들러 나를 찾았다고 했다. 그리고 여기서 이틀 정도 걸리는 다음 마을에서 엄마랑 아빠랑 동생까지 만났다고 했다. 여자는 다음 마을로 가는 방향을 가르쳐주며 말했다. "그 마을엔 마트루종과 시에라 금홍석 광산 지구에서 온 사람들이 엄청 많아. 너희 모두 가족을 찾을 수 있거나 적어도 소식이라도 들을 수 있을 거야."

여자는 자리에서 일어나더니 스쿠스 음악에 맞춰 춤을 추며 떠나갔다. 우리 모두 그 모습을 보며 웃었다. 나는 지금 당장 출발하고 싶었지만 그날 밤은 일단 그 마을에서 보내기로 했다. 본인은 계속 괜찮다고 고집을 피웠지만 사이두를 좀 쉬게 해줘야 할 것 같았다. 나는 엄마랑 아빠랑 형이랑 동생이 만났다는 사실이 엄청 기뻤다. 어쩌면 엄마랑 아빠가 다시 합쳤을지도 모른다는 생각도 들었다.

우리는 수영을 하러 강으로 가서, 물에서 즐기는 숨바꼭질 놀이도 했다. 강가를 따라 뛰어가면서 "코쿠"라고 외치면 시작되는 놀이였다. 다들 미소를 짓고 있었다.

그날 밤 우리는 쌀과 카사바 잎이 들어 있는 단지를 훔쳤다. 마을 끝에 있는 커피나무 아래에서 음식을 먹고, 빈 단지를 깨끗이 씻어 제자리에 두었다. 마땅히 잘 곳이 없었기 때문에 마을 사람들이 모두 집으로 들어가기를 기다렸다가 집 하나를 골라 베란다에서 자기로 했다.

그런데 나는 잠을 이루지 못했다. 친구들이 코를 골기 시작하자마자 손이 또 바들바들 떨렸다. 뭔가 끔찍한 일이 벌어지리라는 예감이 들었다. 개들이 마을 한쪽 끝에서 다른 쪽 끝으로 뛰어다니면서 짖어대기 시작했다.

알하지가 잠에서 깨서 내 옆에 앉았다. "개들 때문에 깼어."

내가 답했다. "난 아예 잠을 못 잤어."

알하지가 싱긋 웃으면서 말했다. "가족들 만날 생각에 설레서 그런가 보다. 나도 그래."

알하지가 일어서면서 말했다. "근데 개들이 짖는 게 좀 이상한 거 같지 않아?"

개 한 마리가 우리가 앉아 있는 베란다 근처로 와서 우렁차게

짖었다. 그러자 몇 마리가 더 합세했다. 개들이 울부짖는 소리가 내 가슴을 꿰뚫는 것 같았다.

내가 말했다. "그러게. 꼭 사람이 우는 것 같네."

알하지가 하품을 하며 말했다. "나도 딱 그 생각 했어." 그러고는 다시 자리에 앉았다. "개들은 우리가 보지 못하는 것을 볼줄 안다고 하던데. 뭔가 잘못됐나 보다."

우리는 조용히 입을 다문 채 밤하늘을 바라보았다. 개들은 밤새도록 울었다. 한 마리는 하늘이 완전히 밝아질 때까지 계속 울었다. 뒤이어 마을 아기들이 차례를 넘겨받아 울기 시작했다. 사람들이 일어날 시간이었기 때문에 우리는 베란다를 비워주어야만 했다. 알하지와 나는 친구들을 깨웠다. 알하지가 사이두를 흔드는데 사이두가 돌덩이처럼 가만히 있었다.

베란다 주인 식구가 밖으로 나올 준비를 하는 소리가 들렸다. 알하지가 사이두를 더욱 세게 흔들었다. "일어나. 우리 지금 당장 가야 해."

카네이가 사이두를 어르듯 이름을 불렀다. "사이두, 사이두." 답이 없자 카네이가 말했다. "또 기절했나 봐."

한 남자가 베란다로 나와서 우리에게 인사를 건넸다. 남자는 작은 물통을 하나 들고 있었다. 남자의 미소를 보아하니 우리가 베란다에 있는 걸 쭉 알고 있었던 것 같았다.

"이거면 될 거야." 남자가 물통에 든 찬물을 사이두에게 살살 뿌렸다.

하지만 사이두는 꼼짝도 안 했다. 얼굴을 먼지 바닥에 파묻은 채 가만히 엎드려 있었다. 하늘을 보도록 뒤집어진 손바닥은 핏기가 하나도 없었다. 남자가 사이두를 돌려 눕히고는 맥박을 확인했다. 사이두의 이마에는 땀이 맺혀 있고 주름이 져 있었다. 입은 살짝 벌어져 있었다. 눈에서 볼까지 눈물이 흐르다 마른 자국이 있었다.

남자가 물었다. "너희들 이 마을에 아는 사람 있니?"

우리는 모두 고개를 저었다. 남자가 크게 한숨을 쉬고는 물통을 내려놓았다. 그러고는 양손으로 머리를 짚었다.

남자가 알하지를 보며 다시 물었다. "너희 중에 나이가 제일 많은 아이가 누구니?"

카네이가 손을 들었다. 남자는 카네이를 데리고 밖으로 나가, 카네이의 귀에 대고 뭐라고 속삭였다. 카네이가 남자의 어깨에 머리를 박고는 울기 시작했다. 그제야 우리는 사이두가 정말로 우리 곁을 떠났음을 알았다. 다른 친구들도 모두 울음을 터뜨렸지만 난 울지 못했다. 머리가 어질어질하고 눈이 촉촉해졌을 뿐이다. 손이 또다시 떨리기 시작했다. 속에서 열이 올라오고 심장이 천천히, 하지만 무겁게 뛰었다. 남자와 카네이가 어디론가 갔다가 다른 두 사람과 함께 돌아왔다. 두 사람은 나무로 만든 들것을 가지고 왔다. 그들은 사이두를 들것에 신고, 우리보고 따라오라고 했다.

그날 바로 사이두의 몸을 씻기고 매장할 준비를 했다. 하얀 리넨 천으로 사이두를 감싸 나무로 된 관에 넣었다. 관은 베란다 주인 아저씨네 거실 탁자 위에 놓여 있었다.

키가 크고 말랐지만 근육질인 사내가 물었다. "이 친구 가족인 사람 있니?" 마을에서 장례식을 주관하는 사람이었다. 우리 모두 고개를 저었다. 친구이자 여행 동지인 사이두를 내치는 느낌이 들었다. 물론 사이두는 우리 가족이었다. 하지만 남자는 장례를 승인할 자격이 있는 진짜 가족을 찾고 있었다.

남자가 우리를 보며 말했다. "가족을 아는 사람은 있니?"

카네이가 손을 들었다. "제가 알아요."

남자는 관 맞은편 자신이 서 있는 곳으로 카네이를 불렀다. 두 사람이 대화를 시작했다. 나는 남자가 오른손으로 정교하게 손짓을 하는 것을 보면서 둘이 무슨 말을 나누는지 알아내려고 애썼다. 남자의 왼손은 카네이의 어깨 위에 올라가 있었다. 카네이는 처음 얼마 동안은 뭐라고 입술을 움직였지만 어느 순간부터는 대화가 끝날 때까지 고개를 끄덕이기만 했다.

카네이는 다시 우리 쪽으로 와서 장례식을 위해 준비된 의자에 앉았다. 장례식에는 베란다 주인 아저씨를 제외하면 우리밖에 참석하지 않았다. 나머지 마을 사람들은 자기네 베란다에 조용히 앉아 있었다. 우리가 마을을 가로질러 묘지로 걸어가자 사람들도 일어나서 지켜보았다.

나는 사이두가 정말로 우리를 떠났다는 사실이 믿기지 않았다. 단지 기절했을 뿐이고 금방이라도 깨어날 것만 같았다. 수의에 싸인 사이두를 구덩이 안으로 내린 후에야 사이두가 영영 일어나지 않으리라는 생각이 덜컥 들었다. 구덩이를 판 인부들이 사이두를 흙으로 덮기 시작했다. 이제 남은 것은 사이두에 관한 추억뿐이었다. 목구멍이 시리기 시작했다. 숨을 제대로 쉴 수 없어서 입을 크게 벌렸다. 좀 전에 사이두의 가족이 있느냐고 물어보았던 남자가 코란을 읽기 시작했다. 나는 그제야 조용히 흐느끼기 시작했다. 눈물이 땅바닥으로 뚝뚝 떨어져 여름 흙먼지 속으로 스며들었다. 사이두를 짊어지고 온 사내들이 둔덕을 지지하기 위해 무덤 주위에 돌덩이를 가져다놓았다.

매장이 끝난 뒤, 우리만 묘지에 남았다. 곳곳에 무덤이 봉긋 솟아 있었다. 막대기를 꽂아 무언가를 써놓은 무덤은 몇 개 없었다. 나머지는 전부 주인 모를 무덤이었다. 이제 사이두도 그들 곁에 함께하게 되었다. 뭔가를 기대하기라도 하는 것처럼 우리는 몇 시간 동안 묘지에 앉아 있었다. 우리는 어렸다. 열여섯 살인 카네이를 빼고 나머지는 모두 열세 살밖에 되지 않았다. 다들 감정이 뒤죽박죽이 되었다. 나는 내 감정을 이해할 수 없었다. 혼란 속에 머리가 아팠고 배가 조였다. 땅거미가 질 무렵에야 우리는 묘지를 떠났다. 마을은 고요했다. 우리는 처음 마을에 들어왔을 때 발견한 통나무 위에 앉았다. 아무도 베란다에 가서 잘 엄두를 못 냈다. 카네이는 마을 관습에 따르면 밤이 지나기 전에 망자의 시신을 처리해야 하기 때문에 사이두를 매장할 수밖에 없었다고 설명했다. 그렇게 하지 않았다면 우리가 사이두를 짊어지고 마을 밖으로 떠나야만 했다. 카네이의 말에 아무도 반응하지 않자 카네이도 입을 다물었다. 개들이 다시 울부짖기 시작했다. 밤새도록 짖는 바람에 우리는 그날 밤 잠을 이루지 못했다.

우리는 마을을 이리저리 걸어다녔다. 마을 사람들도 대부분 깨어 있었다. 개들이 울음을 그치거나 마을 반대편으로 가서 울부짖을 때면 사람들이 속닥거리는 소리를 들을 수 있었다. 몇 주 전 사이두가 했던 말이 생각났다. 사이두는 매일 여정을 이어나갈수록 자신의 일부가 천천히 죽어간다고 했다. 마체테, 도끼, 꼬챙이를 들고 덤비던 사내들로부터 살아남은 뒤 사이두가 낯선 목소리로 그 말을 했던 날 밤, 어쩌면 사이두는 전부 다 죽어버렸던 것일지도 모른다. 내 손과 발이 덜덜 떨리기 시작했다. 밤새도록 떨렸다. 괜히 불안해서, 친구들이 잠들지 못하도록 계속 친구들 이름을 불렀다. 누구라도 잠들었다간 사이두처럼 우리를 떠날 것만 같았다. 새벽이 되자 카네이가 해가 뜨면 이 마을을 떠나 다음 마을로 가자고 말했다. "이놈의 개들이 짖는 소리, 하룻밤이라도 더는 못 듣겠어. 겁이 나 죽겠다고."

아침이 밝은 후, 우리는 사이두의 매장을 도와준 사내들에게 고맙다고 인사를 했다. 사내 중 한 명이 말했다. "너희는 친구가 어디에 묻혀 있는지 아는 거야." 나는 고개를 끄덕였지만 다시 이 마을에 돌아올 가능성이 미미하다는 사실을 알고 있었다. 미래는 우리 손아귀 밖에 있었다. 우리는 그저 하루하루를 살아남는 법밖에 알지 못했다.

마을을 떠나며 보니, 마을 사람 모두가 우리를 배웅하러 일렬로 쭉 서 있었다. 사이두의 시신을 매장하러 마을을 가로질러 가던 날이 생각나서 덜컥 겁이 났다. 우리는 마을 끝에 있는 묘지를 지나쳐 갔다. 그 옆으로 길이 나 있었다. 저 길을 따라가면, 바라건대, 우리 가족을 다시 만날 수 있을지도 모른다. 묘지에는 햇볕이 내리쬐고 있었다. 옆에 서서 보니 가냘픈 미풍이 불어와 무덤을 둘러싼 나무들을 우아하게 흔들었다. 누군가 내게 부드럽게 바람을 후 부는 것 같아 목뒤가 오싹했다. 마을에서는 연기가 한 줄기 길게 피어올라 하늘에 닿았다. 나는 연기가 흩어질 때까지 지켜보았다. 우리는 친구를 떠나보내고 있었다. 할머니 말씀대로라면 사이두는 "이승에서의 짧은 여정이 끝"난 셈이었다. 하지만 우리는 계속 나아가야 했다.

우리는 다시 발걸음을 옮기면서 흐느끼기 시작했다. 닭이 우는 소리가 잦아들자 다시 침묵이 깔렸다. 침묵은 '다음은 누가 우리를 떠날 차례일까?' 하고 질문을 던지는 것 같았다. 서로를 바라보는 우리의 눈망울에도 그런 의문이 담겨 있었다. 우리는 낮에만 머무르려고 애쓰는 사람들처럼 발걸음을 재촉했다. 밤이 오고 삶의 페이지가 몇 장 더 넘어가면 또 무슨 일이 벌어질까 두려웠다.

11

　우리는 밤이 새도록 말없이 걸었다. 아침의 정적을 깨고 새
들이 지저귀는 소리를 듣고서야 멈추어 섰다. 길에 자리를 잡
고 앉아 모리바가 흐느끼기 시작했다. 우리에게서 멀찌감치 떨
어져 사이두와 둘이서만 붙어 앉곤 했던 모리바는 이번에도 우
리에게서 멀리 떨어져 앉았다. 그는 지금 느끼는 감정으로부터
주의를 돌리기 위해서인지 나뭇가지를 만지작거렸다. 나를 제
외한 모두가 흐느끼면서 모리바 옆으로 가 앉았다. 그러자 모리
바는 아예 통곡을 하기 시작했다. 나는 손바닥으로 얼굴을 감싸
억지로 눈물을 참으면서 혼자 앉아 있었다. 몇 분쯤 지나자 친
구들이 울음을 그쳤다. 우리는 서로 아무 말도 하지 않고 다시
길을 나섰다. 목숨을 부지하려면 애도할 여유도 충분히 가질 수
없다는 사실을 다들 잘 알고 있었다.

"이 마을에 도착하기만을 얼마나 기다렸는지 몰라. 아, 엄마를 만나면 꼭 껴안아드릴 거야." 알하지가 미소 지으며 말했다. "우리 엄마는 내가 엄마를 껴안을 때마다 꼭 이렇게 잔소리를 하셨어. '엄마를 정말 사랑한다면 조금이라도 오래 살 수 있게 엄마 늙은 뼈 좀 적당히 짜부라뜨리렴.' 우리 엄마 참 재미있지."

우리 모두 피식 웃음을 터뜨렸다.

카네이가 태양을 붙잡으려는 것처럼 손을 쭉 뻗으면서 말했다. "우리 모두 가족을 만나거나 가족에 관한 소식이라도 들을 수 있을 것 같은 예감이 들어." 그러고는 실실 새어나오는 웃음을 주체하지 못하고 있는 알하지를 보며 말했다. "너희 누이가 그렇게 예쁘다며? 우리 친구 맞지?" 우리 모두 깔깔대기 시작했다. 알하지가 카네이의 등으로 뛰어올랐다. 둘은 풀밭에서 몸싸움을 벌였다. 몸싸움을 끝낸 뒤에는 S. E. 로지(팜 와인 장르를 완성한 것으로 평가받는 시에라리온의 기타리스트 겸 가수—옮긴이)의 노래를 부르며 우리 뒤를 따라왔다. "날 나쁘게 보지 말아요. 날 그런 식으로 판단하지 말아요……." 우리도 합세해서 함께 노래를 불렀다. 마치 우리 인생에서 가장 영광스러운 순간을 맞이한 것처럼. 하지만 점차 노랫소리는 잦아들고 다시 침묵이 번졌다.

한쪽 편의 하늘은 구름 한 점 없이 파란데 반대편 하늘은 잔

뜩 먹구름이 끼어 있었다. 소리 없이 부는 바람이 숲 속의 나뭇
가지 하나를 뚝 부러뜨렸다. 가지 부러지는 소리가 흐느끼며 우
는 듯한 메아리가 되어 울려퍼졌다. 나만 그 소리를 들은 것은
아니었다. 친구들도 잠깐 걸음을 멈추고는 그 소리를 유심히 들
었다. 바람이 점차 거세졌고, 바람을 맞은 나뭇잎들은 서로 몸
을 부대끼기 시작했다. 숲 속에서 나뭇가지가 몇 개 더 부러지
면서 흐느끼는 소리가 더 커졌다. 나무들이 고통에 겨워 몸부림
치는 것처럼 사방으로 몸을 흔들면서 나뭇가지로 서로를 찰싹
찰싹 때렸다. 먹구름이 파란 하늘을 집어삼키자 사방이 어두워
졌다. 곧이어 폭우가 쏟아지기 시작했고 15분 가까이 천둥번개
가 쳤다. 그렇게 한바탕 법석을 떤 후 하늘은 다시 활짝 개 새파
랗게 변했다. 이게 무슨 일인가 얼떨떨해진 나는 비에 흠뻑 젖
은 채 태양 아래를 걸었다. 밤이 되자 다시 비가 왔다. 우리를
채찍질하듯 빗줄기가 세차게 쏟아졌다. 우리는 밤에도 대부분
의 시간을 걷고 또 걸었다. 앞을 보려면 연신 얼굴에서 빗물을
훔쳐내야 했다. 그러나 결국 더 이상 걸을 수 없는 지경이 되었
고, 우리는 커다란 나무 둥치에 앉아 비가 그치기를 기다렸다.
번개가 번쩍 하고 숲을 환하게 비출 때마다 친구들의 앉은 모습
이 보였다. 다들 팔짱을 낀 채 얼굴을 무릎에 파묻고 있었다.

고작 몇 시간 후면 동이 틀 터였는데도 밤이 너무나 길게 느
껴졌다. 비가 그칠 무렵 날이 밝았다. 우리 모두 벌벌 떨고 있었

다. 손가락 끝이 불어터져서 허옇고 쭈글쭈글했다.

우리는 나무 밑에서 나왔다. 무사가 웃으며 말했다. "다들 물에 빠진 닭 같네." 햇살이 공터에 비치기 시작했고, 우리는 셔츠를 벗어 꽉 짠 뒤 수풀 위에 펼쳐놓고는 햇살 아래 앉아 몸을 말렸다.

정오 무렵 우리는 아직 마르지도 않은 옷을 걸치고 다시 걷기 시작했다. 몇 시간을 걷다 보니 저 멀리서 닭이 우는 소리가 들려왔다. 무사가 신난 사람마냥 폴짝 뛰었고, 그 모습을 본 우리는 하나둘 웃음을 터뜨렸다.

드디어, 정말로 가족을 만날 수 있을지도 모르는 마을에 가까워지고 있는 것이다. 입꼬리가 제 맘대로 올라갔다. 길 옆에는 울창한 숲 대신 커피나무가 서 있었고, 길에 발자국이 나 있는 것도 볼 수 있었다. 살랑살랑 바람을 타고 쌀 빻는 소리와 속닥거리는 소리가 들려왔다. 그 소리를 듣고 힘을 얻은 우리는 서둘러 발걸음을 재촉했다. 커피나무 농장 맞은편에 작은 바나나 농장이 있었다. 그곳에서 잘 익은 바나나 송이를 베고 있는 남자를 마주쳤다. 바나나 잎 뒤에 가려서 그의 얼굴은 보이지 않았다.

카네이가 말을 걸었다. "안녕하세요?"

남자가 바나나 잎 사이로 우리를 보고는 이마의 땀을 닦으며 우리 쪽으로 걸어왔다. 바싹 마른 바나나 잎을 바스락바스락 헤치고 그가 천천히 다가올수록 점차 그의 얼굴이 드러났다. 얼굴을 보니 그를 기억해낼 수 있었다.

마지막으로 뵈었을 때보다 주름이 약간 늘고 살도 많이 빠졌지만, 그분은 분명 가세무, 응고르(어른의 이름 앞에 붙이는 존대 표현) 가세무였다. 가세무 아저씨는 유명한 우리 동네 노총각이었다. 마을 사람들 누구나 그가 결혼을 하지 않은 것을 이야깃거리로 삼곤 했다. "나이도 찰 만큼 차고 철도 들 만큼 든 사람이 참한 아내만 얻으면 딱 좋겠구먼. 저렇게 혼자인 걸 좋아해서야. 어디 매이기 싫은 게지." 마을 어르신들이 그렇게 잔소리를 해대도 그는 전혀 말대답을 하지 않았고 화도 내지 않았다. 그는 요리도 자기가 해 먹었는데, 피곤할 때는 가리(카사바를 갈아서 말린 음식)에 꿀을 발라 먹었다. 일주일 넘게 꿀 바른 가리만 먹은 적도 있었다. 보다 못한 우리 엄마가 매일 저녁 요리를 해다 줬다. 엄마가 "그렇게만 먹으면 건강에 안 좋아요"라고 해도 아저씨는 그저 머리를 긁적이면서 씩 웃을 뿐이었다.

아저씨가 길가에 멈춰 서서 우리의 얼굴을 찬찬히 훑어보더니 미소를 지었다. 앞니가 하나 빠진 것을 보니 정말 내가 알던 응고르 가세무가 맞구나 싶었다.

그가 우리에게 말했다. "마을로 바나나 옮기는 것 좀 도와주면 좋겠는데?" 어른들이 어린 사람들에게 부탁하는 말투였다. 애초에 거절을 예상하지 않은 부탁이었다.

"얘들아, 이리로 오렴." 아저씨가 바나나 농장으로 따라오라는 손짓을 했다. 마치 보이지 않는 밧줄로 우리를 잡아당기는 것처럼 계속 손을 흔드는 아저씨의 옆을 우리도 끌리듯 지나쳐 걸어갔다. 내가 다가가자 아저씨는 한 손을 내 어깨에 올리고 다른 손으로는 내 머리를 문질러주었다.

그가 내 코를 잡아당기며 말했다. "너 아직도 말썽부리고 다니냐?"

내가 대답했다. "요새는 말썽 일으킬 틈도 없어요."

"굉장히 슬퍼 보이는구나. 너 어릴 때 이마가 유난히 반들거렸는데 말이야. 너희 부모님이랑 나랑 참 신기한 녀석이라고 얘기하곤 했었지. 늘 너무 행복해서 이마가 그렇게 빛나나 보다 생각했어. 너희 어머니가 넌 잘 때도 웃으면서 잔다고 하시더라고. 그런데 네가 여기저기 말썽을 부리고 다니고 성을 내기 시작한 후에도 이마가 더 환하게 빛나더라. 네 이마가 네 성격이랑 관계가 있다고는 설명할 수 없겠더군. 그런데 지금 여기서 보니 네 이마에서 전혀 빛이 나질 않아." 아저씨는 말을 멈추고 잠깐 동안 나를 물끄러미 바라보았다.

아저씨가 저만치 걸어가 친구들에게 바나나 송이를 집는 법, 바나나 송이를 머리 위가 아니라 어깨 위에 짊어지는 법을 가르쳐주었다. "이렇게 하면 송이가 반으로 안 갈라지지."

나는 바나나 송이를 몇 개 집어들고는 아저씨가 물병과 마체테, 남은 바나나 송이들을 챙기기를 기다렸다. 내가 입을 열었다. "근데 아저씨는 어떻게……." 아저씨가 내 말을 잘랐다.

"너희 부모님이랑 형제들이 너를 보면 엄청 기뻐할 거다. 매일 네 얘기를 하고 네가 안전하기만을 기도했어. 너희 어머니는 신들과 조상님들께 제발 너를 돌려달라고 애원하면서 매일같이 우셨단다. 너희 형이 너를 찾으러 갔다가 돌아온 게 일주일 전쯤이야. 돌아올 때 얼굴을 보니까 울상이더구나. 아마 너를 잃어버린 게 자기 책임이라고 생각했던 것 같아."

그 말을 들은 나는 바나나를 바닥에 떨어뜨리고 말았다. 하지만 아저씨는 걸음을 멈추지 않았고, 나는 얼른 바나나를 주워 들고는 아저씨를 따라갔다. 아저씨가 다시 말을 이었다. "너를 보면 가족 모두 놀라 까무러치겠구나."

그가 앞장서서 천천히 걸어갔다. 나는 가슴이 벅차올라 한마디도 할 수 없었다. 그냥 바나나를 내팽개치고 마을까지 쏜살같이 달려가고 싶었다. 눈꺼풀이 달달 떨렸고 바람이 머릿속으로 쉭쉭 불어오는 것만 같았다. 살짝 현기증이 났다. 더 기다렸다가는 흥분과 설움으로 심장이 터져버릴 것 같았지만 길이 너무 좁아 앞에 있는 사람들을 제치고 갈 수가 없었다.

몇 분 후 우리는 강가에 이르렀다. 나는 뛸 듯이 기뻤다. 대부분 마을 끝에 강이 있으므로 이제 몇 분만 더 가면 마을에 도착하겠구나 싶었기 때문이다. 하지만 아직 멀었다.

아저씨가 말했다. "저 언덕만 넘어가면 마을이란다." 양 옆이 바위들로 막힌 긴 언덕이었다. 언덕길 한복판에는 길 닦는 사람들이 미처 치우지 못한 바위가 하나둘 박혀 있었다. 길은 언덕 꼭대기까지 꼬불꼬불하게 이어졌다. 마침내 언덕 꼭대기에 다다른 우리는 잠시 걸음을 멈추고 쉬기로 했다. 나는 한시가 급한데 쉬어 가자는 게 골이 나서, 친구들과 멀찌감치 떨어져 커다란 바위 위에 혼자 앉았다. 내 시선이 먼지투성이인 황토색 길을 따라 언덕 아래까지 이어졌다. 언덕 아래에는 울창한 숲이 있었고, 숲 사이로 간간이 초가지붕과 양철지붕이 보였다. 내 몸은 아직 언덕 위에서 안달복달 기다리고 있었지만 내 마음은 이미 마을로 출발한 상태였다. 가세무 아저씨가 물을 마시라고 물병을 돌렸지만 나는 괜찮다고 거절했다. 물병이 한 바퀴 돌아 다시 아저씨 손에 들어간 후, 우리는 바나나를 집어들고 언덕을 내려가기 시작했다. 맨 앞에서 빨리 걷기 위해 내가 가장 먼저 앞장섰다.

언덕을 내려가는데 갑자기 여러 발의 총성이 들렸다. 개들이 짖어댔고, 사람들은 비명을 지르고 울음을 터뜨렸다. 사방이 트여 있는 언덕 비탈에서 벗어나기 위해 우리는 바나나를 내던지고 뛰었다. 마을에서 짙은 연기가 피어올랐고, 하늘 위로 불꽃이 치솟았다.

우리는 근처 수풀에 몸을 숨긴 채 총소리와 남자, 여자, 노인과 아이 들의 비명 소리를 들었다. 아이들이 엉엉 통곡을 했다. 남자들이 평소와 달리 고음으로 질러대는 소리가 숲을 뚫고 나와, 여자들의 날카로운 비명까지 덮어버렸다. 마침내 총성이 멎었고, 온 세상이 무슨 소리라도 나나 귀 기울이고 있는 것처럼 고요해졌다. 나는 가세무 아저씨에게 마을로 가겠다고 말했다. 아저씨가 나를 말렸지만 나는 그를 냅다 수풀로 밀치고는 최대한 빠른 속도로 언덕을 내려갔다. 다리에서는 아무런 감각이 느껴지지 않았다. 마을에 도착해서 보니 사방이 불바다였다. 아침에 떨어진 망고 잎처럼 탄피가 여기저기 널려 있었다. 우리 가족을 찾으려면 어디서부터 시작해야 할지 감이 잡히지 않았다. 아저씨와 친구들이 나를 뒤따라왔다. 모두 하릴없이 서서 불타는 마을을 바라보았다. 열기 때문에 땀이 줄줄 흐를 정도였지만 나는 겁도 없이 집과 집 사이를 뛰어다녔다. 못이 뽑혀나간 양철지붕이 하늘로 튀어올랐다가 근처 초가지붕 위로 떨어지면 불길은 화가 난 듯 더 활활 타올랐다. 불붙은 양철지붕이 공중에 날아오르는 광경을 지켜보고 있는데 몇 집 떨어진 곳에서 쾅 하는 소리와 함께 비명이 들려왔다. 우리는 커피 농장을 따라 서 있는 집들 뒤편으로 달려가다가 비명 소리가 난 집을 발견했다. 안에 사람들이 갇혀 있었다. 이미 집 깊숙이 불이 번진 상태였다. 창문 너머로, 지붕 위로 불꽃이 혀를 날름거렸다. 우

160

리는 절구를 들고 문을 부수어 열었지만 이미 너무 늦었다. 여자와 아이, 둘만 겨우 밖으로 나왔다. 몸에 불이 붙어 있는 그들은 마을을 이리저리 뛰어다니면서 눈에 뭐가 보이기만 하면 거기에 자기 몸을 부딪쳤다. 그러다 길이 막히면 반대쪽으로 가서 또 똑같은 짓을 반복했다. 결국 여자가 먼저 쓰러졌고 이내 움직이지 않게 되었다. 아이는 꺅 소리를 크게 지르고는 나무 옆에 주저앉았다. 그 아이 역시 곧 움직임을 멈추었다. 너무 순식간에 벌어진 일이라 우리는 그저 발이 땅에 뿌리를 내린 것처럼 가만히 서서 지켜보는 수밖에 없었다. 아이의 비명 소리가 마치 내 안에 자리를 잡고 살아 움직이기 시작한 것처럼 계속해서 내 머릿속에 메아리쳤다.

가세무 아저씨는 내가 있는 곳에서 좀 떨어진 곳을 둘러보고 있었다. 그러다가 마을 한켠에서 비명을 지르기 시작했다. 우리는 아저씨가 있는 곳으로 달려갔다. 적어도 스무 명 이상 될 듯한 사람들이 땅바닥에 코를 박고 한 줄로 엎드려 있었다. 그들의 몸에 난 총알구멍에서는 여전히 피가 쏟아져나오고 있었다. 저마다의 몸에서 쏟아져나온 핏줄기는 시체들의 몸 아래로 흘러 땅바닥을 타고 흐르면서 하나로 합쳐졌다. 가세무 아저씨가 시체를 하나씩 뒤집으면서 점점 더 큰 소리로 흐느꼈다. 몇몇 시신은 죽을 때 모습 그대로 눈을 크게 뜨고 입을 벌리고 있었다. 뒤에서 총알이 날아와 박히기를 기다리는 동안 그들이 느꼈을 공포감이 고스란히 느껴졌다. 어떤 사람들 입에는 마지막 숨을 들이키는 동안 집어삼켰을 흙먼지가 들어차 있었다. 대부분 20대 초반에서 후반에 이르는 남자들이었고, 그보다 어린 사람들도 있었다.

마을의 다른 곳에는 반쯤 불탄 시체들이 있었다. 몸에 불이 붙은 채 필사적으로 밖으로 빠져나왔으나 결국 죽음을 맞이한 사람들이었다. 그들은 각자 느꼈을 고통에 따라 이런저런 자세로 땅바닥에 엎드려 있었다. 어떤 이들은 하얀 턱뼈가 드러난 머리를 양손으로 부여잡고 있었고 또 어떤 이들은 어머니 뱃속에 있는 태아처럼 몸을 웅크린 채 굳어 있었다.

불길이 점차 사그라들기 시작했다. 나는 제발 내 눈에 띄지 않기를 바라는 무언가를 찾아 마을 곳곳을 헤집고 다녔다. 불에 탄 시체들의 얼굴을 어쩔 수 없이 일일이 확인하려 했다. 하지만 도저히 누가 누군지 알아볼 수 없을 정도로 심하게 타버렸을 뿐더러 시신이 너무 많았다.

가세무 아저씨가 새까맣게 탄 집 한 채를 가리키며 내게 말했다. "저기가 너희 가족이 머물렀던 곳이야." 문과 창틀은 완전히 다 타버렸고, 집을 짓기 위해 나무토막 사이에 채워넣었던 진흙은 떨어져나오고 밧줄이 드러난 상태였다. 잔불이 밧줄을 타고 계속 이어지고 있었다.

나는 너무 큰 충격을 받아 온몸이 굳어버렸다. 간신히 눈만 천천히 껌뻑거릴 수 있을 뿐이었다. 피가 통하지 않아 다리를 흔들어보려 하다가, 얼굴을 부여잡은 채 땅바닥으로 쓰러지고 말았다. 눈알이 부풀어올라 눈두덩을 뚫고 나올 것만 같았다. 눈이 터질 듯한 고통 때문에 그나마 마비 상태에서 벗어났다. 나는 우리 가족이 지냈다는 집으로 달려갔다. 겁도 없이 안으로 들어가 연기가 자욱한 방들을 둘러보았다. 바닥마다 잿더미만 한가득 쌓여 있을 뿐 제대로 형태를 갖춘 시신은 보이지 않았다. 나는 있는 힘껏 소리를 지르고는 목을 놓아 울었다. 잔불이 붙은 채 위태롭게 서 있는 벽에 온 힘을 다해 주먹을 휘두르고 발길질을 했다. 하지만 아무런 감각도 느껴지지 않았다. 불타는 벽을 주먹으로 치고 발로 차면서도 아무런 느낌이 들지 않았다. 가세무 아저씨와 친구들이 나를 그 집에서 억지로 끌어냈다. 나는 끌려가면서도 주먹질과 발길질을 멈추지 않았다.

아저씨가 말했다. "주변을 둘러봤는데 너희 가족은 어디에도 없는 것 같구나." 나는 양손으로 머리를 부여잡은 채 먼지투성이인 땅바닥에 두 다리를 뻗고 주저앉았다. 분노가 부글부글 끓어올라 숨을 씩씩거렸다. 심장은 금방이라도 터질 것만 같았다. 머리 위에는 무언가 묵직한 것, 상상을 뛰어넘을 만큼 무거운 것이 얹혀 있는 것 같았다. 목이 부러질 것처럼 아팠다.

언덕 위에서 잠깐 쉬지만 않았다면, 아저씨를 마주치지만 않았다면 우리 가족을 만날 수 있었을지도 모른다. 머리가 불이 붙은 것처럼 확 달아올랐다. 양손을 귀에다 대고 꾹 눌러보았지만 아무 소용이 없었다. 대체 나한테 무슨 일이 벌어지고 있는 것일까 혼란스러웠다. 나는 자리에서 일어나 아저씨 뒤로 가서 양팔로 아저씨의 목을 감았다. 있는 힘껏 그의 목을 졸랐다. "숨을 못 쉬겠어." 아저씨가 그렇게 말하면서, 나를 밀쳐서 넘어뜨렸다. 내 옆에 절구공이가 하나 보였다. 나는 공이를 집어들고 아저씨를 후려쳤다. 아저씨가 넘어졌다가 일어날 때 보니, 코에서 피가 흐르고 있었다. 친구들이 나를 말렸다. 아저씨가 나를 쳐다보며 슬프게 말했다. "이런 일이 벌어질 줄은 몰랐다." 그러고는 망고나무 옆에 앉아 코에서 나는 피를 닦아냈다.

친구들은 나를 꼼짝 못하게 바닥에 짓누른 채 격렬한 언쟁을 벌였다. 어떤 친구들은 우리가 부모님을 만나지 못하게 된 것이 아저씨 탓이라고 주장했다. 다른 친구들은 그렇지 않다고, 오히려 아저씨가 아니었다면 우리 모두 죽었을 것이라고 주장했다. 나는 죽는 것 따위는 아무렇지 않았다. 설령 가족과 함께 죽더라도 가족을 만나고 싶었다. 친구들은 자기들끼리 싸우기 시작했다. 서로 발로 차고 주먹을 날리고 땅바닥에 내던지고 난리였다. 알하지가 주마를 주먹으로 쳐서 집 쪽으로 넘어뜨리자 주마의 바지에 불이 옮겨 붙었다. 주마가 비명을 지르면서, 땅바닥

위를 굴렀다. 겨우 손바닥으로 불을 쳐서 꺼뜨린 주마는 일어나면서 돌맹이를 하나 주워 알하지에게 던졌다. 돌맹이는 알하지의 뒤통수를 때렸다. 알하지의 머리에서 피가 흘러 목까지 내려왔다. 알하지는 피를 보고 격분해서 주마에게 달려들었지만, 가세무 아저씨가 뜯어말리셨다. 아저씨는 알하지를 끌어다 피가나는 머리를 천으로 감싸주셨다. 우리 모두는 폐허가 된 마을에 말없이 서서 차오르는 분노를 삭이는 수밖에 없었다. 긴 여정이 결국 이렇게 끝났구나 싶었다.

아저씨가 느릿느릿 말했다. "이건 누구 잘못도 아니야." 듣고나니 다시 화가 치밀어 아저씨에게 달려들고 싶었다. 하지만 그때 사람들이 크게 떠들어대는 소리가 들렸다. 그들은 마을로 다가오고 있었다. 우리는 근처 커피 농장으로 달려가 흙바닥 위에 엎드렸다. 그러고는 마을 쪽을 지켜보았다.

열 명이 넘는 반군들이 마을로 걸어오고 있었다. 그들은 웃으면서 하이파이브를 했다. 그 중 둘은 나이가 나보다 약간 더많은 정도였다. 둘의 옷에는 피가 묻어 있었고, 둘 중 한 녀석은 머리카락을 손잡이 삼아 남자 머리통을 들고 있었다. 머리통 주인은 머리카락이 잡아당겨지는 고통을 아직도 느끼는 것 같았다. 목이 붙어 있던 자리에서 핏방울이 뚝뚝 떨어졌다. 다른 한명은 기름통과 큰 성냥 상자를 들고 있었다. 반군들이 땅바닥에 앉아 마리화나를 피우면서 카드놀이를 하기 시작했다. 그러면서 그날 자기들이 무슨 짓을 벌였는지 무용담을 늘어놓았다.

깡마른 녀석이 제일 신이 나서는 낄낄거리며 말했다. "오늘 만 마을 세 군데를 불태웠다고."

유일하게 무장을 완전히 갖춘 다른 반군이 호응하며 말했다. "맞아. 세 군데면 꽤나 대단하지. 그것도 오후에 몇 시간밖에 안 썼는데 말이야." 그가 G3 소총 옆면을 만지작거리느라 잠깐 멈 췄다가 다시 말을 이어나갔다. "특히 이 마을을 불태울 때가 제 일 재밌었어. 모조리 다 잡았잖아. 한 놈도 안 놓쳤어. 얼마나 대단한 일이냐. 명령대로 죄다 처형시켰으니 나중에 사령관님 도 도착해서 확인하시고는 만족하실 거야." 카드놀이를 멈추고 자기 말에 귀를 기울이는 다른 반군들을 바라보면서 녀석은 고 개를 끄덕였다. 나머지 반군들 역시 고개를 끄덕이면서 녀석의 말에 동의했다. 뒤이어 서로 하이파이브를 하고는 다시 카드놀 이를 시작했다.

그때 혼자 서 있던 반군이 말했다. "하지만 다른 두 마을에서 는 몇 놈씩 놓쳤잖아." 녀석은 말을 잠깐 멈추고는 대체 왜 그런 일이 일어났는지 고심하는 양 이마를 쓱쓱 문질렀다. 그가 덧붙 였다. "여기서 연기가 나는 걸 보고 뭔가 일이 터졌구나 눈치를 챘겠지. 이제 전략을 바꿔야겠어. 다음부터는 마을들을 전부 동 시에 습격하자고." 그러나 반군들은 완전무장을 한 녀석이 말할 때에 비해 그의 말에 그다지 주의를 기울이지 않았다. 반군들은 몇 시간이고 계속 카드놀이를 하면서 떠들어댔다. 그러다가 별다른 이유도 없이 하늘에 대고 총을 몇 방 쐈다. 그러자 우리 무리 중 누군가가 움찔하면서 마른 커피 잎사귀를 건드렸고 그 탓에 부스럭 소리가 났다. 반군들이 카드놀이를 멈추고는 사방으로 흩어져 몸을 숨겼다. 반군 두 명이 총을 겨눈 채 우리 쪽으로 걸어왔다. 처음에는 빠르게 움직이다가 어느 순간부터 쭈그리고 앉은 채 다가왔다. 우리는 미리 약속이라도 했던 것처럼 일제히 일어나 달리기 시작했다. 커피 농장에서부터 시작해 숲 속에 이를 때까지 뒤에서 계속 총알이 날아왔다. 길을 아는 가세무 아저씨가 앞장서서 달렸고, 우리는 그 뒤를 쫓아갔다.

숲의 끝에 다다른 아저씨는 멈추어 서서 우리가 올 때까지 기다리셨다. 아저씨가 말했다. "길을 따라 쭉 직진하렴." 내가 다가가자 아저씨는 나를 보고 애써 웃음을 지어 보이셨다. 이유는 알 수 없었지만 괜히 더 화가 났다. 나는 아저씨를 지나친 다음 풀이 자란 좁은 길을 따라 달렸다. 내 앞에는 알하지가 있었다. 알하지는 잠수부가 공기를 마시러 수면 위로 올라가듯이 수풀을 가르면서 달려갔다. 수풀이 다시 제자리로 돌아오면서 나를 찰싹찰싹 때렸지만 나도 쉬지 않고 달렸다. 우리 뒤에서 들리는 총성이 점점 더 커졌기 때문이다. 우리는 몇 시간을 달려 숲 속 깊숙이 다다랐다. 길이 끊어졌지만 개의치 않고 계속 달렸다. 태양이 지평선 아래로 사라지고 달이 나타났다. 총알이 끊이지 않고 우리 뒤로 날아왔다. 날이 어두워진 만큼, 수풀을 뚫고 지나가는 총알의 붉은 궤적이 선명하게 보였다. 어느 순간부터 별과 함께 달도 먹구름에 가려지더니 하늘이 눈물을 흘리기 시작했다. 그 눈물 덕에 우리는 붉은 총탄으로부터 목숨을 구할 수 있었다.

비에 흠뻑 젖은 우리는 수풀 아래에 숨어 숨을 거칠게 내쉬며 밤을 보냈다. 사냥꾼들은 이미 추격을 포기한 상태였다. 그런데 가세무 아저씨가 아이처럼 울기 시작했다. 이런 일이 벌어질 때마다 항상 두려운 마음이 들었다. 어릴 때 배운 바로는, 다큰 남자가 운다는 것은 막다른 골목에 다다랐다는 뜻이니까. 아저씨는 고통에 몸부림치며 땅바닥을 굴렀다. 우리는 겨우 용기를 내서 아저씨를 일으켜 세웠다. 그리고 아저씨가 왜 우는지 알았다. 밤에 도망치는 동안 총을 맞은 것이다. 아저씨의 오른쪽 다리에서 피가 흐르고 있었다. 심지어 다리가 부어오르기까지 했다. 아저씨는 옆구리를 움켜쥔 채 손을 떼려고 하지 않았다. 알하지가 아저씨의 손을 들어올렸다. 옆구리에서도 피가 흘렀다. 그나마 손으로 옆구리를 꽉 움켜쥐고 있어서 여태까지 피가 쏟아지지 않은 모양이었다. 손을 떼자 둑을 무너뜨리고 쏟아지는 물처럼 피가 터져나왔다. 아저씨는 땀을 뻘뻘 흘렸다. 알하지가 나에게 아저씨 옆구리에 손을 얹어 지혈을 하라고 했다. 나는 시키는 대로 했다. 하지만 내 손가락 사이로 피가 계속 새어나왔다. 아저씨가 나를 쳐다보셨다. 아저씨의 두 눈이 눈구멍 깊이 슬프게 가라앉았다. 아저씨는 간신히 힘을 내 오른손을 들었다. 그러고는 아저씨 옆구리에 대고 있던 내 손목을 붙잡으셨다. 아저씨는 더 이상 흐느끼지 않았다. 여전히 눈물이 흐르고는 있었지만 쏟아지는 피만큼 많이 흐르지는 않았다. 무사는 피범벅인 그 광경을 계속 지켜보기 힘들어하더니 결국 기절하고 말았다. 알하지와 나는 아저씨의 셔츠를 벗긴 뒤 셔츠로 옆구리를 단단히 묶어 지혈을 하려고 했다. 나머지 친구들은 잔뜩 긴장한 얼굴로 상황을 지켜보았다. 다시 정신을 차린 무사도 친구들과 함께 우리를 바라봤다.

아저씨는 숨을 헐떡이면서 드문드문 말을 이어나갔다. 근처에 왈리(사람들이 커피나 그 밖의 작물을 가공하는 마을 밖의 공간)가 있으니 농장으로 돌아가면 거기까지 가는 길을 가르쳐주겠다는 내용이었다. 우리는 밤새 도망치느라 길을 잘못 든 상태였다. 아저씨는 내 어깨와 알하지의 어깨에 팔을 하나씩 둘렀다. 우리는 아저씨를 부축해 천천히 수풀을 헤치며 나아가기 시작했다. 몇 분을 걸었다 싶으면 아저씨를 앉힌 다음 이마에 맺힌 땀을 닦아주는 식이었다.

정오가 지나자 아저씨가 온몸을 들썩거리기 시작했다. 아저씨는 자기를 땅에 내려놓으라고 부탁하셨다. 그러고는 배를 부여잡은 채 고통에 겨워 땅바닥을 뒹굴었다. 몸이 들썩이는 강도가 심해지더니, 어느 순간 바닥을 구르던 동작이 멎었다. 아저씨는 등을 바닥에 대고 하늘을 보고 있었다. 시선은 무언가에 고정되어 있었다. 부들부들 떨리던 다리가 멈추었다. 뒤이어 손도, 손가락도 멈추었다. 그저 부릅뜬 눈만 숲 너머 어딘가를 뚫어져라 보고 있었다.

알하지가 떨리는 목소리로 말했다. "아저씨를 일으켜 세워보자." 나는 아저씨의 팔을 내 목에 둘렀다. 알하지도 그렇게 했다. 우리 둘이 걸음을 옮기자 아저씨의 발이 바닥에 질질 끌렸다. 아저씨의 팔이 차가웠다. 몸에서는 여전히 땀과 피가 흐르고 있었다. 우리는 아무 말도 하지 않았다. 무슨 일이 벌어진 것인지 말하지 않아도 알았다.

마침내 왈리에 도착했을 때, 아저씨의 두 눈은 아직도 벌어져 있었다. 알하지가 눈을 감겨드렸다. 나는 아저씨의 옆에 앉았다. 내 손바닥과 손목에 아저씨의 피가 묻어 있었다. 절구공이로 아저씨를 때렸던 것이 후회스러웠다. 아저씨의 코에 말라붙은 피가 그대로 남아 있었다. 나는 숨죽여 울기 시작했으나, 마음놓고 울 수조차 없었다. 이제 해가 하늘을 떠날 준비를 하고 있었다. 아저씨의 넋도 함께 데려가려는 것 같았다. 나는 그저 멍하니 앉아 있었다. 아무 생각도 나지 않았다. 얼굴이 굳는 느낌이 났다. 상쾌한 바람이 얼굴에 닿는데도 피부가 바람을 느끼기를 거부했다. 나는 밤새도록 잠을 이루지 못했다. 눈물이 차올랐다가 말랐다가를 반복했다. 뭐라고 말해야 할지 알 수 없었다. 나는 아저씨가 손가락을 부르르 떨면서 몸 밖으로 마지막 숨을 내보낼 때 어떤 느낌이 들었을지 잠깐이나마 상상해보려 했다.

12

정확히 기억은 나지 않지만 며칠을 내리 걸었을 것이다. 난
데없이 남자 둘이 나타나 총을 들이댔다. 그러고는 총구를 까
딱까딱 흔들며 우리보고 가까이 오라고 지시했다. 우리는 기관
총, AK-47, G3, RPG로 무장한 채 두 줄로 서 있는 군인들 사이
를 걸어갔다. 다들 숯검정을 칠했는지 얼굴이 새까맸다. 사납게
우리를 노려보는 두 눈에는 벌겋게 핏발이 서 있었다. 줄 뒤로
가서 보니 피에 흠뻑 젖은 군복을 입은 남자 네 명이 땅바닥에
엎어져 있었다. 그 중 한 명은 눈을 부릅뜬 채 바닥에 배를 깔고
엎어져 있었는데 내장이 옆으로 쏟아져나와 있었다. 나는 시선
을 돌렸다. 그러자 이번에는 머리가 으깨진 남자가 보였다. 아
직 숨이 붙어 있는 그 남자의 머릿속에서 무언가가 여전히 벌떡
거리고 있었다. 구역질이 났다. 세상이 팽팽 돌았다. 군인들 중

한 명이 무언가를 쩍쩍 씹으면서 나를 바라보더니 씩 웃었다. 그는 물병을 꺼내 물을 한 모금 마시고는 남은 물을 내 얼굴에 끼얹었다.

그가 말했다. "너도 익숙해질 거야. 결국엔 다들 적응하거든."

그때 근처에서 총성이 울렸고, 군인들은 우리 여섯을 데리고 이동했다. 우리는 알루미늄으로 만든 군용 모터보트 여러 대가 떠 있는 강가로 갔다. 열한 살에서 열세 살쯤 되었을까, 군복 바지를 입은 소년들의 시체가 그곳에 무더기로 쌓여 있었다. 우리는 애써 고개를 돌렸다. 총소리가 점점 더 커졌다. 우리가 보트에 오르는 순간, 수풀 쪽에서 로켓수류탄이 날아와 강가에서 터졌다. 수면 위로 거품이 부글부글 일었다. 군용 바지를 입은 남자 한 명이 길을 따라 보트 쪽으로 달려오면서 군인들에게 총을 쏘아댔다. 나와 같은 보트에 타고 있던 군인이 대응사격을 해 상대를 쓰러뜨렸다. 보트는 강 하류로 나아갔고, 강이 갈라지는 곳 근처에서 우리를 뭍에 내려주었다. 군인 한 명이 우리를 정부군이 점령하고 있는 마을인 옐레로 데려갔다. 집이 열 채 이상 있는 큰 마을이었다. 대부분의 집을 군인들이 점거하고 있었다. 우리가 지나온 강으로 통하는 입구에만 수풀을 남겨놓고, 마을 주위의 수풀을 다 베어낸 상태였다. 군인들의 설명에 따르면 그렇게 해놓으면 적들이 공격하기가 훨씬 더 까다로웠다.

173

처음에는 옐레야말로 안전한 곳이라고 생각했다. 마을은 재잘거리는 소리와 깔깔거리는 소리로 늘 활기가 넘쳤다. 주민이든 군인이든 어른들은 날씨, 파종, 사냥 얘기만 했을 뿐 전쟁 얘기는 하지 않았다. 처음에는 어떻게 그럴 수 있는지 이해가 가지 않았다. 하지만 사람들 얼굴에 만개한 미소를 보면서 이제는 아무 걱정도 할 필요가 없다는 확신이 점점 강해졌다. 마을 분위기를 어둡게 만드는 존재가 있다면 고아들뿐이었다. 일곱 살부터 열여섯 살까지 서른 명 남짓한 아이들이 있었는데, 나 역시 그 중 하나였다. 이것만 빼면 무언가가 우리의 유년 시절을 위협하거나 아예 빼앗아버릴 거라는 느낌은 전혀 들지 않았다.

우리는 다 지어지지 않은 커다란 시멘트벽돌 집에서 다른 소년들과 함께 지냈다. 건물 위에는 지붕 대신 커다란 방수포가 덮여 있었다. 시멘트 바닥에 두 사람당 하나씩 작은 매트를 깔고 잤다. 마을에는 벽돌로 짓다 만 집이 한 채 더 있었는데, 그 건물은 군인들의 거처로 사용되었다. 군인들은 주민들과는 거리를 두고 그곳에서 자기들끼리 지냈다. 저녁이 되면 그들은 웃고 떠들고 영화를 보고 음악을 들으면서 마리화나를 피웠다. 마리화나 냄새가 온 마을을 뒤덮었다. 낮에는 군인들도 주민들과 섞여 지냈고 우리는 부엌일을 도왔다. 카네이와 나는 물 길어오기와 설거지를 했다. 다른 친구들은 부엌에서 가지, 양파, 고기 따위를 써는 일을 도왔다. 나는 강을 왔다갔다 하고 끊임없이 접시를 닦으며 하루를 바쁘게 보낼 수 있어 참 좋았다. 극심한 두통을 일으키는 생각들에서 주의를 돌리려면 그렇게 하는 수밖에 없었다. 하지만 정오 즈음에는 허드렛일이 다 떨어지고 저녁식사 준비도 끝나서, 그때부터는 밥때를 기다리는 것밖엔 할 일이 없었다. 모두들 베란다에 앉아 마을 광장을 바라보면서 시간을 보냈다. 부모들은 아이 머리를 빗겨주었고 여자아이들은 손뼉을 치며 노래하고 놀았다. 소년들과 축구를 하는 젊은 군인들도 있었다. 그들이 환호성을 지르고 손뼉을 치는 소리가 멀리 강가까지 들렸다. 이곳에서는 낮에는 그 무엇도 두려워하며 살 필요가 없었다.

사람들이 축구를 하며 노는 모습을 보니, 우리 가족이 모그브웨모 광산 마을로 이사한 뒤 내가 참가했던 리그 경기들이 생각났다. 특히 주니어 형과 친구들로 이루어진 우리 팀이 승리를 차지했던 결승전 경기가 생생하게 떠올랐다. 우리 엄마, 아빠도 경기를 보러 오셨다. 우리가 승리한 뒤 엄마는 박수갈채를 보내며 함박웃음을 지었다. 엄마 얼굴에는 자랑스럽다는 기색이 역력했다. 아빠는 다가와서 내 머리를 쓰다듬고는, 내가 챔피언이 되었다는 선언으로 내 오른손을 번쩍 들어올리셨다. 주니어 형도 똑같은 방식으로 칭찬을 받았다. 엄마는 컵에 물을 떠서 우리에게 가져다주고, 머릿수건을 벗어 부채질을 해주셨다. 한껏 흥분한 탓에 내 심장이 팔딱팔딱 빠르게 뛰었고 땀이 줄기차게 쏟아졌다. 이마를 타고 내려와 입술에 닿은 땀은 짠맛이 났다. 그렇게 가족들과 함께 서 있으니 금방이라도 날아오를 것처럼 몸이 가벼웠다. 그 순간을 영원히 붙잡아두고 싶었다. 승리의 기쁨을 만끽하고도 싶었지만 무엇보다 부모님의 얼굴에 그려진 미소가 나를 너무나도 행복하게 만들었기 때문이다. 그날 저녁 어찌나 행복했던지 내 몸속으로 불어오는 부드러운 바람에 온 신경이 잠에서 깨어나 한들거리는 느낌이 들었다.

나는 마을에서 진행되는 축구 경기에서 눈을 돌린 뒤 건물 뒤로 가서 앉았다. 편두통이 잠깐이나마 가라앉기를 바라며 공터를 빤히 바라보았다. 나는 내 증상을 누구에게도 말하지 않았다. 주민들이 "중사님"이라고 부르는 군의관이 아침에 사람들을 일렬로 세운 뒤 진료할 때도 내가 겪는 증상에 관한 언급은 없었다. 군의관은 열병이나 감기 등 이런저런 질환을 겪는 사람이 있냐고 물어보았지만 악몽이나 편두통에 관해서는 일언반구도 없었다.

밤이 되면 알하지, 주마, 모리바, 카네이는 활짝 열린 창유리 사이로 달빛이 비치는 시멘트 바닥 위에서 구슬치기를 하고 놀았다. 남자아이들 사이에서 꽤나 유명해진 무사는 늘 새로운 이야기를 들려주는 것으로 밤의 끝을 마무리했다. 나는 입을 앙다문 채 구석에 조용히 앉아 있었다. 두통이 얼마나 나를 괴롭게 하는지 친구들에게 들키고 싶지 않았기 때문이다. 활활 타오르는 불꽃이 눈앞에 어른거렸다. 내가 목격했던 광경들이 번뜩 번뜩 떠올랐다. 여자들과 아이들이 고통스럽게 울부짖는 소리가 머릿속에서 생생하게 살아 움직였다. 추가 종을 치는 것처럼 머리가 아프게 울려서 소리 없이 울음을 터뜨렸다. 편두통이 가라앉으면 잠시나마 잠을 이룰 수 있었지만 그나마도 악몽 때문에 오래 가지는 못했다. 어느 날 밤에는 머리에 총을 맞는 꿈을 꾸었다. 사람들이 급히 나를 지나치는 동안 피가 웅덩이가 되어 쓰러진 나를 집어삼켰다. 지나가던 개 한 마리가 멈춰 서서 볼썽사납게 피를 핥아댔다. 피가 입맛에 맞는지 개가 이빨을 드러냈다. 개를 쫓아버리고 싶었지만 몸이 움직여지지 않았다. 결국 개가 나한테 달려들어 끔찍한 짓을 벌이려는 찰나 나는 잠에서 깨어났다. 그날 밤은 더 이상 잠을 이루지 못한 채 땀만 뻘뻘 흘렸다.

어느 날 아침이었다. 돌연 마을에 긴장감이 돌았다. 왜 그런 변화가 생겼는지는 분명히 알 수 없었지만 무슨 일이 벌어지기는 벌어질 모양이었다. 군인들이 모두 군복을 차려입고 마을 광장에 집결했다. 다들 무기와 탄약을 넣은 배낭을 메고 허리띠를 차고 있었다. 군복 바지 옆에는 총검이 달려 있었다. 군인들은 옆구리에 철모를 낀 채 똑바로 섰다. 알하지와 함께 물을 길러 강가로 걸어가는데 훈련 교관의 목소리가 들렸다. "차렷."

"열중쉬어." "차렷." "열중쉬어." 강에서 돌아와서 보니 준비 훈련이 끝난 상태였다. 이번에는 교관 대신 자바티 중위가 뒷짐을 진 채 병사들 앞에 서 있었다. 중위는 점심시간이 될 때까지 몇 시간 동안 병사들에게 연설을 했다. 우리는 허드렛일을 하면서 중위가 뭐라고 말하는지 엿들으려 했다. 하지만 말을 제대로 알아들으려면 가까이 가서 병사들 대열에 끼어들어야 했으니 말도 안 되는 일이었다. 우리는 하루 종일 살금살금 걸어다니면서 중위가 병사들에게 뭐라고 말했을지 추측하려고 애썼다.

저녁이 되자 군인들이 총을 닦았다. 이따금 총을 허공에 몇 차례 쏘아보기도 했다. 난데없이 총성이 울려퍼지자 어린아이들은 부모 다리 사이로 쏙 들어가 숨었다. 군인들은 담배나 마리화나를 피웠다. 밤이 될 때까지 몇몇은 혼자 앉아 시간을 보냈고 몇몇은 서로 농담을 주고받으면서 도박을 했다. 커다란 텐트에 들어가 영화를 보는 병사들도 있었다.

자바티 중위는 자기 숙소 베란다에 앉아 책을 읽었다. 그는 책에서 시선을 떼지 않았다. 심지어 병사들이 영화에 나오는 총의 크기와 정교함에 감탄해 크게 휘파람 소리를 낼 때도 꿈쩍도 안 했다. 오히려 주변이 조용할 때만 고개를 들었다. 그러다 그를 바라보던 나와 눈이 마주쳤다. 그가 나더러 옆에 와 앉으라고 했다. 중위는 머리털이 거의 남지 않은 키가 큰 남자였다. 입에 무언가를 물고 있는 것처럼 광대뼈가 도드라졌지만 눈이 커다란 덕분에 균형이 맞았다. 과묵한 사람이었지만 그런 과묵함 덕분에 위압감이 엄청났고 병사들도 모두 그를 두려워하고 존경했다. 낯빛이 굉장히 어두워서 그의 눈을 마주보려면 꽤나 용기가 필요했다.

중위가 물었다. "여기 와서 먹는 건 잘 먹고 있니?"

"네." 나는 그렇게 대답하면서, 그가 무슨 책을 읽는지 넘겨다보았다.

"셰익스피어 작품이란다." 중위가 책 표지를 보여주었다. "『줄리어스 시저』야. 들어본 적 있니?"

"학교에서 읽어봤어요."

"기억나는 대목도 있고?"

내가 한 곳을 읊기 시작했다. "겁쟁이들은 죽음을 맞이하기 전에 여러 번 죽는다……." 그러자 중위도 나와 함께 대목 전체를 암송했다. 암송이 끝나자마자 중위는 다시 엄한 표정을 지었다. 그러고는 나를 무시한 채 책 속으로 빠져들었다. 책의 내용에 심취한 것인지 아니면 무언가를 생각하는 것인지 그의 이마에 핏줄이 불거졌다. 나는 발끝으로 서서 살금살금 물러났다. 하늘이 어둑어둑해지고 있었다.

일곱 살 때 나는 마을 광장에 가서 마을 어른들 앞에서 셰익스피어 작품에 나오는 독백을 암송해 보이곤 했다. 한 주를 마칠 때마다 남자 어른들이 모여 마을 문제를 의논하는 자리였다.

어른들은 기다란 나무 의자에 앉아 한창 의논을 벌이다 토론이 끝나면 나를 불러다 셰익스피어 작품 암송을 시켰다. 아빠가 일부러 크게 헛기침을 해서 다른 어른들을 조용히 시키면 내가 암송을 시작했다. 아빠는 맨 앞에 앉아 팔짱을 낀 채 함박웃음을 지었다. 몇 년이 지나도 사라지지 않을 것 같은 웃음이었다. 나는 칼 대신 길쭉한 막대기를 들고는 의자 위에 올라가 섰다. 그러고는 우선 『줄리어스 시저』를 읊었다. "친구들이여, 로마인들이여, 동포들이여, 귀담아 들어보시오……." 『맥베스』와 『줄리어스 시저』는 어른들이 가장 좋아하는 작품이었기 때문에 절대 빼놓지 않았다. 어른들 앞에서 암송을 할 때면 나는 언제나 열정과 흥분으로 가득 찼다. 내가 영어를 정말 잘하는 사람 같았기 때문이다.

내가 아직 잠을 이루지 못한 밤중에 군인들은 마을을 떠났다. 군인들이 행군하는 소리가 울려퍼지자 마을에 으스스한 분위기가 감돌기 시작해 새벽부터 낮까지 이어졌다. 마을을 지키기 위해 군인 열 명이 마을에 남았다. 그들은 각자 맡은 자리에서 하루 종일 보초를 섰다. 어스름이 깔리기 시작하면서 밤이 서서히 다가오자 보초를 서던 군인들이 허공에 총을 몇 차례 쏘면서 통행금지령을 내렸다. 모두 "안에 들어가 몸을 낮추고 있으라"는 명령이었다. 그날 밤에는 무사가 아무 이야기도 들려주지 않았고 모리바도 다른 친구들과 구슬치기를 하지 않았다. 우리는 조용히 벽에 기대고 앉아 멀리서 총성이 쉴 새 없이 울려퍼지는 소리를 듣고만 있었다. 밤이 다하기 몇 시간 전에 달이 구름 사이를 비집고 나와 창틀 사이로 얼굴을 내밀었다가 닭이 꼬끼오 하고 울자 다시 자취를 감추었다.

그날 아침 지평선 너머로 모습을 드러낸 것은 태양뿐만이 아니었다. 마을을 떠났던 군인들 역시 다시 모습을 드러냈다. 간신히 마을로 돌아온 병사들의 수는 얼마 되지 않았다. 광이 나던 군화에는 흙먼지가 잔뜩 묻어 있었다. 그들은 서로 멀찍이 떨어져 앉아 자기 총을 꼭 붙들고 있었다. 총말고는 의지할 데가 없는 사람들 같았다. 어떤 군인은 부엌 아래 있는 시멘트벽돌 위에 앉은 채 고개를 양손에 파묻고는 몸을 들썩들썩 흔들었다. 그러다가 자리에서 일어나 마을을 이리저리 돌아다니다 다시 돌아와 벽돌 위에 앉았다. 날이 저물 때까지 그런 행동을 반복했다. 자바티 중위는 라디오를 듣고 있었다. 그러다 어느 순간 라디오를 벽에 집어던지고는 자기 방으로 들어갔다. 주민들은 그날 내내 서로 말을 섞지 않았다. 그저 몇몇 군인들에게 나타나는 이상 증세를 지켜볼 뿐이었다.

정오가 되자 스무 명이 넘는 군인들이 마을에 도착했다. 그들을 보고 깜짝 놀란 중위는 기쁜 표정을 지었다. 하지만 이내 빠르게 감정을 숨겼다. 군인들은 준비를 마친 뒤 전쟁을 치르러 떠났다. 더 이상 숨길 것이 없었다. 우리는 전쟁이 다가오고 있다는 사실을 직감했다. 군인들이 떠나고 얼마 안 있어 마을 가까이에서 총성이 들리기 시작했다. 마을을 지키던 군인들이 사람들에게 건물 안으로 들어가라고 지시했다. 총격전은 저녁까지 계속되었다. 새들이 지저귀는 소리와 귀뚜라미들이 노래하는 소리도 총소리에 묻혀버렸다. 밤중에는 드문드문 군인들이 마을로 달려와 탄약을 챙기거나 잠깐 한숨을 돌리고는 다시 떠났다. 부상당한 군인들이 실려 왔지만 다들 죽음을 맞이할 수밖에 없었다. 고작 등불을 비춰가며 하는 수술이 제대로일 리 없었다. 군인들은 전장에서 죽은 동료의 시신은 거두어 오지도 않았다. 끌고 온 포로들은 일렬로 세운 뒤 머리에 총을 쏘아 처형했다.

이런 일들이 며칠 동안 반복되었다. 전선으로 나갔던 군인들이 돌아올 때마다 돌아오는 인원은 늘 얼마 되지 않았다. 마을에 남겨진 군인들은 점점 불안해 하면서 밤에 변소에 가는 주민들한테까지 총을 쏘기 시작했다. 그러던 어느 날 중위가 병사들을 시켜 사람들을 전부 광장으로 모아놓고 말했다.

"저기 숲에 있는 적들은 우리 모두의 삶을 파괴하기만을 기다리고 있습니다. 저희가 최선을 다해 싸웠지만 적들의 수가 너무 많습니다. 놈들이 마을 주변을 완전히 장악했죠." 그러면서 손으로 허공에 둥글게 원을 그렸다. "놈들은 이 마을을 점령할 때까지 포기하지 않을 겁니다. 우리 식량과 탄약을 노리고 있어요." 중위는 잠시 멈췄다가 말을 이어나갔다. "어떤 분들은 반군들에게 부모나 가족을 잃었기 때문에 이곳에 오셨을 겁니다. 이곳이 안전한 장소기 때문에 오신 분들도 있겠죠. 하지만 이제 이곳도 그리 안전한 곳이 아닙니다. 그렇기 때문에 우리 군에는 우리와 함께 적들과 맞서 싸워 이 마을을 안전하게 지킬 강인한 남자들과 소년들이 필요합니다. 적들에 맞서 싸우기 싫다거나 도움을 주기 싫다 하더라도 괜찮습니다. 단, 그런 사람들은 배급을 받아서도, 이 마을에 머물러서도 안 됩니다. 떠난다고 해도 붙잡지 않겠습니다. 어차피 이곳에는 요리를 돕거나 탄약을 준비하거나 전투에 참가할 사람들만 필요합니다. 부엌일을 할 여자들은 이미 충분합니다. 우리는 반군과 싸울 유능한 소년들과 남자들이 필요합니다. 이제 여러분 차례입니다. 가족의 죽음을 되갚아주십시오. 더 이상 아이들이 가족을 잃지 않도록 힘을 보태주십시오." 중위가 숨을 크게 들이키고는 연설을 마무리했다. "내일 아침 여러분 모두 여기 일렬로 줄을 서십시오. 그러면 우리가 사람들을 선발해 각각 해야 할 일들을 맡길 것입니다." 중위가 광장을 떠났고 병사들이 그 뒤를 따랐다.

우리는 한동안 말없이 서 있었다. 통금 시간이 되어서야 하나둘 잠자리로 돌아갔다. 나는 주마, 알하지, 카네이, 모리바, 무사와 함께 숙소로 들어가 앞으로 어떻게 해야 할지 차분하게 의논했다.

알하지는 우리가 어떤 곤경에 놓인 것인지 설명했다. "반군은 이 마을에서 나온 사람이라면 누구든 죽일 거야. 우리를 적이나 첩자쯤으로 생각할 테니까. 다른 편에 서 있다고 생각할 테니까. 중위님이 했던 말이 바로 그 뜻이잖아." 자리에 누워 있던 다른 소년들도 일어나 귀를 기울였다. 알하지가 계속 말했다. "지금으로서는 여기 머무르는 게 옳아." 그러고는 한숨을 쉬었다. 우리에게는 다른 선택지가 없었다. 마을을 떠난다는 것은 목숨을 버리겠다는 것과 다름없었다.

군인 한 명이 확성기에 대고 외쳤다. "주목! 중위님의 명령입니다. 모두 지금 당장 광장으로 모이십시오." 그 말이 끝나기도 전에 광장이 가득 찼다. 다들 자신의 안위를 위해 어떤 행동을 취할지 결정하기 위해 이 순간만을 기다린 것이다. 발표가 있기 전에 나는 친구들과 함께 부엌 창문 근처에 모여 앉았다. 친구들 얼굴은 무표정했다. 아무런 감정이 드러나지 않았다. 다만 눈빛만큼은 슬픔으로 흐릿해져 있었다. 나는 친구들과 눈을 마주치려 했지만 다들 시선을 피했다. 아침을 먹을 때도 두려움 때문에 식욕이 전혀 없었다.

친구들과 같이 사람들 뒤쪽에 자리를 잡는데 여러 발의 총성이 천지를 울렸다. 총성이 그치자 그보다도 견디기 힘든 침묵이 감돌았다.

모두가 볼 수 있도록 벽돌을 높이 쌓은 곳에 중위가 올라섰다. 중위는 침묵이 우리 뼛속까지 파고들기를 기다렸다가 병사들에게 시체 두 구를 끌고 오라고 손으로 지시했다. 이 마을에 살던 남자와 소년의 시신이었다. 옷을 흠뻑 적신 피는 아직 마르지도 않았고 눈도 부릅뜬 채였다. 사람들은 고개를 돌렸고 어린아이들과 아기들은 울기 시작했다. 그러든 말든 중위가 목청을 가다듬고는 연설을 시작했다. 그러자 점차 울음소리도 잦아들었다.

　　"아이들도 있는데 이런 끔찍한 시신을 보여드려서 죄송합니다. 하지만 솔직히 여기 있는 우리 모두 죽음을 처음 본 게 아니죠. 심지어 죽음과 악수까지 나눈 분들도 있을 겁니다." 중위가 시체 쪽으로 몸을 돌리고는 계속 부드럽게 말했다. "여기 있는 남자와 소년은 제가 분명 위험하다고 말씀드렸는데도 오늘 아침 마을을 떠나려고 했습니다. 남자가 전쟁에 끼고 싶지 않다고 하기에 바라는 대로 하도록 내버려두었습니다. 그랬더니 무슨 일이 벌어졌는지 보십시오. 개활지에 들어서자마자 반군들에게 총을 맞아 죽었습니다. 마침 병사들이 시신을 거두어 왔기에 지금 우리가 어떤 상황에 처해 있는지 알려드릴 겸 이렇게 시신을 보여드리기로 결정했습니다." 중위는 그 뒤로도 거의 한 시간 가까이 연설을 계속했다. 반군들이 사람들 머리를 잘라 그 가족에게 보여주었다느니, 마을과 함께 주민들을 산 채로 불태웠다느니, 아들이 자기 엄마를 강간하게 했다느니, 시끄럽게 운다고 갓난아기들을 반으로 베어버렸다느니, 임신한 여자들의 배를 칼로 갈라 태아를 꺼낸 다음에 죽였다느니……. 중위는 땅에 침을 퉤 뱉고는 반군들이 저지른 만행을 끝없이 나열했다. 그러다 이만하면 됐다는 확신이 들었는지 본론으로 들어갔다.

"저놈들에게는 더 이상 인간이라고 부를 만한 구석이 없습니다. 살 가치가 없는 놈들입니다. 그러니 한 놈도 빠짐없이 다 죽여버려야 합니다. 거대한 악을 무너뜨리는 것이라고 생각하십시오. 그것이 여러분이 우리 조국을 위해 할 수 있는 가장 고귀한 일입니다." 중위가 권총을 꺼내 하늘에 대고 총을 두 발 쏘았다. 그러자 사람들이 소리치기 시작했다. "저놈들을 죄다 쳐죽이자! 다시는 이 땅에 발도 못 붙이게!" 마을 사람들 모두가 반군을 향한 적개심과 마을을 지키겠다는 결연한 의지로 타올랐다. 다들 얼굴이 어두워지고 딱딱하게 굳었다. 중위의 연설이 끝나자 마을의 기운이 순식간에 뒤바뀌었다. 아침 해가 자취를 감추었고 날이 우중충해졌다. 하늘이 땅 위로 무너져내릴 것만 같았다. 나는 적개심과 두려움을 동시에 느꼈다. 친구들도 마찬가지인 듯했다. 주마는 뒷짐을 지고 서서 숲을 바라보았다. 모리바는 머리를 부여잡고 있었다. 카네이는 땅바닥을 뚫어져라 바라보았다. 무사는 양팔로 몸을 감싸고 있었다. 알하지는 왼손으로 자기 눈을 가리고 있었다. 나는 다리를 떨지 않으려고 양

186

손으로 허리를 힘껏 짚고 서 있었다. 여자들과 소녀들은 모두 부엌으로 집결하고, 남자들과 소년들은 군인들이 마리화나를 태우면서 영화를 보는 탄약 창고로 모이라는 지시가 내려왔다.

창고 건물로 다가가자 G3 소총으로 무장한 군인 한 명이 밖으로 나와 문가에 섰다. 그는 우리를 보고 씩 웃더니 하늘에 대고 총을 몇 발 쐈다. 우리가 깜짝 놀라 바닥에 엎어지자 군인은 우리를 비웃고는 다시 건물 안으로 들어갔다. 우리도 문을 지나 들어가니 건물 안에 텐트가 여러 채 있었다. 벽 쪽에 쌓아놓은 탄약 상자들과 총들만 방수포로 덮어놓았을 뿐, 그 건물에는 지붕이 없었다. 유일한 공용 공간에는 낡은 드럼통 위에 커다란 텔레비전이, 텔레비전에서 몇 미터 떨어진 곳에는 석유통과 함께 발전기가 놓여 있었다. 군인들이 텐트 밖으로 나왔다. 상사가 우리를 건물 뒤로 데려갔다. 우리가 한 번도 가본 적 없는 곳이었다. 거기에 남자아이들이 서른 명 넘게 있었다. 그 중 두 명은 각각 일곱 살과 열한 살밖에 안 된 셰쿠와 조시아였다. 이제 열일곱 살이 된 카네이만 빼면 우리를 포함한 나머지 소년들은 모두 열세 살에서 열여섯 살 사이였다.

사복 차림에 목에 호루라기를 걸고 있는 군인이 AK-47이 놓인 선반으로 다가가더니 우리에게 총을 하나씩 나눠주었다. 군인이 내 앞에 다가왔을 때 나는 그의 시선을 피했다. 그러자 군인은 내가 고개를 똑바로 들게 한 뒤 억지로 나와 눈을 마주쳤다. 그러고는 나에게도 총을 건네주었다. 나는 바들바들 떨리는 손으로 총을 붙잡았다. 뒤이어 탄창까지 지급받자 손이 더 심하게 떨렸다.

군인이 우리를 모두 확인하고는 말했다. "너희들은 두 가지 면에서 공통점이 있는 것 같다. 하나는 사람 눈을 똑바로 쳐다보기를 무서워한다는 점이고 다른 하나는 총을 들기를 두려워한다는 점이야. 다들 누가 머리에 총을 겨누기라도 한 것처럼 손을 덜덜 떨고 있어." 군인은 줄을 따라 앞뒤로 이리저리 걷다가 다시 말했다. "이 총을 봐라." 그러고는 AK-47을 높이 들어 보였다. "이건 얼마 안 있으면 너희들 것이 될 것이다. 그러니 겁내지 말고 빨리 적응하는 편이 좋을 거야. 오늘은 이걸로 끝."

그날 밤 나는 친구들이 의논하러 나오길 바라며 한참 동안 텐트 앞에 서 있었다. 하지만 아무도 나오지 않았다. 알하지가 자기 텐트 밖으로 나와 잠깐 내 쪽을 쳐다보기는 했지만 이내 뒤로 돌아 땅바닥을 응시했다. 내가 먼저 알하지에게 다가가려는데 알하지가 다시 텐트 안으로 들어갔다. 나는 서늘한 밤공기를 들이마셨다. 마리화나 냄새가 섞여 들어왔다. 나는 한숨을 쉬고는 텐트로 들어가 밤새도록 잠을 이루지 못한 채 방수포 위에 앉아 있었다. 아무 생각도 없이 그저 얼굴을 양손에 푹 파묻고 있었다. 편두통 없이 혼자 밤에 깨어 있는 것은 처음이었다.

왜 그럴까 생각을 하려는 찰나 아직 밖이 어두운데도 닭이 울기 시작했다. 천지분간을 못 하는 닭은 아침이 올 때까지 밤새도록 울었다.

오전 여섯 시가 되자, 모두 일어나 훈련을 받으러 나오라는 종이 울렸다. 나랑 같이 텐트를 쓰는 가장 어린 셰쿠와 조시아는 아직 꿈나라를 헤매고 있었다. 두 아이를 부드럽게 흔들어 깨우면서 내가 말했다. "얘들아, 어서 가자." 그러나 셰쿠와 조시아는 옆으로 돌아누워 계속 잤다. 결국 나는 둘의 다리를 붙잡아 매트 밖으로 끌어낸 뒤 아이들이 일어날 때까지 손바닥으로 때려야만 했다. 밖에서는 이미 군인들이 텐트를 돌아다니면서 아직 자고 있는 소년들을 끌어내 물동이로 물을 끼얹고 있었다.

우리가 훈련장에 집결하자 군용 반바지와 색색의 티셔츠와 함께 새 운동화가 지급되었다. 어떤 아이들은 아디다스를, 또 어떤 아이들은 나이키를 받았다. 나는 검정색 리복 펌프를 받았다. 새 신발을 받은 것만큼은 다른 무엇보다 기분이 좋았다. 나는 내 낡은 바지를 벗었다. 그 안에는 랩 카세트테이프가 들어 있었다. 내가 새로 받은 군용 반바지를 입고 있을 때, 군인 한 명이 내 낡은 바지를 가져가서 낡은 소지품을 태우기 위해 지펴 놓은 불 속에 던져버렸다. 나는 곧장 달려갔지만 카세트테이프는 이미 녹아내리기 시작한 후였다. 눈에 눈물이 그렁그렁 맺혔다. 간신히 뒤로 돌아서는데 입술이 파르르 떨렸다.

새로운 복장을 갖춰 입은 우리는 다리를 벌리고 손을 옆구리에 일자로 딱 붙인 채 일렬횡대로 줄을 섰다. 그렇게 서서 기다리고 있는데 전장에 나갔던 군인들 중 일부가 돌아와 총을 재장전하고 여분의 탄약을 챙겼다. 군복과 얼굴에 피가 묻은 군인들도 있었지만, 알아차리지 못했거나 신경 쓰지 않는 것 같았다. 그들은 빠르게 아침밥을 먹고는 다시 전쟁터로 향했다. 모두들 돌아가고 싶지 않은 눈치였다. 다들 벽에 기대어 서서 눈을 감은 채 심호흡을 몇 번 하고는 총을 꽉 붙잡고 개활지 쪽으로 달려갔다.

셰쿠와 조시아는 바로 내 옆에 서 있었다. 텐트를 같이 쓴다는 이유만으로 나를 친형처럼 생각하는 것 같았다. 스스로를 가다피 하사라고 소개한 군인이 훈련을 진행할 때면 셰쿠와 조시아는 가다피 하사가 아니라 나를 바라보면서 내가 하는 동작을 따라 했다. 하사는 젊은 편이었다. 중위나 상사보다 어렸다. 하지만 머리도 벗겨지고 얼굴도 노안이라 실제보다 나이가 훨씬 더 들어 보였다. 인상이 굉장히 강렬해서, 심지어 웃을 때조차 시큼한 것을 씹고 있는 표정이었다.

우선 우리는 건물 주위를 몇 분 동안 뛰었다. 다음으로는 근처 수풀에서 포복 자세로 움직이는 법을 배웠다. 가다피 하사가 주먹을 들어올리고 있다가 주먹을 아래로 꽂으면 우리는 수풀

190

로 뛰어들어 최대한 소리를 죽인 채 포복 자세로 지정된 나무까지 재빨리 이동했다. 나무에 도착하면 즉시 쭈그리고 앉아 나무에서 나무로 옮겨다니며 뒤에 몸을 숨겼다. 여기까지 마치면 우리는 다시 훈련장으로 달려갔다. 첫 훈련에서 하사는 별다른 말을 하지 않았다. 그저 "나쁘지 않네", "끔찍하군", "더 빨리" 정도의 말만 했다. 그 외에는 주로 수신호로 의사를 전달했다. 일단 전장에 나가면 말없이 수신호에만 의존해야 했기 때문이다. 하사는 개활지를 가리키며 말했다. "저 밖에서 입이라도 뻥긋했다가는 대가리에 총알이 박힐 거야." 그러고는 우리도 같이 웃어야 한다는 듯 눈을 부릅뜨고 메마른 미소를 지었다. 뛰고 기고 웅크리고 숨고를 여러 차례 반복하고 나서야 우리는 빵과 커스터드를 맛볼 수 있었다. 하사는 음식을 받아서 다 먹기까지 딱 1분을 주겠다고 했다. 다 먹지 못한 음식은 60초가 되자마자 빼앗겼다. 첫날에는 1분 만에 식사를 마친 사람이 아무도 없었다. 하지만 일주일 정도가 지나자 우리는 무슨 음식이든 1분 안에 먹을 수 있게 되었다. 모든 훈련 가운데 우리가 제대로 숙달한 훈련이라고는 그것뿐이었다.

늦은 아침식사 후에 우리는 하사를 마주보고 일렬로 섰다. 하사는 우리에게 AK-47을 나누어주기 시작했다. 내 차례가 되자 하사는 나를 뚫어져라 쳐다보았다. 나에게 주어지는 물건이 얼마나 소중한 것인지 일깨우려고 애쓰는 것 같았다. 하사는 손가

락으로 내 가슴을 쿡 찌르고는 주위를 맴돌았다. 제자리로 돌아
간 후에도 얼마간 나를 노려보았다. 핏발이 선 눈과 어두운 낯
짝은 잔뜩 힘을 준 듯 꿈틀댔다. 금방이라도 달려들 것처럼 이
도 드러내놓고 있었다. 내가 다리를 후들거리자 하사가 씩 미소
를 지었다. 내가 따라서 웃을 힘을 내기도 전에 하사는 미소를
싹 지웠다. 그러자 그의 이마에 핏줄이 불뚝 섰다. 그는 계속 나
를 노려보면서 나무 궤짝으로 다가가 총을 꺼냈다. 뒤이어 탄창
도 꺼내고는 나에게 양손으로 AK-47을 넘겨주었다. 내가 잠깐
망설이자 하사가 총을 내 가슴팍으로 밀어붙였다. 나는 떨리는
손으로 총을 받고 경례를 한 뒤 줄 뒤로 서둘러 돌아갔다. 총을
쥐고는 있었지만 쳐다볼 용기가 나지 않았다. 총을 이렇게 오래
들고 있는 적은 처음이라 겁이 났다. 비슷한 경험이라고 해봐야
일곱 살 때 대나무로 만든 장난감 총을 가지고 논 것이 다였다.
당시 나는 할머니네 마을에서 친구들과 장난감 총을 깎아 만든
뒤 커피 농장이나 짓다 만 건물에서 전쟁놀이를 하곤 했다. 우
리는 서로 마주치면 입으로 "빵야, 빵야" 소리를 냈다. 먼저 소
리를 낸 사람이 나머지 친구들에게 누굴 잡았는지 크게 외쳤다.

　여느 때와 다름없이 아침 일찍 훈련을 반복할 때였다. 다만
이번에는 총알이 들지 않은 AK-47을 들고 훈련을 진행했다. 우
리는 총을 등에 짊어지거나 손에 들고서 포복 훈련을 하고 건물

주위를 뛰어다녔다. 셰쿠와 조시아에게는 총이 약간 무거웠는지 둘은 훈련 내내 총을 떨어뜨렸다 주웠다가를 반복했다. 1분 동안의 점심식사를 마친 뒤에는 새로운 훈련을 시작했다. 우리는 근처 바나나 농장으로 자리를 옮긴 뒤 총검으로 바나나 나무를 찌르는 연습을 했다. 하사가 소리쳤다. "바나나 나무를 적이라고 상상해라. 너희 부모님을 죽이고 너희 가족을 죽이고 너희에게 온갖 불행을 가져다준 반군 놈들이라고 생각해." 그가 뒤이어 물었다. "너희는 가족을 죽인 원수 놈을 고작 그 따위로 찌를 거냐? 나라면 이렇게 하겠다." 하사가 총검을 꺼내 기합을 넣으면서 바나나 나무를 찌르기 시작했다. "우선 배, 그 다음 목, 그 다음 심장을 찌른다. 심장은 도려내서 그 놈들이 직접 보게 한다. 그러고 나서 눈알을 뽑아버리는 거지. 기억해라. 녀석들은 너희 부모님을 훨씬 더 잔인하게 죽였을 거야. 자, 다시 시작." 그러고는 바나나 잎으로 총검을 닦았다. 하사의 말을 들은 우리는 적개심이 치솟아 바나나 나무를 마구 찔러댔다. 나무가 바닥에 쓰러질 정도였다. 하사가 고개를 끄덕이며 말했다. "좋아." 그러고는 무언가를 골똘히 생각하는 듯 평소보다 오래 미소를 지었다. 훈련을 할 때마다 하사는 같은 말을 반복했다. "적들을 떠올려라. 너희 부모님을 죽이고 너희 가족을 죽이고 너희에게 온갖 불행을 가져다준 반군 놈들을 떠올려."

그날 오후에 우리는 총에 탄창을 끼우는 법 등 다양한 기초 지식을 배웠다. 하사는 우리에게 안전핀 따위는 걸리적거릴 뿐이니 무시하라고 했다. 저녁이 되어서는 총을 쏘는 법을 배웠다. 숲 가장자리에 있는 조그만 나무들의 가지 사이에 합판을 끼워 놓고는 그것을 겨냥해 맞추는 식이었다. 셰쿠와 조시아는 총을 들어올릴 힘이 없었기 때문에 하사가 총이 떨어지지 않게 걸쳐 놓을 높은 의자를 주었다. 사격 훈련을 마치기 전에는 총을 해체하여 기름칠하는 법을 배웠다. 우리가 받은 AK-47이 오래된 편이라 제멋대로 불발이 되거나 이따금 아예 먹통이 되기도 했기 때문이다. 그날 밤 텐트에 돌아오자마자 텐트 친구들은 모두 곯아떨어졌다. 자면서 미소를 짓는 대신 셰쿠는 "빵, 빵, 펑" 하며 잠꼬대를 했고 조시아는 바나나 나무를 찌르면서 외쳤던 "하나, 둘" 구호를 중얼거렸다. 나도 기진맥진한 상태였지만 잠은 오지 않았다. 귀에는 총소리가 울렸고 몸은 쑤셨으며 검지는 쓰라렸다. 하루 종일 생각할 틈이 없었는데 이제야 머리가 깨어났다. 분노가 차오르는 것은 물론이고 반군을 총으로 쏘거나 총검으로 찌르는 장면이 생생하게 그려지기 시작했다. "반군 놈들 때문에 너희에게 온갖 불행이 닥친 거야"라는 말이 귓가에 울렸다. 이번에는 한 번에 반군 여러 놈을 생포하는 상상을 했다. 나는 녀석들을 건물 안에 집어넣고 문을 걸어 잠근 다음 건물에 석유를 뿌렸다. 그러고 나서 성냥을 던졌다. 건물이 불타오르는 광경을 지켜보며 내가 씩 웃음을 지었다.

그때 란사나라는 소년이 콧노래를 부르는 소리가 들려와 정신이 흐트러졌다. 란사나는 나와 텐트 세 개를 사이에 두고 떨어져 있었는데 이따금 생전 처음 듣는 멜로디를 잠들기 전까지 콧노래로 불러댔다. 첫 사격 훈련을 마친 뒤부터 생긴 습관이었다. 란사나가 내는 소리는 어둑어둑해진 숲 속까지 메아리쳐 퍼졌고, 그 콧노래가 멈춘 후에야 밤이 한층 더 고요해졌다.

13

아마 일요일 아침이었을 것이다. 하사가 오늘 하루는 훈련을 쉰다고 말했다. 그가 총검의 평평한 면으로 자기 손바닥을 두드리며 말했다. "종교가 있는 사람이라면, 그러니까 기독교인이라면 오늘 주님께 예배를 드려라. 다시는 그럴 기회가 없을지도 모르니까. 그럼 해산."

우리는 지급받은 군용 반바지와 운동화 차림으로 공터에 나가 축구를 했다. 한창 경기를 하고 있는데, 중위가 자기 숙소 베란다로 나와 자리에 앉았다. 우리는 경기를 멈추고 경례를 했다. 그러자 중위가 말했다. "계속 경기를 진행하도록. 우리 병사들이 축구하는 모습을 보고 싶구나." 그러고는 현관 계단에 앉아 『줄리어스 시저』를 읽기 시작했다.

축구를 마친 뒤 우리는 강에 가서 수영을 하기로 했다. 화창한 날이었다. 강으로 달려가는 사이, 시원한 바람이 내 몸에 흐르는 땀을 식혀주었다. 우리는 몇 분 정도 물장난을 치다가 두 팀으로 갈라져 매복 놀이를 했다. 먼저 상대 팀을 다 잡는 팀이 이기는 놀이였다.

"제군들, 가자. 휴일은 끝났다." 하사가 강둑에서 외쳤다. 우리는 놀이를 멈추고 하사를 따라 마을로 돌아왔다. 하사의 뒤를 따라 종종걸음으로 걸어가는 동안 우리는 서로 발을 걸어 넘어뜨리고 수풀로 밀치며 장난을 쳤다.

마을에 도착하자, 빨리 각자의 AK-47을 점검하라는 명령이 떨어졌다. 다들 총을 닦고 있는데 배낭과 허리에 부착하는 파우치가 지급되었다. 뒤이어 탄약 상자 두 개가 준비되었다. 한 상자에는 장전된 탄창이, 다른 상자에는 낱개로 된 총알이 들어 있었다. 하사는 탄약을 최대한 많이 챙기라고 지시한 뒤 이렇게 덧붙였다. "그렇다고 지나치게 많이 챙기지는 마라. 빨리 달릴 수는 있어야 하니까." 배낭과 파우치에 탄약을 담으면서 주위를 둘러보니 나이 많은 군인들도 탄약을 챙기고 있었다. 손이 떨리고 심장이 빠르게 뛰었다. 알하지를 제외한 다른 소년들은 그저 훈련 준비를 하는 줄 알고 신이 나 있었다. 하지만 나는 우리가 훈련을 하러 가는 것이 아니라는 걸 알아차렸다. 알하지는 엄마가 아이를 껴안듯 총을 꼭 끌어안고 벽에 기대섰다. 알하지 역시 상황을 파악한 것이다.

하사가 말했다. "제군들, 똑바로 서라." 그리고는 옷을 갈아입으러 잠깐 자리를 떴다. 다시 돌아온 하사는 군복을 온전히 차려입은 채 탄약으로 가득 찬 배낭과 파우치를 메고 있었다. 손에는 G3 소총을 들고 겨드랑이 사이에는 철모를 끼고 있었다. 우리는 일렬로 서서 점검을 받았다. 소년들은 모두 군용 반바지에 녹색 티셔츠를 입고 있었다. 하사가 녹색 머리끈을 나누어주면서 말했다. "이 색깔의 머리띠나 내가 들고 있는 철모가 없는 놈을 발견하면 무조건 쏴라." 그는 마지막 두 마디를 특히 강조해서 외쳤다. 이제 모두들 우리가 훈련하러 가는 것이 아니라는 사실을 확실히 알았다. 다들 머리띠를 매고 있는데, 내 옆에 서 있던 셰쿠가 뒤로 자빠졌다. 탄약을 너무 많이 짊어진 탓이었다. 하사가 셰쿠의 배낭에서 탄창을 몇 개 빼고는 셰쿠를 일으켜 세웠다. 셰쿠는 이마가 땀범벅이 된 채 입술을 바들바들 떨고 있었다. 하사가 셰쿠의 머리를 토닥이고는 나이 많은 군인들을 가리키면서 말을 이어나갔다. "다른 제군들이 여분의 탄약 상자를 짊어지고 갈 거다. 그러니 개인 짐을 너무 많이 챙기지 말도록. 이제 쉬어라. 몇 분 뒤에 출발한다."

하사가 자리를 뜨자 우리는 땅바닥에 앉았다. 다들 각자의 머릿속을 헤매고 있는 것 같았다. 보통 한낮에는 새가 지저귀는 소리가 들렸는데, 지금은 성인 군인들이 출전을 준비하면서 장전용 레버를 당기는 소리밖에 들리지 않았다. 내 옆에 앉은 셰쿠와 조시아는 초점을 잃은 눈망울에 눈물이 맺혀 있었다. 내가 해줄 수 있는 일은 괜찮을 거라고 안심시키는 의미로 그들의 머리를 쓰다듬어주는 것밖에 없었다. 나는 자리에서 일어나 알하지와 친구들이 있는 곳으로 다가갔다. 우리는 앞으로 무슨 일이 일어나도 포기하지 말고 함께 버티자는 약속을 했다.

그때 어린 군인 한 명이 웬 알약이 가득 들어 있는 비닐봉지를 들고 왔다. 캡슐처럼 생긴 그것은 평범한 하얀색 알약이었다. 어린 군인이 우리에게 물과 알약을 나누어주었다. 그가 수상한 미소를 지으며 크게 말했다. "하사님이 그러시는데 이걸 먹으면 힘이 날 거래." 알약을 먹자마자 출발 명령이 내려왔다. 성인 군인들이 앞장섰다. 그들 중 몇몇은 시멘트벽돌 두 장 길이의 탄약 상자를 날랐고, 몇몇은 반자동 기관총과 RPG로 무장하고 있었다. 나는 총구가 땅을 향하도록 오른손에 AK-47을 들고 따라갔다. 이미 장착한 탄창 옆에 접착용 테이프로 탄창을 하나 더 붙여놓은 상태였다. 왼쪽 골반에는 총검을 찼고 파우치에는 탄창 몇 개와 총알을 채워넣었다. 배낭에도 탄창과 총알을 넣어두었다. 세쿠와 조시아는 아직 총을 들 힘도 없었거니와 총보다 키도 작았기 때문에 총 끝을 땅에 질질 끌고 다녔다. 우리는 그날 저녁 마을로 돌아올 예정이었기 때문에 음식이나 물은 챙기지 않았다. 중위가 자리를 뜨기 전에 이런 말을 했었다. "어차피 숲에는 개울이 많다." 그 뒤를 하사가 이어받아 이렇게 설명했다. "음식이나 물을 들고 가느니 탄약을 더 챙기는 게 훨씬 좋아. 탄약이 많으면 물과 음식은 또 구할 수 있지만 물과 음식이 많다고 해서 하루라도 버틸 수 있는 건 아니니까."

마을의 여자들과 노인들이 베란다에 서서 우리가 어른 군인들을 따라 숲 속의 개활지로 향하는 모습을 지켜보았다. 엄마 품에 안겨 있던 아기 하나가 온 동네가 떠나갈 듯 울어댔다. 우리 앞에 어떤 미래가 놓여 있는지 아는 것만 같았다. 태양이 뜨겁게 빛나자 땅 위로 우리 그림자가 드리웠다.

살면서 어디 가는 것이 이날처럼 두려웠던 적이 없었다. 후다닥 지나가는 도마뱀 한 마리에도 화들짝 놀랐다. 바람이 약간만 불어도 날카로운 송곳이 내 머리를 꿰뚫는 것처럼 아파 이를 악물어야 했다. 눈에 눈물이 맺혔지만 어떻게든 눈물을 삼키려고 애쓰는 한편, 위안 삼아 총을 꽉 쥐었다.

우리는 숲 속으로 걸어 들어갔다. 다들 총이 유일한 힘의 근원인 것처럼 총을 단단히 붙들고 있었다. 숨을 크게 쉬었다가 죽게 될까 봐 두려워서 조용히 숨을 내쉬었다. 내가 속한 대열은 중위가 지휘했다. 중위가 주먹을 치켜들면 우리는 움직임을 멈추었다. 중위가 서서히 주먹을 아래로 내렸고, 우리는 한쪽 무릎을 꿇고 앉아 숲을 샅샅이 살폈다. 나는 뒤로 돌아 친구들 얼굴을 보고 싶었지만 그럴 수 없었다. 우리는 수풀 사이를 헤치며 빠르게 이동해 늪 가장자리에 도달했다. 그곳에서 늪을 향해 총을 겨눈 채 매복했다. 배를 깔고 납작 엎드려 기다렸다. 내 옆에는 조시아가 엎드려 있었다. 나와 주마와 무사 사이에는 셰쿠와 어느 어른 군인이 엎드려 있었다. 나는 그들과 눈을 마주치려고 주위를 둘러보았으나 다들 늪의 보이지도 않는 표적에 집중하고 있었다. 나는 눈 윗부분이 아프더니 서서히 통증이 머리까지 번졌다. 귀가 뜨뜻해지면서 눈물이 뺨을 타고 흘렀다. 팔뚝에 불쑥 튀어나온 핏줄은 제멋대로 숨을 쉬기라도 하듯 벌떡거렸다. 우리는 사냥꾼처럼 숨을 죽인 채 방아쇠에 손가락을 걸고 기다렸다. 견디기 힘들 만큼 무거운 침묵이 이어졌다.

그때 늪지에 있던 작은 나무들이 흔들리기 시작했다. 반군들이 지나가고 있는 모양이었다. 아직 반군들의 모습이 보이지 않았지만 중위는 "내 신호에 사격"이라고 속삭였다. 중위는 자신의 말을 도미노처럼 전달하게 했다. 계속 늪을 지켜보고 있는데 민간인 복장을 한 남자들이 작은 덤불 아래에서 나타났다. 그들이 손을 흔들자 반군들이 모습을 드러냈다. 그 중에는 우리만큼 어린 소년들도 있었다. 그들은 일렬로 모여 앉아 이리저리 손짓을 해가면서 전략을 짰다. 그때 중위가 우리에게 RPG 발포 명령을 내렸다. 로켓수류탄이 쉭 하고 날아오르자 반군 지휘관이 소리를 듣고는 "후퇴!"라고 외쳤다. 로켓수류탄이 터지자, 미처 피하지 못한 반군 몇 명의 몸뚱이가 산산조각이 나 공중에 흩날렸다. 폭발 후에는 양쪽 다 총격전을 벌이기 시작했다. 나는 엎드린 채 총으로 앞을 겨누고 있었지만 방아쇠를 당길 수 없었다. 검지에 전혀 힘이 들어가지 않았다. 내 주위의 숲이 팽팽 돌았다. 하늘과 땅이 거꾸로 뒤집혀 내가 하늘로 떨어질 것만 같아서, 한 손으로 나무 밑동을 움켜잡았다. 머릿속이 새하얘졌다. 하지만 저 멀리서 울려퍼지는 총소리와 사람들이 고통스럽게 죽어가며 내지르는 비명 소리는 또렷이 들려왔다. 악몽을 꾸고 있는 것 같았다. 그때 내 얼굴에 피가 튀었다. 얼이 빠진 채 입을 약간 벌리고 있던 터라 피 맛이 느껴졌다. 피를 뱉어내고 얼굴을 닦는데, 피를 뿌린 군인이 눈에 들어왔다. 새로 뚫은 물길에서 물이 쏟아져나오듯 그의 몸에 난 총알구멍에서 피가 철철 쏟아졌다. 그는 눈도 채 감지 못한 채 여전히 총을 잡고 있었다. 그 군인에게서 눈을 떼지 못하고 있는데 조시아가 비명을 지르는 소리가 들렸다. 조시아는 내가 그때까지 살면서 들어본 가장 날카로운 목소리로 애타게 엄마를 찾았다. 조시아의 목소리가 내 머릿속을 울리기 시작하더니 뇌가 흔들리다 못해 제자리에서 떨어져나가는 느낌이 들었다.

총 끝과 우리를 향해 날아오는 총알 들이 햇빛을 받아 번쩍였다. 잎사귀에서 핏방울이 뚝뚝 떨어지는 작은 야자수 옆으로 시체들이 층층이 쌓였다. 나는 조시아를 찾았다. 로켓수류탄에 폭격당한 조시아의 왜소한 몸뚱이는 공중으로 떠올랐다가 어느 나무 그루터기 위에 떨어져 있었다. 조시아는 울음소리가 완전히 잦아들 때까지 다리를 꿈틀꿈틀 움직였다. 온 천지가 피바다였다. 온 사방에서 총알이 날아드는 것 같았다. 나는 조시아에게 기어가 그의 눈을 들여다보았다. 그는 눈물을 머금은 채 입술을 떨었지만, 그 입술은 끝내 아무 말도 내뱉지 못했다. 점차 조시아의 눈에 눈물 대신 피가 가득 차올라, 갈색 눈망울을 붉게 물들였다. 조시아가 몸을 일으키고 싶었는지 내 어깨 쪽으로 팔을 뻗었다. 그러나 팔을 다 뻗지 못하고 그대로 움직임을 멈추었다. 그 순간 내 머릿속에서 총성이 희미하게 사라져갔다. 그와 동시에 내 심장이 멈추고 온 세상도 멈춘 것만 같았다. 나는 조시아의 눈을 감겨준 다음 그를 나무 그루터기에서 끌어냈다. 조시아는 척추가 으스러져 있었다. 조시아를 땅에 똑바로 눕힌 뒤 내 총을 들었다. 조시아를 그루터기에서 옮기느라 내가 일어나 있는 줄도 모르고 있었다. 누군가 내 발을 잡아당겼다. 하사였다. 하사가 뭐라고 말을 했지만 하나도 들리지 않았다. 그저 그가 겁에 질린 얼굴로 입을 벙긋거리고 있는 것만 같았다. 하사가 나를 아래로 잡아당기기에 땅바닥에 엎드렸다. 그러자 또다시 뇌가 두개골 속에서 흔들리는 느낌이 나더니, 그제야 소리가 들리기 시작했다. 하사는 "엎드리라고!"라고 소리를 치고 있었다. 그러고는 제자리로 기어가면서 말했다. "총을 쏴!" 하사 쪽으로 시선을 돌리자 무사가 눈에 들어왔다. 무사는 머리에 피를 뒤집어쓰고 있었고, 양손은 힘없이 축 처져 있었다. 나는 다시 늪 쪽으로 시선을 돌렸다. 반군들이 총을 들고 늪을 건너오고 있었다. 내 얼굴, 손, 셔츠, 총도 이미 피범벅이었다. 나는 총을 들었다. 방아쇠를 당겼다. 반군 한 명이 죽었다. 바로 그 순간, 처음 전쟁을 접한 이후로 보아온 온갖 학살극이 마치 누군가 촬영한 영화처럼 내 머릿속에 선명하게 펼쳐졌다. 탄창을 가느라 사격을 멈출 때면 생명을 잃은 어린 두 친구가 눈에 밟혔다. 그럴 때마다 분노로 차올라 늪을 향해 총을 겨누고는 사람들을 더 죽였다. 움직이는 것이라면 죄다 쏴 죽였다. 그때 퇴각하라는 명령이 떨어졌다. 새로운 전략이 필요하다는 이유 때문이었다.

우리는 친구들의 시신에서 총과 탄약을 챙겼다. 시신은 숲에 내버려두었다. 숲은 그 자체로 하나의 생명체 같아서, 망자의 몸을 떠난 영혼을 품속에 가두어놓은 듯했다. 나뭇가지들이 서로 손을 맞잡고 고개를 숙인 채 망자를 위해 기도를 올리는 것 같았다. 우리는 몸을 웅크린 채 숲 속을 이동해 이전 위치에서 몇 미터 떨어진 곳에 새로 매복을 했다. 다시 기다림이 시작되었다. 저녁에서 밤으로 넘어갈 무렵이었다. 귀뚜라미 한 마리가 외롭게 노래를 시작했다가 다른 녀석들이 소리를 보태주지 않자 입을 다물었다. 그렇게 침묵이 밤을 불러왔다. 나는 하사 옆에 엎드려 있었다. 하사의 눈은 평소보다 더 벌겋게 핏발이 서 있었다. 하사는 내 시선을 무시했다. 그때 누군가가 마른 풀을 밟고 지나가는 소리가 들렸다. 우리는 곧바로 총을 조준했다. 반군들과 소년들이 수풀 위로 모습을 드러냈다. 그들은 웅크린 채 나무 뒤로 몸을 숨기면서 재빠르게 이동했다. 그들과 우리의 거리가 충분히 가까워졌을 때 우리는 사격을 개시했다. 선두에 있던 녀석들이 쓰러졌다. 우리는 나머지를 쫓아 늪까지 추격전을 펼쳤지만, 놈들을 놓치고 말았다. 늪 주변에서는 게들이 신나게 시체 눈을 파먹고 있었다. 늪 위에 사람 팔다리와 조각난 두개골이 널브러져 있었고 늪 속에는 물 대신 피가 가득 차 있었다. 우리는 시체를 뒤집어 총과 탄약을 챙겼다.

이제 나는 생명이 떠나간 몸뚱이들을 봐도 겁이 나지 않았다. 두려워하기는커녕 시신을 멸시하면서 발로 차 뒤집었다. 나는 G3 소총과 약간의 탄약, 권총을 찾아냈다. 권총은 하사가 챙겼다. 시체들은 어른이고 아이고 할 것 없이 대부분 목과 팔에 보석을 주렁주렁 걸고 있었다. 한쪽 팔목에만 금시계 다섯 개를 차고 있는 녀석들도 있었다. 빗지 않은 머리가 피로 흠뻑 물든 어느 소년은 '모두가 나를 바라봐'라고 적힌 투팍 티셔츠를 입고 있었다. 우리 측에서는 성인 군인 몇 명과 무사, 조시아를 잃었다. 이야기꾼 무사가 영영 떠난 것이다. 이야기를 들려주면서 우리를 깔깔 웃게 만들 사람은 더 이상 존재하지 않았다. 그리고 조시아가 떠났다. 훈련 첫날 더 자게 내가 그를 내버려뒀더라면 애초에 전선에 설 필요가 없었을지도 모르는데.

　우리는 해질녘에 마을로 돌아와 군용 건물 벽에 기대앉았다. 조용했다. 다들 침묵이 두려웠는지 자기 총은 물론 시체에게서 빼앗은 총에 묻은 피를 닦아내기 시작했다. 총의 약실도 청소하고 기름칠했다. 그 다음에는 총의 성능이 어떤지 허공에 대고 시험 삼아 쏘아보았다. 그날 밤 저녁을 먹으러 갔지만 음식이 넘어가지 않았다. 그저 물만 들이켰다. 하지만 물맛도 느껴지지 않았다. 천막으로 돌아오는 길에 발을 헛디뎌 시멘트 벽에 몸을 부딪혔다. 무릎에서 피가 났지만 아무 감각이 없었다. 천막에 들어가서는 AK-47을 꼭 끌어안은 채 누웠다. 시체를 뒤져 챙겨 온 G3는 천막 말뚝에 기대어 세워놓았다. 아무 생각도 나지 않았다. 머릿속이 텅 비어버렸다. 나는 천막 천장을 멍하니 바라보았다. 그러다 기적적으로 곯아떨어질 수 있었다. 꿈속에서 나는 나무 그루터기에서 조시아를 끌어내고 있었다. 그런데 고개를 드니 총을 든 사내 하나가 내 앞에 서 있었다. 사내가 내 이마에 총을 겨눴다. 나는 그 순간 잠에서 깨어 천막 안에서 총을 난사하기 시작했다. 탄창에 들어 있던 서른 발을 다 쏘았다. 하사와 중위가 달려와 나를 밖으로 끌어냈다. 내 온몸에서 땀이 뻘뻘 났다. 두 사람은 내 얼굴에 물을 뿌리고는 하얀 알약을 몇 개 더 주었다. 나는 밤새 잠을 이루지 못했고 그후로도 일주일

동안 잠을 못 잤다. 그 주에 우리는 두 차례 더 전투를 치렀다. 나는 총을 쏘는 것이 전혀 어렵지 않았다.

14

나중에야 편두통이라는 걸 알게 된, 칼로 찌르는 듯한 머릿속의 고통은 내가 군인의 일상에 적응하면서부터 잦아들었다. 낮에는 마을 광장에서 축구를 하며 노는 대신 마을 주변 초소에서 교대로 보초 근무를 섰다. 보초를 설 때면 마리화나를 피웠고, 브라운브라운(코카인에 화약을 섞은 마약)을 흡입했으며, 늘 탁자 위에 널려 있어 이제 중독이 되어버린 하얀 알약도 점점 더 많이 먹었다. 그 약을 먹으면 힘이 불끈 솟았다. 처음에 갖가지 마약을 동시에 들이켰을 때는 온몸에서 땀이 줄줄 흘러서 옷을 죄다 벗고 있어야 했다. 몸이 덜덜 떨렸고 시야가 흐려졌으며 몇 분 동안 귀가 들리지 않기도 했다. 힘이 용솟음치면서도 아무런 감각이 느껴지지 않다 보니 도저히 가만히 있을 수가 없어서 마을 여기저기를 아무 목적도 없이 돌아다녔다. 하지만 그런 마약들을 여러 차례 복용한 후부터는 몇 주 동안 잠을 안 자도 될 만큼 힘이 넘치는 한편 모든 것에 무감각해졌다. 밤이 되면 발전기나 차량용 배터리를 연결해 영화를 보았다. 〈람보 1〉, 〈람보 2〉, 〈코만도〉 같은 전쟁 영화들이었다. 우리는 다들 람보처럼 되고 싶어했다. 실제 전장에서 람보의 전투 기술을 사용해보기를 손꼽아 기다렸다.

식량, 마약, 탄약이나 영화를 볼 기름이 떨어지면 반군의 야영지나 마을을 습격해 약탈하거나 숲 속을 샅샅이 뒤졌다. 민간인 마을을 습격해 신병을 뽑아 오거나, 눈에 띄는 것이라면 뭐든 빼앗기도 했다.

중위님이 이렇게 선포하시곤 했다. "정보원들이 좋은 소식을 전해줬다. 앞으로 5분 내에 출발한다. 가서 반군 놈들을 사살하고 물자를 확보한다. 애초에 우리 것이나 마찬가지지." 그렇게 말하는 그의 얼굴은 자신감에 차 있었다. 다만 미소만큼은 채 완성되기도 전에 사라졌다. 우리는 반군과 우리를 구별해주는 녹색 천을 머리에 맸다. 이제는 우리 소년들이 앞장섰다. 지도도 없었고 질문도 없었다. 그저 지시대로 길을 따라 걷다 보면 다음 지시가 떨어졌다. 우리는 몇 시간이고 계속 걸었다. 이따금 정어리와 콘비프에 가리를 곁들여 먹거나 코카인, 브라운브라운, 하얀 알약을 섭취할 때에만 걸음을 멈추었다. 이렇게 마약들을 섞어 먹으면 활력이 넘치고 사나워졌다. 죽을지도 모른다는 생각이 머릿속에 떠오르지도 않았고 사람을 죽이는 일이 물 마시는 것만큼 쉬웠다. 첫 살인 이후로 내 마음은 철컥 문을 닫았을 뿐만 아니라 양심의 가책을 남기는 법도 잊어버리고 말았다. 적어도 그래 보이기는 했다. 식사와 마약을 하고 나서는 어른 군인들이 잠시 쉬는 동안 우리 소년들이 주변 경계를 섰다. 나는 알하지와 함께 보초를 서면서 누가 더 빨리 탄창을 가는지 서로 시간을 쟀다.

알하지가 말했다. "언젠가 람보처럼 나 혼자 마을 하나를 다 쓸어버릴 거야." 그는 새로 설정한 목표가 마음에 드는지 미소를 지었다.

나도 말했다. "난 〈코만도〉에 나오는 바주카포(자체 추진식 포탄과 로켓을 발사하는 휴대용 대전차 무기─옮긴이)를 갖고 싶어. 그럼 끝내주겠지." 우리는 함께 웃음을 터뜨렸다.

반군의 야영지를 습격하기 전에 우리는 큰길에서 벗어나 숲속으로 들어갔다. 반군의 야영지가 눈에 띄면 야영지를 포위한 뒤 중위님의 명령을 기다렸다. 반군들이 어슬렁거리는 게 보였다. 어떤 녀석들은 벽에 기대선 채 꾸벅꾸벅 졸았고, 우리처럼 어린 소년들은 초소에 서서 마리화나를 주고받고 있었다. 수색을 벌이는 중에 반군을 발견할 때마다 분노가 치밀어올랐다. 우리 가족이 마지막으로 머물렀던 마을을 폐허로 만든 뒤 카드놀이를 즐기던 반군 녀석들이 떠올랐기 때문이다. 그래서 중위님의 명령이 떨어지자마자 반군을 최대한 많이 쓰러뜨리려고 총을 쏘아댔다. 하지만 그런다고 기분이 나아지지는 않았다. 총격전을 벌이고 난 다음에는 야영지로 진입해 부상을 입고 쓰러진 반군들을 마저 죽였다. 그러고 나서 건물들을 샅샅이 뒤져 석유통, 막대한 양의 마리화나와 코카인, 옷과 운동화와 시계, 쌀과 말린 생선과 소금과 가리 등을 긁어모았다. 우리는 오두막이나 집에 숨어 있던 민간인들까지 남녀노소 가리지 않고 끌어낸 다음, 우리 전리품을 기지까지 짊어지고 가게 했다.

한번은 반군을 급습하러 가서 민간인 사상자가 수없이 발생할 만큼 오래도록 총격전을 벌인 끝에 반군을 몇 명 생포한 적이 있었다. 우리는 포로들의 옷을 벗긴 뒤 그들의 가슴이 북처럼 팽팽해질 때까지 팔을 뒤로 당겨 단단히 묶었다.

수염을 여러 가닥으로 꼬아도 될 만큼 길게 기른 포로에게 하사님이 물었다. "이 탄약은 다 어디서 났나?" 녀석이 하사님 얼굴에 침을 퉤 뱉었다. 그러자 하사님은 반사적으로 녀석의 머리 바로 앞에 대고 총을 쏘았다. 녀석이 땅바닥에 풀썩 쓰러졌다. 그의 머리에서 천천히 피가 흘러나왔다. 우리는 하사님의 매서운 대처에 환호하며 찬사를 보냈다. 그리고 하사님이 우리 앞을 지나갈 때 경례를 했다. 그때 갑자기 소년병 중 한 명인 란사나의 가슴과 머리로 총알이 날아와 박혔다. 반군 한 놈이 수풀 속에 숨어 있었던 것이다. 우리는 마을 주변으로 흩어져 그 반군을 찾았다. 마침내 우리가 근육질의 젊은 반군을 붙잡아 오자, 중위님은 총검으로 녀석의 목을 갈랐다. 반군 녀석은 마을을 이리저리 뛰어다니다 땅에 고꾸라졌고, 얼마 후 움직임을 멈추었다. 우리는 총을 하늘 높이 든 채 소리를 지르고 휘파람을 불면서 다시 환호를 보냈다.

중위님이 포로들을 쳐다보며 말했다. "수상한 짓을 하는 놈이 있으면 바로 쏴라." 우리는 초가지붕마다 불을 지른 뒤 포로들을 끌고 마을을 떠났다. 오후의 바람이 불자 초가지붕에서 피어오른 불길이 고통에 겨워 몸부림치는 것처럼 흔들리면서 우리에게 손을 흔들었다.

중위님이 우리를 가리키면서 "저희는" 하고 연설을 시작했다. "여러분을 보호하기 위해 이곳에 왔습니다. 여러분에게 아무 일도 일어나지 않도록 최선을 다하겠습니다." "여러분"이라고 말할 때는 주민들을 가리켰다.

"저희는 막중한 임무를 맡고 있습니다. 그리고 저희에게는 이 나라를 수호하기 위해 무슨 일도 마다하지 않을 유능한 군인들이 있습니다. 우리는 반군들과는 다릅니다. 저 쓰레기 같은 놈들은 아무 이유도 없이 사람들을 죽이죠. 하지만 저희는 이 나라를 더 나은 곳으로 만들기 위해 반군들을 죽입니다." 중위님이 다시 우리를 가리키며 말했다. "그러니 나라를 위해 봉

사하는 여기 군인들 모두를 존중해주시기 바랍니다." 중위님은
계속 연설을 이어나갔다. 주민들에게 우리가 하는 일이 옳다는
생각을 고취시키는 한편 우리 소년병들을 포함한 군인들의 사
기를 진작시키기 위한 연설이었다. 나는 총을 들고 그 자리에
서서 내가 특별한 인간이라는 느낌을 만끽했다. 나를 중요하게
여기는 조직의 일부가 되었을 뿐만 아니라 더 이상 아무에게서
도 도망칠 필요가 없었기 때문이다. 이제 나에게는 총이 있었
다. 그리고 총에 관해서라면 하사님이 늘 이렇게 말했다. "요즘
같은 시기에 총은 너희에게 힘의 근원이 된다. 잘 사용하는 법
만 숙지한다면 총은 너희를 지켜줄 것이고 너희에게 필요한 모
든 것을 제공해줄 것이다."

그날 중위님이 무슨 연유로 그런 연설을 했는지는 기억이 나
지 않는다. 대개는 많은 일들이 아무런 이유나 설명도 없이 일
어났다. 때로는 영화를 보던 도중에 전장에 나가라는 지시를 받
은 적도 있었다. 우리는 몇 시간에 걸쳐 수많은 사람들을 죽인
뒤 돌아와, 마치 잠깐 쉬고 온 것처럼 영화를 이어 보고는 했다.
우리가 하는 일이라고는 전투를 하거나 영화를 보거나 마약을
하는 것밖에 없었다. 혼자 있거나 생각을 할 시간은 없었다. 서
로 대화를 나눌 때도 전쟁 영화에 관해 이야기하거나 중위님이
나 하사님, 또는 우리 중 누군가가 반군을 얼마나 멋지게 죽였
는지 이야기하는 것이 다였다. 마치 우리가 살아가는 현실 외에

213

는 아무것도 존재하지 않는 것 같았다.

　중위님이 연설한 다음 날 아침, 우리는 중위님을 모방해 포로
들을 죽이는 연습을 하러 나갔다. 포로는 다섯뿐이었지만 열성
지원자는 차고 넘쳤다. 그래서 하사님이 살인 시범을 보일 소년
병 다섯 명을 골랐다. 카네이와 나도 그 가운데 포함되었다. 훈
련장에서 손이 묶인 포로 다섯 사람이 우리 앞에 일렬로 세워졌
다. 우리는 하사님의 지시에 맞춰 그들의 목을 베어야 했다. 포
로를 가장 빨리 죽음에 이르게 하는 병사가 우승이었다. 우리는
총검을 꺼냈다. 포로의 숨이 끊어질 때까지 포로의 눈을 똑바로
바라보아야 했다. 나는 벌써부터 내가 맡은 포로를 노려보고 있
었다. 그는 구타를 당해 얼굴이 부어올라 있었고 눈은 초점이
없어서 내가 아니라 마치 내 뒤에 있는 무언가를 바라보고 있는
것 같았다. 긴장이 드러나는 부분이라고는 꽉 다문 턱밖에 없었
다. 다른 곳은 차분해 보였다. 나는 그를 노려보면서도 아무런
감정을 느끼지 않았다. 내가 하는 짓이 무엇인지 그리 깊이 생
각하지도 않았다. 그저 하사님의 지시가 떨어지기만 기다렸을
뿐이다. 나는 이 포로 역시 내 가족의 죽음에 책임이 있는 또 다
른 반군 놈일 뿐이라고 진심으로 믿고 있었다. 하사님이 권총
을 쏘아 신호를 주었다. 나는 포로의 머리를 잡고 단 한 번의 부
드러운 움직임으로 그의 목을 베었다. 날카로운 총검이 포로의

목젖을 타고 길을 그렸다. 나는 삐죽삐죽한 날이 서도록 총검을
돌리면서 빼냈다. 포로는 눈을 위로 굴리더니 내 눈을 똑바로
바라보았다. 깜짝 놀란 그의 눈은 일순간에 겁에 질린 눈빛으로
변했다. 포로는 내 몸 위로 푹 쓰러지더니 마지막 숨을 내쉬었
다. 나는 시체를 땅바닥으로 넘어뜨리고는 시체에 대고 총검을
닦았다. 타이머를 들고 시간을 재고 있던 하사님에게 끝냈다고
말했다. 다른 포로들의 몸뚱이는 아직 소년병들의 품속에서 몸
부림치고 있었다. 어떤 녀석들은 땅바닥에 쓰러진 뒤에도 한동
안 몸을 부르르 떨었다. 내가 우승을 차지했다. 카네이가 준우
승이었다. 시범을 지켜보던 다른 소년병들과 군인들은 내가 일
생일대의 업적이라도 달성한 것처럼 박수갈채를 보냈다. 나는
소년 중위 계급을, 카네이는 소년 중사 계급을 부여받았다. 우
리는 더 많은 마약을 하고 더 많은 전쟁 영화를 보면서 그날의
업적을 자축했다.

　나는 나 혼자 쓰는 텐트로 돌아왔지만 잠이 오지 않아 잠을 이
루지 못했다. 이따금 늦은 밤에 불어오는 고요한 바람 소리가 내
귀에 란사나의 콧노래처럼 들렸다. 란사나가 불렀던 곡들을 나
무들이 대신 흥얼거리고 있는 것만 같았다. 잠깐 귀를 기울이던
나는 밤하늘에 대고 총을 몇 발 쏘아 그 콧노래를 쫓아버렸다.

15

  우리가 여기저기 다니면서 점령해 기지로 삼은 마을들, 우리
가 밤을 보낸 숲들이 내 집이었다. 우리 분대가 내 가족이었고
총이 내 부양자이자 수호자였다. 내 삶의 원칙은 '죽이지 않으
면 내가 죽는다'였다. 그 이상의 문제에는 생각이 미치지 못했
다. 어느덧 우리가 반군에 맞서 싸운 지도 2년이 넘었고, 살육은
일상적인 활동이 되었다. 나는 누구에게도 연민을 느끼지 못했
다. 나도 모르는 사이에 내 유년 시절이 사라져버렸고 내 심장
은 꽁꽁 얼어붙었다. 해가 뜨고 달이 뜨니 낮이 오고 밤이 오는
것은 알았지만 오늘이 일요일인지 금요일이지는 잊어버린 지
오래였다.
  나는 이런 내 삶이 정상이라고 생각했다. 하지만 1996년 1월
의 마지막 몇 주 사이에 모든 것이 뒤바뀌었다. 내가 열다섯 살

일 때였다.

어느 날 아침, 스무 명 정도로 이루어진 우리 분대는 남쪽으로 하루 정도 걸으면 닿는 작은 마을인 바우야로 탄약을 구하러 떠났다. 친구 알하지와 카네이도 함께였다. 우리는 바우야에 주둔하고 있는 주마를 만날 생각에 한껏 들떴다. 주마는 그 동안 얼마나 많은 사람을 죽였을지 그가 치른 전투 이야기를 듣고 싶었다. 나는 중위님을 만날 기대에 차 있기도 했다. '셰익스피어에 관해 이야기를 나눌 시간이 났으면' 하고 바랐다.

우리는 흙먼지로 뒤덮인 길 양쪽을 따라 두 줄로 걸어갔다. 걸어가는 내내 충혈된 눈으로 빽빽한 수풀 사이를 꼼꼼히 들여다보았다. 해가 지기 직전에 바우야 외곽에 도착해 수풀 속에서 기다렸다. 바우야에 있는 동료들이 우리에게 총을 쏘지 않도록 지휘관이 먼저 다가가야 했다. 우리는 나무에 기대앉아 대로를 지켜보았다. 몇 분 후 지휘관이 돌아와 마을로 이동해도 좋다고 손짓을 했다. 나는 총을 어깨에 걸치고 카네이와 알하지와 나란히 기지로 향했다. 바우야 마을에 있는 시멘트 건물은 다른 어떤 마을에서 본 건물들보다 규모가 컸다. 주위를 둘러보아도 낯익은 얼굴은 보이지 않았다. 우리는 다른 군인들에게 목례를 하면서 주마를 찾아 마을을 돌아다녔다. 주마는 숲을 마주보고 있는 시멘트 건물 베란다에 해먹을 치고 앉아 있었다. 주마의 옆에 반자동 기관총이 놓여 있었고 주마는 생각에 잠겨 있는 것 같았다.

우리는 주마를 놀래키려고 살금살금 다가갔지만, 주마가 우리 발소리를 듣고 우리 쪽을 돌아보았다. 주마는 그새 더 노안이 된 것 같았고, 말할 때 고개를 끄덕이는 버릇은 사라지고 없었다. 우리는 주마와 악수를 하고는 주마의 총을 살펴보았다.

알하지가 농담을 던졌다. "이젠 아주 중화기를 들고 다니시는구먼."

주마가 대답했다. "그래, 난 AK는 졸업했으니까." 그 말을 듣고 다들 웃음을 터뜨렸다.

우리는 주마에게 잠깐 뒤에 다시 오겠다고 말한 후 배낭에 탄약과 식량을 챙기러 갔다. 탄약 창고에서 탄약을 챙기고 있는데 분대 지휘관이 와서 말을 전했다. 중위님이 저녁식사도 준비되었으니 우리보고 밤을 보내고 가라고 권했다는 것이다. 카네이와 알하지는 저녁을 먹으러 갔지만 나는 배가 고프지 않았기 때문에 혼자 주마를 만나러 갔다. 주마와 나는 한동안 조용히 앉아 있기만 했다. 침묵을 깬 사람은 주마였다.

"내일 아침에 수색을 나갈 거야. 그래서 너 가기 전에 못 볼 수도 있어." 그러고는 잠깐 멈추었다가 기관총 옆면을 가리키면서 덧붙였다. "지난번에 반군을 급습했을 때 내가 이 총 주인을 죽였어. 녀석을 쓰러뜨리기 전까지 녀석한테 당한 군인들이 얼마나 많았는지. 그때 이후로 내가 이 총을 손수 사용해서 반군 놈들을 해치워줬지." 주마가 싱긋 웃었고, 우리는 하이파이브를 한 뒤 같이 웃었다. 그러고 나자마자 마을 중앙에 있는 마당에서 야간 모임이 있으니 집합하라는 명령을 받았다. 지휘관들이 다른 사람들과 섞여 어울리는 사교적인 자리였다. 마당으로 걸어가는 길에 주마는 한 손에 총을 들고 다른 손을 내 어깨에 둘렀다. 알하지와 카네이는 이미 도착해 마리화나를 피우고 있었다. 자바티 중위님도 와 계셨다. 그날은 다소 쾌활해 보였다. 만사레이 상사와 가다피 하사를 포함해 중위님의 동료들은 대부분 죽었지만 놀랍게도 중위님은 상처 하나 없이 살아남았다. 게다가 죽은 동료들 대신 용맹하고 잘 훈련받은 병사들을 새로 구하는 데도 성공했다. 나는 중위님과 셰익스피어에 관해 대화를 나누고 싶었지만 중위님은 모두와 악수를 나누면서 모임을 진행하느라 정신이 없었다. 마침내 내 앞에 다가온 중위님은 내 손을 꽉 붙잡고는 말씀하셨다. "버넘의 숲이 던시네인의 높은 언덕까지 쳐들어오지 않는 한 맥베스는 결코 멸망하지 않으리라." 그러고는 나를 보고 고개를 끄덕이면서 모두에게 크게 말했다. "제군들, 나는 이만 작별을 고하겠네." 중위님은 고개를 숙이고는 손을 흔들며 떠났다. 우리는 총을 높이 들고 환호로 답했다. 중위님이 떠난 뒤 우리는 국가를 부르며 행진하기 시작했다. "자유의 왕국이여, 우리는 그대를 드높이리. 위대하네, 그대를 향한 우리의 사랑은……." 바우야에 넘쳐나는 마리화나를 피우고 코카인과 브라운브라운을 흡입하는 것도 빼놓지 않았다. 우리는 밤새도록 떠들었다. 주로 어떤 마약이 제일 좋은지에 관한 대화였다.

날이 밝기 전, 주마와 군인 몇 명이 수색을 하러 떠났다. 알하지와 카네이와 나는 주마와 악수를 나눈 뒤 다음 방문 때 근황을 더 자세히 듣기로 약속했다. 주마는 미소를 지은 뒤 기관총을 단단히 잡고 어둠 속으로 달려갔다.

몇 시간 뒤, 마을에 트럭 한 대가 도착했다. 깔끔한 청바지 차림을 한 남자 네 명이 트럭에서 내렸다. 하얀 티셔츠에는 파란 글씨로 커다랗게 '유니세프'라고 적혀 있었다. 한 명은 백인이었고 다른 한 명은 레바논 사람인지 역시 피부색이 밝았다. 나머지 둘은 시에라리온 동포였다. 한 명은 뺨에 부족 표식이 있었고 한 명은 할아버지가 뱀에 물리지 않도록 내게 해주셨던 표식과 똑같은 표식을 손에 갖고 있었다. 다들 전쟁을 겪은 사람이라기에는 너무 말쑥했다. 그들은 중위님 숙소로 안내를 받았다. 중위님이 그들을 기다리고 있었다. 그들이 베란다에서 이야기를 나누는 동안 우리는 망고나무 아래에 앉아 총을 닦으면서 그들을 지켜보았다. 얼마 뒤 중위님이 외국인 두 명과 악수를 하더니 망을 보던 사병을 불렀다. 명령을 전달받은 사병은 우리에게 달려와 한 줄로 서라고 전하고, "중위님의 명령입니다!"라고 외치며 마을 곳곳에 있는 소년들을 불러 모았다. 명령을 받는 데 익숙한 우리는 지시대로 움직였다. 일렬횡대로 모여 선

다음 조용히 기다렸다.

중위님이 나와 우리 앞에 섰다. 우리는 또 한 번 반군 야영지를 급습할 기대를 하며 중위님에게 경례를 했다. "제군들, 쉬어." 중위님이 그렇게 말하고는 줄을 따라 천천히 걸었다. 방문객들이 미소를 띤 채 중위님 뒤를 몇 걸음 떨어져 따라다녔다.

중위님이 줄 맨 끝에서 명령을 내렸다. "내가 가리키는 사람은 나와서 사병들 옆에 일렬로 선다. 이해하겠나." 우리는 "예, 중위님!" 하고 외치며 경례를 했다. 그러자 방문객들의 얼굴에서 미소가 사라졌다. "쉬어."

"자네, 자네……." 중위님이 줄을 따라 걸어오면서 한 명씩 가리켰다. 중위님이 나를 고르시기에 나는 중위님 얼굴을 바라보았다. 하지만 중위님은 내 시선을 무시하고 계속해서 다른 사람들을 선발했다. 알하지도 선발되었다. 하지만 카네이는 줄에 남겨졌다. 아마 우리보다 나이가 많아서 그런 것 같았다. 모두 열다섯 명이 뽑혔다. 중위님은 뽑힌 소년들에게 지시했다. "총에서 탄창을 제거하고 안전장치를 채운 후 땅바닥에 내려놓도록." 우리가 총을 내려놓자 방문객들, 특히 외국인 두 명이 다시 미소를 지었다. 사병이 우리에게 명령했다. "차렷! 앞으로 가!" 우리는 중위님을 따라 방문객이 타고 온 트럭까지 걸어갔다. 중위님이 뒤로 돌아 우리를 마주보고 서자 우리도 걸음을 멈추었다. "제군들은 훌륭한 군인이었다. 다들 이 형제 관계의 일원이었음을 잊지 말도록. 제군들과 함께 조국을 섬길 수 있어서 영광이었다. 하지만 그대들의 일은 여기서 끝이다. 나는 그대들을 보내주어야만 한다. 여기 방문한 손님들이 그대들을 학교에 보내주고 새로운 삶을 찾아줄 것이다." 그게 다였다. 중위님은 미소를 지은 뒤 저 멀리로 걸어갔다. 그러고는 다른 군인들에게 우리를 무장 해제시키라고 지시했다. 나는 바지 속에 총검을 숨기고 주머니에 수류탄을 하나 넣었다. 군인 한 명이 내 몸을 수색하러 다가왔을 때, 나는 그를 밀치고는 나를 건드렸다가는 죽을 줄 알라고 말했다. 군인은 나를 지나쳐 내 옆에 서 있는 소년의 몸을 수색했다.

대체 이게 무슨 일일까? 우리는 중위님을 빤히 바라보았지만 중위님은 아랑곳않고 자기 숙소로 들어가버렸다. 중위님은 왜 우리를 이 민간인들에게 넘겨주기로 결정하신 것일까? 우리는 전쟁이 끝날 때까지 전쟁의 일원으로 살리라 생각했다. 우리 분대가 곧 우리 가족이었다. 그런데 지금 우리는 내쫓기고 있는 것 아닌가. 그냥 이렇게, 설명도 없이. 군인 몇 명은 우리 무기를 수거했고 다른 군인들은 우리가 총을 집으러 뛰쳐나가지는 않는지 감시했다. 트럭으로 호송되는 내내 나는 중위님이 서 있는 베란다를 돌아보았다. 중위님은 뒷짐을 진 채 우리 쪽이 아니라 숲 쪽을 바라보고 있었다. 대체 이게 무슨 일인지 이해가 되지 않았다. 분노와 불안이 치밀어오르기 시작했다. 군인이 된 후로 손에서 총을 놓은 적은 처음이었으니까.

트럭에는 헌병 셋이 타고 있었다. 군복과 총이 말끔한 것으로 보아 도시에서 온 군인인 듯했다. 그들은 바지는 군화 속에, 셔츠는 바지 속에 깔끔하게 집어넣어 입고 있었다. 얼굴은 경직되어 있지 않았고, 총은 또 어찌나 깨끗한지 총을 쏴본 적이 한 번도 없겠구나 싶었다. 무기는 전부 안전장치가 채워져 있었다. 헌병들이 트럭에서 뛰어내려 우리보고 올라타라고 손짓했다. 우리는 트럭 짐칸에 놓여 있는 기다란 의자 두 개에 서로를 마주보고 나뉘어 앉았다. 방문객 중 두 사람, 즉 뺨에 표식이 있는 남자와 레바논 사람으로 보이는 외국인이 우리와 함께 짐칸에 탔다. 마지막으로 헌병 세 명이 한 발은 트럭 안에, 다른 한 발은 트럭 밖에 내놓은 채 짐칸 뒷문에 걸터앉았다.

트럭이 기지에서 멀어지기 시작하자 내 속에서는 화가 들끓기 시작했다. 당최 무슨 일인지 이해가 되지 않았다. 알하지가 당혹스러운 눈빛으로 나를 바라보았다. 나는 헌병들이 들고 있는 총을 보면서 헌병들에게 질투심을 느꼈다. 트럭이 흙길을 따라 속도를 내자 길 양쪽의 수풀을 뒤덮고 있던 황토색 흙먼지가 일었다. 우리를 데리러 온 남자들은 미소를 띠고 있었다. 우리가 어디로 가는 건지 전혀 감이 잡히지 않았다.

우리가 탄 트럭은 몇 시간 동안 달렸다. 최근 몇 년 동안 나는 여기저기 걸어서 다니는 데 익숙했지 트럭 같은 장소에 이렇게 오래 빈둥빈둥 앉아 있어본 적이 없었다. 정말 싫었다. 트럭을 탈취해서 바우야로 돌아갈까 싶기도 했다. 하지만 헌병에게서 총을 빼앗으려고 기회를 엿볼 때마다 트럭은 검문소를 만나 속도를 줄였고 헌병들은 트럭에서 내렸다. 내 군용 반바지 주머니에 수류탄이 있다는 사실은 까맣게 잊었다. 나는 트럭을 타고 가는 내내 안절부절못하며, 검문소(정말 수도 없이 많았다)에 들르기만을 목이 빠지게 기다렸다. 최소한 트럭 짐칸에서 느끼는 지루함에서만큼은 탈출할 수 있었기 때문이다. 짐칸 사람들끼리는 말을 한마디도 안 했다. 헌병에게 총을 빼앗고 헌병을 트럭 밖으로 밀어버릴 기회를 노리며 이따금 알하지에게 윙크를 보낼 때를 제외하면 말없이 앉아만 있었다.

그날 우리가 지나친 마지막 검문소에서는 완전무장을 한 군인들이 보초를 서고 있었다. 군인들이 들고 있는 AK-47은 말끔히 광을 낸 나무판이 새것처럼 빛이 났다. 트럭에 타고 있는 헌병들과 마찬가지로 그들도 전쟁 맛을 보지 못한 도시 군인들이 분명했다. 나라 곳곳에 있는 숲 속에서 무슨 일이 벌어지고 있는지 그들은 짐작도 하지 못할 터였다.

트럭이 마지막 검문소를 지나자 흙길 대신 차들로 붐비는 포장도로가 나타났다. 어디를 보든 자동차들이 사방으로 달리고 있었다. 평생토록 그렇게 많은 승용차, 트럭, 버스가 다니는 것

을 본 적이 없었다. 메르세데스, 도요타, 마쓰다, 쉐보레 등 갖가
지 차량들이 잠시를 못 참고 경적을 빵빵 울려댔다. 차 안에서는
도로가 떠나가라 음악 소리가 터져나왔다. 여전히 우리가 가는
목적지가 어딘지는 알 수 없었다. 다만 우리가 시에라리온의 수
도인 프리타운에 도착했다는 사실만은 확실했다. 왜 하필 이곳
에 왔을까?

어느새 날이 어두워지기 시작했다. 트럭은 번화가를 따라 흔
들흔들 계속 천천히 나아갔다. 가로등이 깜빡깜빡 명멸하다 완
전히 켜졌다. 상점과 가판대에도 환하게 불이 들어왔다. 발전기
가 돌아가는 소리도 나지 않는데 이렇게 불이 많이 들어오다니
깜짝 놀랐다. 반짝이는 도시 야경에 감탄하고 있는데 트럭이 번
화가를 벗어나 속도를 내기 시작했다. 우리는 마치 진동하는 기
계 위에 올라탄 것처럼 트럭과 함께 덜컹덜컹 흔들렸다. 그 상
태로 몇 분을 가더니 마침내 트럭이 멈추어 섰다. 헌병들은 우
리보고 트럭에서 내려 유니세프 셔츠를 입은 네 사람을 따라가
라고 했다. 네 사람의 얼굴은 환하게 빛나고 있었다.

우리는 여러 줄로 줄지어 선 집들을 울타리로 둘러친 곳으로
들어갔다. 집에는 불이 켜져 있었고 우리 또래 소년들, 그러니
까 열다섯 살 남짓해 보이는 아이들이 베란다나 현관에 앉아 있
었다. 소년들은 우리에게 눈길도 주지 않았다. 그들도 자신이

여기 왜 와 있는지 알지 못해 떨떠름해 하고 있는 것 같았다. 레바논 사람처럼 보이는 외국 남자가 밝은 표정을 지으며 우리에게 집으로 따라 들어오라고 손짓했다. 안으로 들어가보니, 벽없이 탁 트인 방에 트윈 사이즈 침대들이 두 줄로 늘어서 있었다. 남자는 신이 나서는 우리에게 배정될 침대와 사물함을 보여주었다. 사물함에는 비누, 치약, 칫솔, 수건, 깨끗한 셔츠, 티셔츠가 들어 있었다. 침대에는 깨끗한 시트가 깔려 있었고 이불과 베개도 있었다. 남자와 달리 우리는 시큰둥했다. 남자가 말했다. "너희를 위해 새 운동화도 여러 켤레 준비했단다. 내일 자기 사이즈에 맞는 신발을 고르면 돼." 남자는 우리를 방에 남겨둔 채 휘파람을 불면서 밖으로 나갔다. 우리는 멍하니 그 자리에 서서 이런 물건은 처음 본다는 듯이 침대를 바라보았다.

이번에는 부족 표식을 새긴 시에라리온 남자가 와서 말했다. "같이 주방에 가서 뭘 좀 먹자꾸나." 우리가 남자를 따라가는데, 우리보다 먼저 도착한 소년들이 호기심 가득한 얼굴로 우리를 쳐다보았다. 그 소년들의 눈도 우리 눈만큼이나 빨갛게 충혈되어 있었다. 그들은 민간인 옷을 입고 있기는 했지만 우리만큼이나 더러워 보였고 인상이 사나웠다. 나는 그들에게서 숲 속의 냄새를 맡을 수 있었다.

주방에는 기다란 식탁이 있었다. 우리는 식탁 한쪽에 나란히 앉았다. 시에라리온 남자는 주방 끝에 있는 작은 방으로 들어가 우리 귀에도 익숙한 노래를 흥얼거리면서 밥을 여러 그릇에 나눠 담았다. 그러고는 밥그릇을 쟁반에 올려 가져왔다. 우리는 밥그릇을 하나씩 집어들고 밥을 먹기 시작했다. 남자가 우리와 같이 식사를 하려고 다시 작은 방에 들어가 자기 음식을 챙겨서 나왔을 때, 우리는 이미 식사를 마친 뒤였다. 남자가 깜짝 놀라며 혹시 우리가 밥을 땅바닥에 내던지기라도 했나 주위를 둘러보았다. 그가 상황을 파악하고 막 첫술을 뜨려는데, 밝은 표정의 유니세프 외국인 둘이 주방으로 들어와 시에라리온 남자에게 잠깐 같이 나가자고 했다. 두 외국인이 곧장 주방에서 나가자 시에라리온 남자도 밥그릇을 들고 그들을 따라갔다. 우리는 말없이 앉아 있었다. 1분쯤 지났을까, 알하지가 혹시 마리화나나 코카인을 가져온 사람이 있냐고 물었다. 마리화나를 좀 챙겨온 소년이 있어서 돌아가면서 피웠지만 충분하지 않았다. 소년들 중 한 명이 말했다. "이 동네에서 괜찮은 마약 구하려면 어디를 뒤져야 하려나?"

다들 어떻게 해야 약을 구할 수 있을까 생각하고 있을 때, 우리를 주방으로 데려온 시에라리온 남자가 돌아왔다. 그는 스무 명 정도 되는 다른 소년들을 데려와 우리에게 소개했다. "새로 온 친구들이란다." 그가 방금 도착한 소년들을 보면서 말했다. "음식을 좀 가져다줄게. 그리고 부탁인데 여유를 좀 가지렴. 허겁지겁 먹지 않아도 돼." 소년들은 우리의 맞은편 의자에 앉았

다. 그들 역시 우리만큼이나 밥을 빨리 해치웠다. 그때 남자가
코를 킁킁거리더니 물었다. "혹시 여기서 마리화나 태운 사람?"
그러나 모두들 그의 말을 들은 체 만 체했고, 그는 그냥 자리에
조용히 앉았다. 우리는 새로 온 소년들을 뚫어져라 보았고 녀석
들도 우리를 쳐다보았다.

알하지가 침묵을 깨뜨렸다. "너네는 어디서 왔냐?" 녀석들이
눈을 부릅뜨고 알하지를 노려보았다. 물어보아서는 안 될 것을
물었다는 표정이었다. 녀석들 가운데 나이가 비교적 많아 보이
는, 머리를 빡빡 민 소년이 자리에서 일어나 주먹을 꽉 쥐며 말
했다.

"그러는 너는 뭐 하는 놈인데? 우리가 너 같은 개자식 질문에
나 답해주러 여기 온 것처럼 보이냐?" 그러고는 식탁 너머로 몸
을 굽혀 알하지를 내려다보았다. 알하지도 벌떡 일어나 녀석을
밀쳤다. 바닥으로 쓰러졌던 녀석이 일어나 총검을 꺼내 들고 식
탁 위로 올라가 알하지에게 덤벼들었다. 우리 모두 일어나 싸울
준비를 했다. 시에라리온 남자가 소리쳤다. "얘들아, 그만해!"
하지만 아무도 말을 듣지 않았다. 나는 수류탄을 꺼내 안전핀
사이로 손가락을 집어넣었다.

내가 녀석들을 위협했다. "이게 마지막 식사가 됐으면 좋겠
냐? 아니면 묻는 말에 대답하지?"

총검을 쥔 소년이 말했다. "우리는 코노 지구에서 왔다."

알하지가 말했다. "아, 그 다이아몬드 동네!"

나는 수류탄을 손에서 놓지 않은 채 정색하고 물었다. "너희들 정부군을 위해 싸웠냐? 아니면 반군을 위해 싸웠냐?"

녀석이 대꾸했다. "너한테는 내가 반군처럼 보이냐? 당연히 정부군으로 싸웠지. 반군 새끼들이 우리 마을을 불태우고 부모님을 죽였다고. 그러는 너야말로 반군 놈처럼 보이네."

알하지가 말했다. "그럼 우리 모두 같은 편에서 싸웠군." 그제야 다들 자리에 앉았다. 물론 양쪽 다 이글거리는 눈빛을 거두지는 않았다. 하지만 다들 복무한 지역만 다를 뿐 정부군 편에서 싸웠다는 사실이 분명해지자 점차 흥분이 가라앉았고, 우리는 각자 어느 기지에서 왔는지 대화를 나누기 시작했다. 그러나 서로가 속해 있던 분대나 기지에 관해 들어본 사람은 아무도 없었다. 각자의 분대를 책임지고 있던 중위에 관해서도 들어본 바가 없었다. 나는 소년들에게 우리 역시 그들이 오기 바로 몇 분 전에 도착했다고 설명했다. 그들은 자기들도 무작위로 뽑혀 지휘관의 명령대로 방문객들을 따라왔다고 말했다. 상관이 자신을 보낸 이유를 아는 사람은 아무도 없었다. 우리는 모두 뛰어난 싸움꾼들이었고 전쟁이 끝날 때까지 싸울 각오가 되어 있었다. 한 소년은 외국인들이 지휘관에게 돈을 주고 우리를 사들인 게 틀림없다고 주장했다. 그 말에 반박할 말이 없었다. 대화가 이어지는 와중에도 내 손에는 계속 수류탄이 들려 있었다. 나는 이따금 눈을 돌려, 우리를 주방으로 데려온 남자를 바라보았다. 그는 식탁 끝에 앉아 떨고 있었다. 이마에서는 땀이 줄기차게 흘렀다. 내가 남자를 향해 수류탄을 겨누며 물었다. "이봐, 대체 우리 상관들이 왜 당신 같은 겁쟁이 민간인들한테 우리를 넘겨준 거지?" 남자는 내가 당장이라도 수류탄을 집어던질 줄 알았는지 식탁 밑으로 고개를 박았다. 질문에 대답하기에는 지나치게 겁을 먹은 상태였다.

"저놈은 배포도 없는 민간인일 뿐이야. 다른 녀석들한테 물어보자고." 아까 총검을 꺼냈던 소년이 말했다. 그 소년의 이름은 맘부였고 나중에 나랑 친구가 되었다. 우리는 식탁 밑에 숨어 있는 남자를 주방에 남겨두고 베란다로 갔다. 계단을 올라가면서 보니 수용소 입구에 헌병 세 명이 앉아서 수다를 떨고 있었다. 그들은 우리에게는 딱히 관심이 없었다. 두 외국인은 이미 그곳을 떠난 상태였다. 우리는 베란다에 조용히 앉아 있는 소년들에게 다가갔다.

알하지가 물었다. "너희들, 왜 너희 상관이 너희들을 이 민간인 녀석들에게 넘겨줬는지 알고 있냐?" 그러자 조용히 앉아 있던 소년들이 일제히 일어나 성난 얼굴로 말없이 알하지를 노려보았다.

알하지가 다시 물었다. "너희 귀라도 먹었냐?" 그러고는 나를 보며 말했다. "얘들도 아무것도 모르는 거 같은데."

그때 소년들 중 하나가 목소리를 깔고 말했다. "우리를 건드리지 말았으면 좋겠는데. 민간인이 하는 질문에는 대답할 생각도 없고."

화가 난 맘부가 녀석을 향해 다가가면서 말했다. "우린 민간인이 아닌데? 민간인이라면 너희들을 두고 하는 말이겠지. 옷을 봐라. 무슨 군인이라는 놈들이 민간인 옷을 입고 있냐? 혹시 너희를 여기 데려온 졸보들이 시키는 대로 그 옷을 입은 거냐? 그렇다면 자존심도 없는 군인 놈들이로구먼."

녀석이 대답했다. "우리는 RUF를 위해 싸웠다. 군인 놈들이라면 우리 적이지. 우리는 자유를 수호하기 위해 싸웠어. 우리 가족을 학살하고 우리 마을을 파괴한 건 정부군이었지. 군인 새끼들이라면 기회가 주어질 때마다 한 놈도 남기지 않고 도륙해 버릴 테다." 그가 셔츠를 벗고 맘부에게 달려들었다. 그의 팔에는 RUF 문신이 새겨져 있었다.

"이 새끼들 반군이다!" 맘부가 그렇게 외치면서 총검을 꺼내려는데 반군 소년이 먼저 맘부의 얼굴에 주먹을 날렸다. 넘어졌다가 다시 일어서는 맘부의 코에서 피가 흐르고 있었다. 반군 소년들이 몇 개 안 되는 총검을 꺼내 들고는 우리에게 덤벼들었다. 결국 다시 전쟁이었다. 순진한 외국인들은 우리를 전쟁터에서 꺼내놓기만 하면 반군을 향한 증오가 가라앉을 줄 알았나 보다. 환경이 바뀐다고 우리가 곧바로 평범한 아이들로 돌아가지는 않는다는 사실은 몰랐던 것이다. 우리는 여전히 위험한 존재였다. 세뇌당한 살인 기계였다. 물론 그들도 재활 프로젝트를 이제 막 시작했을 뿐이었다. 그들이 우선적으로 배워야 할 교훈이 있다면 우리가 어떤 존재였는지 되새기는 것이었다.

반군 소년들이 우리에게 달려들자 나는 녀석들 가운데에 수류탄을 던졌다. 하지만 불발탄이었다. 현관 계단 밑에 몸을 숨겼던 우리는 다시 뛰어나와 탁 트인 마당을 향해 돌진해 싸움을 시작했다. 총검을 가진 사람은 일부였다. 총검이 없는 녀석이 뒤에서 내 목을 잡았다. 그가 날 죽일 기세로 내 목을 졸랐다. 나는 총검을 제대로 쓸 수가 없어서 녀석이 내 목을 놓을 때까지 온힘을 다해 팔꿈치로 가격했다. 뒤를 돌아보니 녀석이 배를 움켜쥐고 있었다. 나는 총검으로 녀석의 발을 찔렀다. 칼이 깊게 박혀서 온 힘을 다해 뽑아내야 했다. 녀석이 땅에 쓰러지자 나는 그의 얼굴을 발로 차기 시작했다. 총검으로 녀석을 마무리하려는데 누군가 내 뒤에 접근해 칼로 내 손을 그었다. 다른 반군 소년이었다. 녀석은 나를 발로 차 넘어뜨리려고 하다가 갑자기 앞으로 고꾸라졌다. 알하지가 녀석의 등을 찌른 것이었다. 알하지는 칼을 뽑고 나서, 녀석이 움직이지 않을 때까지 나와 함께 발길질을 해댔다. 그가 의식을 잃은 것인지 죽은 것인지는 알 수 없었다. 어느 쪽이든 상관없었다. 싸우는 동안 소리를 지르거나 울음을 터뜨린 사람은 아무도 없었다. 어쨌든 다들 여러

해 동안 이런 짓을 해온 소년들이었고 아직 마약 약효도 다 떨어지지 않았기 때문이다.

싸움이 시작된 지 몇 분쯤 되었을 때, 헌병 세 명과 우리를 센터에 데려온 시에라리온 사람 두 명이 "그만! 멈춰!"라고 소리를 지르며 마당으로 달려왔다. 그들은 우리를 떼어놓고 부상당한 소년들을 옆으로 옮겼다. 하지만 이번에도 그들의 대처는 현명하지 못했다. 우리는 헌병들을 덮쳐 땅바닥으로 메다꽂은 뒤 총을 빼앗았다. 정부군 소년들이 총 하나를, 반군 소년들 역시 총 하나를 탈취했다. 총을 빼앗기지 않은 나머지 헌병 한 명은 우리에게 붙잡히기 전에 도망갔다.

우리 쪽에서는 맘부가 총을 잡았다. 맘부는 총을 쥔 반군 쪽 소년이 잠금 장치를 풀기도 전에 녀석을 쏘아 맞혔다. 녀석이 쓰러지면서 총을 떨어뜨렸다. 다른 반군 소년들이 총을 집으려 했지만 접근하는 녀석들마다 맘부가 총으로 맞혔다. 몇몇은 그 자리에서 즉사했고 몇몇은 부상을 입었다. 하지만 반군 소년들은 포기하지 않았다. 마침내 한 놈이 총을 집어들고는 우리 쪽 소년 둘을 맞혔다. 코앞에서 총을 맞은 두 번째 소년은 쓰러지기 전에 녀석의 배에 칼을 꽂았다. 결국 녀석도 총을 떨어뜨리고는 땅바닥에 쓰러졌다.

더 많은 헌병들이 들이닥쳐 싸움에 끼어들었다. 우리는 상대편 소년들은 물론 우리를 떼어놓으려는 사람들까지 찌르고 베면서 20분 가까이 싸웠다. 헌병들이 싸움을 중단시키려고 공중에 대고 총을 몇 발 쏘았지만 우리는 개의치 않고 계속 싸웠다. 결국 강제로 뜯어말리는 수밖에 없었다. 헌병들은 우리 중 몇몇에게는 총구를 들이댔고 몇몇은 발로 차 떼어놓았다. 정부군 소년 쪽에 두 명, 반군 소년 쪽에 네 명 해서 총 여섯 명이 죽었다. 우리를 센터에 데려온 남자들을 포함해 여러 사람들이 부상을 입었다. 군용 앰뷸런스가 여러 대 도착해 시신과 부상자를 싣고는 이제 막 어둠이 깔린 센터 밖으로 사이렌을 울리며 떠나갔다. 앰뷸런스 섬광등이 내뿜는 불빛 때문에 머리가 어질어질했다. 나도 손에 약간의 부상을 입었지만 일부러 숨겼다. 살짝 베인 상처에 불과할뿐더러 병원에 실려 가고 싶지 않았기 때문이다. 나는 상처에서 피를 씻어내고 소금을 약간 뿌린 다음 상처에 천을 감았다. 싸움을 벌이는 와중에 맘부는 총검으로 어느 반군 소년의 눈을 뽑아버렸다. 나중에 듣기로는 수술을 위해 소년을 해외로 보내서 고양이 눈인가 무언가를 대신 끼워 넣었다고 했다. 싸움을 치른 날 밤 우리는 인정사정없는 맘부의 행동에 찬사를 보냈다. 나는 '맘부가 우리랑 같은 분대였으면' 하고 바라기까지 했다.

헌병들이 또다시 싸움이 발생하지 않도록 우리를 감시하는 동안, 우리 정부군 소년들은 주방으로 가서 먹을거리를 찾았다. 우리는 식사를 하면서 싸움이 어땠는지 수다를 떨었다. 맘부의 말로는 자기가 반군 소년의 눈을 뽑아버렸을 때 녀석이 주먹으로 맘부를 때리려고 달려들었지만 앞이 보이지 않아 벽에 머리를 세게 박고는 정신을 잃었다고 했다. 우리는 왁자지껄하게 웃으며 맘부를 하늘 높이 헹가래쳐주었다. 하루 종일 트럭을 타고 이동하면서 왜 상관들이 우리를 내보냈는지 고민하느라 지루해 죽는 줄 알았는데 폭력을 쓰자 기운이 났다.

환희에 찬 시간은 헌병들이 주방으로 들어오는 바람에 끝이 났다. 헌병들은 우리에게 자기들을 따라오라고 했다. 헌병들이 우리에게 총을 겨누고 있었지만 우리는 그들을 비웃으며 밖으로 나갔다. 군용 차량들이 우리를 어디론가 호송하려고 대기하고 있었다. 우리는 반군 소년들을 혼쭐낸 것만으로도 충분히 만족스러웠기 때문에 굳이 헌병들을 공격할 생각을 하지는 않았다. 게다가 헌병들이 너무 많기도 했다. 아마도 우리가 만만한 어린아이들이 아니라는 사실을 보고받은 것 같았다. 차량 옆에 서 있는 헌병 몇몇은 총을 단단히 붙잡고는 우리를 유심히 지켜보았다. 알하지가 말했다. "우리를 전장으로 되돌려 보내려는 건지도 몰라." 우리 소년들은 차량 쪽으로 행진하면서 아무 이유도 없이 국가를 부르기 시작했다.

물론 우리는 전선으로 돌아가는 것이 아니었다. 그 대신 헌병들은 우리를 베닌홈이라는 또 다른 재활센터로 데려갔다. 베닌홈이 있는 키시타운은 프리타운 동쪽 변두리에 위치한, 도심에서 멀리 떨어진 마을이었다. 베닌홈은 원래 정부가 운영하는 청소년 선도 기관으로서 국립 소년원이라고 불렸던 곳이었다. 헌병들은 센터에 들어가기 전에 우리 몸을 철저히 수색했다. 우리의 팔과 옷에는 피해자들과 반군 소년들의 피가 마르지도 않은 채 묻어 있었다. 내 머릿속에는 아직도 자바티 중위님의 말씀이 맴돌고 있었다. "지금부터 마주치는 반군은 모조리 사살한다. 생포 따위는 하지 않는다." 나는 슬며시 미소를 지었다. 반군 소년들을 해치웠다는 사실이 만족스러웠다. 하지만 의문은 사라지지 않았다. 우리가 왜 여기로 끌려온 것일까? 그날 밤 우리가 베란다에 앉아 밤하늘을 멍하니 바라보는 내내 헌병들이 우리를 감시했다. 내 머릿속에 떠오르는 생각이라고는 세 가지밖에 없었다. 내 G3 소총은 어떻게 되었을까? 우리 부대원들은 오늘 밤 무슨 영화를 보고 있을까? 얼마나 신나게 마리화나를 태우고 코카인을 흡입하고 있을까? 맘부가 헌병들에게 물었다. "어이, 당신들 타페(마리화나) 없어?" 헌병들은 대답하지 않았다. 나는 몸이 떨리기 시작했다. 프리타운에 오기 전 밤마다 빨아들였던 마약 기운이 몸에서 빠져나가기 시작한 것이다. 새로운 환경에 도저히 적응이 되지 않아 베란다를 왔다갔다 했다. 머리가 아파오기 시작했다.

16

민간인들에게 이래라저래라 지시를 받게 되다니 열이 뻗쳤
다. 단지 아침식사가 준비되었다고 우리를 부르는 것인데도 센
터 사람들 목소리만 들으면 분노가 차올랐다. 어찌나 화가 나는
지 벽이나 사물함 등 주위에 보이는 것이라면 무엇이든 주먹으
로 내리쳤다. 며칠 전까지만 하더라도 우리는 그들을 살릴 수도
있고 죽일 수도 있었는데. 이런 이유 때문에 우리는 식사를 하
러 오라는 말만 빼고 그들의 말을 모두 무시해버렸다. 아침식사
로는 빵과 차가 나왔고 점심과 저녁에는 밥과 함께 카사바 잎 수
프, 감자 잎 수프, 오크라 수프 등 갖가지 수프가 나왔다. 하지만
우리는 불만스러웠다. 우리에게 필요한 것은 총과 마약이었기
때문이다.

식사가 끝날 때쯤이면 간호사들과 센터 직원들이 와서 우리

에게 말을 걸었다. 구내 병원에서 진행하는 건강검진과 심리 치료실에서 진행하는 일대일 상담 치료에 참여하라는 권고였다. 당연히 우리는 그런 프로그램에 참여하는 게 죽을 만큼 싫었기 때문에, 그들이 입만 열면 그릇, 숟가락, 음식, 의자 등을 손에 잡히는 대로 그들에게 집어던졌다. 식당 밖까지 쫓아가서 그들을 때려눕히기도 했다. 어느 날 오후에는 간호사들과 센터 직원들을 식당 밖으로 몰아낸 뒤 주방으로 들어갔다. 거기서 요리사 머리에 양동이를 씌우고 이리저리 밀치는 바람에 요리사가 물이 펄펄 끓고 있던 주전자에 손을 데고 말았다. 단지 차에 우유를 더 넣으라고 협박하기 위해 벌인 짓이었다. 상황이 이렇다보니 첫주 내내 아무도 우리를 건드리지 못했고 사실상 우리가 하는 일이라고는 새로운 환경을 아무 목적도 없이 어슬렁거리는 것밖에 없었다. 게다가 바로 그 주에 마약의 효력 역시 떨어져갔다. 나는 코카인과 마리화나가 너무 간절해서 맨 종이를 돌돌 말아 피울 지경이 되었다. 때로는 코카인이나 마리화나 부스러기라도 남아 있을까 싶어 아직 벗지 못한 군용 반바지 주머니를 샅샅이 뒤지기도 했다. 한번은 다 같이 병원에 침입해 누르스름한 백색 알약으로 된 진통제와 빨갛고 노란 캡슐을 약간씩 훔치기도 했다. 우리는 캡슐을 열어 속을 털어내고 하얀 알약을 가루로 빻은 다음 둘을 섞어 먹었다. 하지만 원하는 효과는 나타나지 않았다. 날이 갈수록 점점 불안해졌고 결국 마약 대신 폭력에 기대기 시작했다. 아침에는 근처 양수 시설에 물을 길러 가는 동네 사람들을 붙잡아 두들겨 팼다. 붙잡지 못하고 놓친 경우에는 돌을 던졌다. 이따금 우리를 피해 도망치면서 물동이를 떨어뜨리는 사람들도 있었는데 그럴 때면 물동이를 박살내면서 웃음을 터뜨렸다. 결국 병원에 실려 가는 사람들까지 나오자 동네 사람들은 센터 주위에 얼씬도 하지 않게 되었다. 센터 직원들 역시 우리를 피했다. 그러자 이제는 밤낮으로 우리끼리 싸우기 시작했다.

우리는 밥 먹을 때만 빼고는 마땅히 이유도 없이 몇 시간씩 싸움을 벌였다. 싸우는 와중에 가구를 망가뜨리고 매트리스를 마당으로 던져버리기도 했다. 식사 시간을 알리는 종이 치면 그제야 싸움을 멈추고 입술과 팔다리에서 흐르는 피를 닦아냈다. 싸우느라 완전히 진이 빠진 밤이 되면 매트리스를 마당으로 들고 나가 그 위에 말없이 앉아서는 아침이 되고 아침식사 시간이 될 때까지 기다렸다. 아침을 먹고 돌아오면 간밤에 밖에 내다놓은 매트리스가 늘 침대 위로 돌아와 있었다. 그러면 우리는 괜히 심술이 나 매트리스를 다시 마당으로 던져버리고는 누가 제자리로 돌려놓았냐고 욕지거리를 내뱉었다. 어느 밤에는 다들 밖에 나와 매트리스를 깔고 앉아 있는데 비가 내리기 시작했다. 우리는 그대로 앉아 얼굴에서 빗물을 닦아내며 비를 맞았다. 그러면서 비가 타일 지붕을 후드득 때리다 한데 모여 땅바닥으로 주르륵 쏟아지는 소리를 들었다. 비는 한 시간밖에 오지 않았다. 하지만 우리는 비가 그친 뒤에도 물 먹은 스펀지가 되어버린 매트리스 위에 밤새도록 앉아 있었다.

다음 날 아침, 아침을 먹고 돌아왔는데도 매트리스가 여전히 밖에 놓여 있었다. 날씨가 흐린 편이었기 때문에 매트리스는 밤이 되도록 마르지 않았다. 우리는 화가 나서 창고 담당자인 포페이를 찾아갔다. 포페이는 좀처럼 눈빛을 헤아리기 어려운 퇴역 군인이었다. 우리는 포페이에게 마른 매트리스를 내놓으라고 요구했다.

포페이가 말했다. "밖에 내놓은 매트리스가 마를 때까지 기다려야 할 게다."

그러자 우리 중 누군가 말했다. "민간인 주제에 우리한테 이딴 식으로 말하게 둘 수는 없지." 우리 모두 맞장구를 치면서 포페이에게 달려들었다. 다들 포페이를 구타했고 어떤 녀석은 그의 발에 칼을 꽂기까지 했다. 포페이가 쓰러지자 우리는 그를 쉴 새 없이 발로 걷어찼다. 포페이는 양손으로 머리를 감싸고 맞고만 있다가 결국 의식을 잃은 채 피를 흘렸다. 우리는 포페이를 바닥에 내버려둔 채 자리를 떠났다. 베란다로 돌아가는 내내 흥분감에 도취해 마구 소리를 질렀다. 하지만 환호는 점차 잦아들었다. 나는 화가 치밀었다. 우리 분대가 그리워졌기 때문이다. 이 정도 폭력으로는 만족할 수 없었다.

센터를 감시하는 보안요원이 포페이를 병원으로 데려갔다. 그로부터 며칠 뒤, 점심을 먹고 있는데 포페이가 돌아왔다. 다리를 절뚝거리기는 했지만 웃는 얼굴이었다. 포페이는 식당을 지나가면서 말했다. "너희가 나한테 그런 짓을 한 것은 너희 잘못이 아니란다." 우리는 짜증이 났다. 우리가 "민간인"이라고 부르는 센터 직원들이 우리를 그들의 목숨까지도 위협할 수 있는 군인들로서 존경하기를 바랐기 때문이다. 하지만 직원들 대부분이 포페이처럼 굴었다. 우리가 상처를 입혀도 언제나 웃는 얼굴로 돌아왔다. 마치 자기들끼리 절대 우리를 포기하지 않겠다는 약속이라도 한 것 같았다. 그들이 웃는 모습을 보면 볼수록 그들이 더 미워졌다.

내 손은 걷잡을 수 없이 떨리기 시작했고 다시 찾아온 편두통은 나를 잡아먹을 기세로 괴롭혔다. 마치 머릿속에서 대장장이가 두개골을 모루 삼아 망치로 두드리는 것 같았다. 깡깡 금속을 두드리는 소리가 고통과 함께 찾아왔다. 견딜 수 없는 날카로운 쇳소리에 온 혈관과 근육이 시큰거렸다. 그럴 때면 침대 옆 바닥이나 베란다에서 몸을 웅크리고 떼굴떼굴 굴렀다. 친구들 역시 제각각 금단 증세를 겪느라 고생 중이었기 때문에 나한테 관심을 쏟을 여력은 없었다. 예를 들어 알하지는 손등이 까져서 뼈가 드러날 때까지 건물 시멘트 기둥을 주먹으로 두들겨댔다. 센터 직원들은 알하지를 구내 병원으로 데려갔다. 병원에서는 알하지가 더 이상 자해를 하지 못하도록 며칠 동안 수면제를 놓아주었다.

어느 날에는 친구들과 같이 교실에 있는 유리창을 모조리 깨부수기로 마음먹었다. 왜 그랬는지는 모르겠지만, 친구들이 다들 유리창에 던질 돌을 찾아다니는 동안 나는 냅다 유리창에 주먹을 날렸다. 그렇게 유리창 몇 개를 깨다가 결국 주먹이 창에 끼고 말았다. 억지로 주먹을 빼내자 피가 철철 흘렀다. 어쩔 수 없이 병원에 가야 했다. 나는 구급상자를 훔쳐서 알아서 상처를 치료할 생각이었지만, 도착한 곳에는 이미 간호사가 있었다. 간호사는 나를 카운터에 앉히고는 살에 박힌 유리조각을 빼내기 시작했다. 살 속 깊숙이 박힌 유리조각을 빼낼 때마다 간호사는 자기 일처럼 얼굴을 잔뜩 찌푸렸다. 하지만 나는 태연했다. 간호사는 혹시 내가 고통스러워하지는 않나 내 얼굴을 들여다보았다. 내가 꿈쩍도 않자 당황한 것 같았지만, 계속해서 유리조각을 부드럽게 제거해나갔다. 나는 아무런 감각을 느끼지 못했다. 그냥 손에 흐르는 피나 멈추었으면 했다.

간호사가 벌어진 상처를 닦아내기 직전에 말했다. "이번엔 꽤 아플 거야."

그녀가 내 손에 드레싱을 하면서 물었다. "이름이 뭐니?" 나는 대답하지 않았다.

"내일 다시 와. 붕대를 갈아줄 테니까. 알겠지?" 간호사가 내 손을 살살 쓰다듬었다. 하지만 나는 그녀의 손을 뿌리치고 밖으로 나왔다.

　다음 날, 나는 병원에 가지 않았다. 대신 베란다에 앉아 있다가 편두통이 너무 심해 기절하고 말았다. 일어나서 보니 병원 침대였다. 어제 그 간호사가 물에 적신 천으로 내 이마를 닦아주고 있었다. 나는 그녀의 손을 붙잡아 홱 밀쳐버리고 밖으로 걸어나왔다. 강렬한 햇빛 아래에서 몸이 앞뒤로 휘청거려 그 자리에 주저앉고 말았다. 온몸이 아팠다. 목이 말랐고 속이 메슥거렸다. 나는 곤죽 같은 녹색 토사물을 입 밖으로 쏟아내고는 다시 기절했다. 몇 시간 뒤에 다시 깨어나자 역시 똑같은 간호사가 눈에 들어왔다. 간호사는 나에게 물 한 잔을 건넸다. 그러고는 엄마가 고집 센 자식한테 말하듯이 손가락으로 나를 가리키며 말했다. "원하면 가도 좋아. 하지만 오늘밤에는 침대에 누워 있는 게 나을 거야." 나는 물잔을 확 낚아채 물을 들이키고는 잔을 벽에다 던져버렸다. 간호사가 의자에서 벌떡 일어섰다. 나는 침대에서 일어나 밖으로 나가려 했지만 몸을 일으킬 힘조차 없었다. 간호사는 미소를 지으며 침대 옆으로 다가와 주사를 놓아주었다. 또 내게 이불을 덮어주고는 깨진 잔을 쓸어 담기 시작했다. 나는 이불을 집어던지고 싶었지만 손을 움직일 수 없었다. 점차 힘이 빠지면서 눈꺼풀이 무겁게 내려앉았다.

간호사와 다른 누군가가 속삭이는 소리에 잠에서 깼다. 무슨 요일인지, 몇 시인지 전혀 감이 잡히지 않아 혼란스러웠다. 머리에는 두통 대신 맥박이 살짝 느껴졌다. 내가 간호사의 주의를 끌기 위해 손을 침대 옆으로 흔들면서 물었다. "제가 여기 얼마나 누워 있었죠?"

간호사가 말했다. "웬일이니! 손 조심해." 살짝 몸을 일으키고 살펴보니, 방에 군인 한 명이 있었다. 혹시 나를 전장으로 데려가려고 왔나 잠깐 기대했다. 하지만 다시 제대로 보니 그는 다른 이유로 병원에 온 것이 확실했다. 잘 차려입은 데다가 총도 없는 걸로 보아 도시 군인이 분명했기 때문이다. 군인은 계급이 중위였고 아마 우리가 의료적으로나 심리적으로 치료를 잘 받고 있는지 확인하러 온 것 같았다. 하지만 그보다는 간호사에게 더 관심이 있어 보였다. 나는 '나도 한때 중위였는데'라고 생각했다. 물론 정확히는 '소년' 중위였지만.

소년 중위였던 나는 소년병들로 이루어진 작은 부대를 맡아 단기 임무를 처리했다. 자바티 중위님과 가다피 하사님은 내 친구들, 그러니까 알하지, 카네이, 주마, 모리바를 선발해 우리 부대를 꾸려주었다. 그렇게 해서 우리가 다시 한 번 뭉친 것이었다. 하지만 이번에는 전쟁을 피해 도망을 다닐 필요가 없었다. 우리는 전쟁에 참전한 군인이었으며 식량, 마약, 탄약, 기름 등 우리에게 필요한 자원이 있을 만한 마을들을 수색하고 다녔다. 그런 마을을 발견하면 한동안 염탐을 하다가 하사님에게 보고를 올렸다. 그러고 나서 우리 분대 전체가 마을을 습격해 모두를 학살했다. 그것이 우리가 살아남는 방식이었다.

한번은 정찰 임무를 수행하던 중에 우연히 마을 하나를 발견했다. 사흘은 걸어야 마을을 찾을 수 있을 줄 알았는데 고작 하루 반 만에 부엌에서 흘러나오는 야자유 냄새를 맡은 것이었다. 여름이 끝나갈 무렵의 화창한 날이었다. 우리는 곧장 대로에서 벗어나 수풀을 통해 마을로 다가갔다. 초가지붕이 시야에 들어오자 우리는 마을 동향을 파악하기 위해 포복 자세로 서서히 접근했다. 총을 든 남자 몇 명이 느긋하게 빈둥거리고 있었다. 집집마다 집 밖에 짐 꾸러미가 더미로 쌓여 있었다. 반군들이 마을을 떠날 준비를 하고 있는 것 같았다. 기지로 돌아가 분대를 소집해 와봐야 물자를 탈취할 기회를 놓칠 것이 뻔했다. 그래서 우리는 당장 공격을 감행하기로 결정했다. 나는 분대원들에게 마을 주변을 둘러싸라고 배치 명령을 내렸다. 어떤 곳도 시야에서 놓치지 않도록 각자 전략적 위치에 자리를 잡아야 했다. 알하지와 나는 다른 세 친구가 자리를 잡을 때까지 몇 분 정도 기다렸다. 그러고 나서 공격을 개시하기 위해 포복 자세로 마을에 더 가까이 접근했다. 우리 둘은 큰길로 다시 돌아가 각자 길 양쪽을 따라 기어갔다. 우리는 RPG 발사 장치 두 개와 로켓수류탄 다섯 개를 갖고 있었다. 충분히 거리가 가까워지자 나는 우선적으로 섬멸할 반군 무리를 향해 총을 겨눴다. 그때 알하지가 내 어깨를 두드렸다. 알하지는 발포를 시작하기 전에 람보가 사용하는 기술을 연습해보고 싶다고 속삭였다. 내가 대답도 하기 전에 알하지는 배낭에서 물을 조금 꺼내 침과 섞어 진흙을 촉촉하게 만들고는 얼굴에 진흙을 문지르기 시작했다. 그러고 나서 총을 등에 메고는 총검을 꺼내 얼굴 앞에 바싹 가져다 댄 채 손가락으로 평평한 날 위를 스윽 문질렀다. 천천히 기어가는 알하지 위로 한낮의 태양이 환하게 빛을 내리쬐었다. 그마저도 곧 우리가 몰고 갈 어둠에 가려지겠지만.

알하지가 시야 밖으로 사라지자 나는 알하지를 엄호하기 위해 반군이 가장 많이 모여 앉아 있는 쪽으로 RPG를 겨냥했다. 몇 분이 지나자 엎드렸다 앉았다가를 반복하면서 건물 뒤를 요리조리 숨어다니는 알하지가 시야에 들어왔다. 알하지는 다른 건물 뒤로 이동할 때마다 반군에게 들키지 않기 위해 잽싸게 벽에 기대앉았다. 그러다 마침내 무릎 위에 총을 올려둔 채 느긋하게 햇볕을 쬐고 있는 보초 뒤로 천천히 기어갔다. 알하지는 한 손으로 녀석의 입을 틀어막고는 총검으로 그의 목을 그었다. 그런 식으로 보초를 몇 명 더 제압했다. 하지만 그러는 와중에 한 가지 실수를 하고 말았다. 녀석들을 성공적으로 해치우기는 했지만 미처 시신을 숨기지 못한 것이다. 내가 알하지의 묘기에 한눈이 팔린 사이 초소로 돌아온 반군 보초 하나가 동료의 시신을 발견하고는 나머지 반군들에게 상황을 전달하기 위해 달리기 시작했다. 가만히 내버려둘 수 없었기 때문에 나는 G3로 녀석을 쏜 뒤 반군들이 모여 있는 곳에 신속히 로켓수류탄 두 발을 날렸다.

그렇게 총격전이 시작되었다. 알하지가 어디 있는지 알 수 없었지만 일단 총을 갈기다 보니 알하지가 내 쪽으로 기어왔다. 나는 그만 알하지도 쏠 뻔했다가 이내 알하지의 지저분한 람보 분장을 알아보았다. 우리는 눈에 보이는 족족 반군들을 쏘아 죽이며 임무를 완수해나갔다. 그러면서도 총알 한 발 허투루 낭비하지 않았다. 다들 사격 실력도 많이 늘었지만 작은 몸집 역시 유리하게 작용했다. 아무리 작은 수풀이라도 몸을 숨길 수 있는 우리는 총알이 어디서 날아오는지도 모르게 상대를 쏘아 죽일 수 있었다. 마을을 완전히 무력화시키기 위해 알하지와 나는 RPG로 남은 로켓수류탄을 모두 발사한 뒤 마을에 진입했다.

우리는 마을을 돌아다니면서 집이나 오두막 밖으로 뛰쳐나오는 사람들을 살육했다. 그러다 문득 우리 대신 짐을 짊어질 포로가 남지 않았다는 사실을 깨달았다. 한 명도 빠짐없이 죄다 죽여버린 것이었다. 그래서 나는 지원을 요청하기 위해 카네이와 모리바를 기지로 돌려보냈다. 카네이와 모리바는 반군들의 시신을 뒤져 탄약을 조금 챙긴 뒤 기지로 떠났다. 몇몇 시신은 아직도 총을 꼭 붙들고 있었다. 알하지와 주마와 나는 마을에 남았다. 우리 셋은 반군들의 시체, 식량 꾸러미, 탄약 상자, 마약 봉지 사이에 앉아 있는 대신 근처 수풀에 몸을 숨기고 마을을 감시했다. 먹을거리나 마약이 필요해서 마을에 들어가야 할 때면 교대로 그렇게 했다. 그 외에는 수풀 아래 앉아 조용히 기다렸다.

이틀 뒤 카네이와 모리바가 하사님과 군인 몇 명, 기지까지 식량과 마약과 탄약을 짊어지고 갈 민간인들을 데리고 돌아왔다.

하사님이 우리를 치켜세우며 말씀하셨다. "이 정도면 몇 달은 거뜬히 버틸 수 있겠어. 수고했네, 제군들." 우리는 경례를 한 뒤 길을 나섰다. 이번 급습 덕분에 알하지는 '꼬마 람보'라는 별명을 얻었고 이후에 수색을 나가서도 이름값을 하기 위해 무슨 짓이든 마다하지 않았다. 나는 '초록 뱀'이라는 별명으로 불렸다. 유리하고 교묘한 위치를 선정하는 면에서 탁월했을 뿐만 아니라 손바닥만 한 수풀 아래 숨어서도 아무에게도 들키지 않고 족히 마을 하나를 쓸어버릴 수 있었기 때문이다. 중위님이 지어주신 별명이었다. 중위님은 이렇게 말씀하셨다. "자네는 그리 위험해 보이지 않지만 실제로는 위협적이야. 그리고 원하기만 하면 초록 뱀처럼 자연 속에 섞일 줄 알아. 속임수에 능한 치명적인 존재로 변하는 거지." 나는 내 별명이 마음에 들었다. 그래서 매번 마을을 급습할 때마다 내 별명에 부응하기 위해 최선을 다했다.

하얀 병실 천장에는 한 줄 금이 가 있었다. 도시에서 온 중위의 중저음 목소리와 중위가 무슨 말만 했다 하면 곧장 웃음을 터뜨리는 간호사의 웃음소리가 희미하게 들렸다. 나는 고개를 돌려 두 사람을 바라보았다. 간호사의 얼굴에는 함박웃음이 피어 있었다. 중위가 건네는 농담이 재미있는 모양이었다. 나는 침대에서 일어나 병원 밖으로 향했다.

간호사가 등 뒤에서 나에게 말했다. "가능하면 물을 많이 마셔. 그러면 괜찮아질 거야. 내일 밤에 검사하러 다시 들르고."

중위도 내게 말을 건넸다. "여기서 지내는 건 마음에 드니?"

나는 역겹다는 눈초리로 중위를 바라보고는 땅에 침을 퉤 뱉었다. 중위가 어깨를 으쓱했다. 나는 '배알도 없는 도시 군인이 또 있네'라고 생각하면서 기숙사로 돌아갔다. 기숙사에서는 소년 둘이 베란다에서 탁구를 치고 있었다. 다들 센터에서의 일상에 조금씩 흥미를 느끼기 시작한 것 같았다. 우리가 센터에 들어온 지도 한 달이 넘었고 몇몇 소년들은 금단 증세를 거의 다 극복하기까지 했다. 물론 아직도 갑자기 구토나 졸도를 하는 녀석들이 있었지만 입소한 지 두 달쯤 지났을 때부터는 대부분이 금단 증세를 보이지 않았다. 하지만 우리는 여전히 정신적 외상을 겪고 있었다. 게다가 이제 생각할 시간이 늘어난 탓에 머릿속에 단단히 묶어놓았던 전쟁 기억들이 스멀스멀 풀려나기 시작했다.

나는 수돗물을 틀 때마다 피가 철철 쏟아지는 광경을 보았다. 한참을 바라보다 비로소 물이 평범한 물로 보이기 시작하면 그제야 물을 마시거나 샤워를 했다. 이따금 어떤 아이들은 "반군이 쳐들어온다!"고 소리치며 기숙사 밖으로 뛰쳐나갔다. 그곳에 있는 아이들 중에서도 어린 친구들은 바위 옆에 주저앉아 엉엉 울면서 바위를 가리키며 자신의 죽은 가족이라고 말하기도 했다. 심지어 우리는 매복을 했다가 센터 직원을 붙잡아 밧줄로 묶고는 본대가 어디 숨어 있냐고, 무기, 탄약, 마약, 식량을 어디서 공급받고 있냐고 심문하기까지 했다. 한편 이 시기에 우리는 센터로부터 책, 펜, 연필 등 학용품을 지급받았다. 수업 시간은 평일 오전 열 시부터 열두 시까지라고 했다. 물론 우리는 지급받은 학용품을 모아놓고 불을 질렀다. 그러면 다음 날 아침 센터 직원들이 학용품을 다시 나누어주었고 우리는 또다시 불을 질렀다. 그럼에도 직원들은 학용품을 계속 다시 나누어주었다. 그들은 우리가 어린아이답지 못한 잘못을 저지르면 보통 "그건 네 잘못이 아니야"라고 말하며 넘어갔지만 학용품 문제에 관해서만큼은 고집을 꺾지 않았다.

어느 날 오후였다. 센터 직원들이 베란다에 학용품을 놓고 가자, 맘부가 학용품을 팔아버리자고 제안했다. 몇몇 아이들이 물었다. "살 사람이 있을까? 다들 우리를 무서워하는데." 맘부가 아이들을 안심시켰다. "장사에 관심이 있는 상인을 찾으면 되지." 우리는 학용품을 비닐봉지에 담은 뒤 여섯 명이서 가장 가까운 시장에 들고 가 행상인에게 팔았다. 상인은 신이 나서 학용품이라면 언제든 환영이라고 말했다. 그가 맘부에게 돈뭉치를 건네주며 덧붙였다. "훔친 물건이어도 관심 없어. 나한테는 돈이 있고 너희한테는 물건이 있으니 그저 거래를 하면 그만이지." 맘부는 활짝 웃으며 빳빳한 지폐를 세었다. 그러고는 우리가 냄새를 맡을 수 있도록 지폐를 우리 코에 들이대면서 말했다. "꽤나 잘 쳐줬어. 분명해." 우리는 점심식사 시간에 맞추어 센터로 돌아가기 위해 열심히 달렸다. 밥을 다 먹자마자 맘부가 돈을 나누어주었다. 다들 돈을 가지고 뭘 할지 떠들어대느라 기숙사가 소란스러워졌다. 학용품을 태워 없애는 것보다는 확실히 더 재밌었다.

어떤 아이들은 코카콜라나 토피 사탕 같은 군것질거리에 돈을 썼지만 나는 맘부와 알하지와 함께 프리타운을 구경하러 가기로 계획을 세웠다. 우리가 아는 정보라고는 도심에 가려면 대중교통을 이용해야 한다는 사실밖에 없었다.

그날 아침 우리는 게 눈 감추듯 아침식사를 해치우고는 한 명씩 차례로 식당을 떠났다. 나는 구내 병원으로 검사를 받으러 가는 척했고 맘부는 음식을 더 받으러 주방에 가는 척하면서 창문으로 빠져나왔으며 알하지는 변소 쪽으로 걸어갔다. 다른 아이들도 다 같이 따라가겠다고 나섰다가는 센터 직원들이 뒤집어질지도 모르니 아무도 모르게 움직이고 싶었다. 우리 셋은 센터 옆에 있는 정류장에서 만나 줄을 서서 버스를 기다렸다.

알하지가 우리에게 물었다. "너희들 시내에 가본 적 있어?"

내가 대답했다. "아니."

알하지가 말했다. "나도 원래는 학교 때문에 프리타운에 갈 예정이었는데 그만 전쟁이 터졌지 뭐야. 정말 아름다운 도시라고 들었는데."

맘부가 큰 소리로 말했다. "뭐, 곧 알게 되겠지. 버스 왔다."

버스 안에서는 스쿠스 음악이 쾅쾅 울렸고 사람들이 시끄럽게 떠들고 있었다. 시장통이 따로 없었다. 우리는 맨 뒷자리에 앉아 창밖으로 지나가는 건물과 가판대를 바라보았다. 그때 버스 통로에 서 있던 남자 하나가 음악에 맞추어 춤을 추기 시작했다. 맘부를 포함한 몇몇 승객들도 같이 춤을 추었다. 우리는 소리내어 웃으면서 박수를 쳐주었다.

우리는 도심 근처의 번화가인 키시 거리에서 내렸다. 사람들이 아무 일 없는 것처럼 각자의 일상을 이어나가고 있었다. 거리 양쪽으로는 거대한 상점들이 늘어서 있었고 좁은 인도 위에는 행상인들이 북적였다. 우리는 어디에 눈을 두어야 할지 정신 없이 둘러보다가 금세 압도당하고 말았다.

맘부가 하늘 높이 뛰어오르며 외쳤다. "내가 굉장할 거라고 그랬지!"

내가 건물 하나를 가리키며 말했다. "건물 솟아오른 것 좀 봐."

알하지도 외쳤다. "저기도 엄청 크네!"

맘부가 물었다. "저런 데는 어떻게 올라가는 거래?"

우리는 셀 수 없이 많은 자동차들과 온갖 음식이 가득한 레바논 상점들에 감탄하면서 천천히 거리를 걸었다. 높이 솟은 건물들을 쳐다보려니 목이 아플 지경이었다. 사방에 널린 작은 노점에서는 옷, 음식, 카세트테이프, 오디오 등 갖가지 물건들을 팔고 있었다. 사람들이 곳곳에서 동시에 말싸움을 벌이는 것처럼 도시 전체가 시끄러웠다. 우리는 여기저기를 헤매다가 시에라리온의 국가 상징물이자 프리타운의 랜드마크인 코튼트리(프리타운에서 가장 오래된 판야나무로, 대법원 건물 근처에 위치한 역사적 상징물―옮긴이)를 발견했다. 지폐 뒷면에서나 보던 거대한 나무를 실제로 마주하다니, 입을 떡 벌린 채 바라보았다. 우리는 코튼트리 아래, 그러니까 시아카스티븐스 거리와 파뎀바 도로가 만나는 지점에 섰다. 프리타운의 중심에 선 것이었다. 코튼트리의 잎은 푸르렀지만 나무껍질은 아주 오래되어 보였다. 애써 발걸음을 돌릴 때 알하지가 말했다. "애들한테 얘기해도 아무도 안 믿겠지."

우리는 아이스크림과 빔토(아랍 및 아프리카 국가에서 인기가 많은 과일 맛 청량음료—옮긴이)를 사 들고 하루 종일 도심을 걸어다녔다. 아이스크림은 뜨겁게 내리쬐는 햇볕 탓에 너무 빨리 녹아버려서 제대로 즐기기가 힘들었다. 먹는 내내 콘 위를 핥는 대신 아이스크림이 끈적끈적하게 녹아내린 팔꿈치랑 손가락 사이를 핥아야만 했다. 우리가 시내를 걸어다니는 동안 사람들과 차들이 더 불어났다. 아는 얼굴은 하나도 없었고 모두가 바빠 보였다. 맘부와 알하지는 내 뒤를 따라 걸으면서 어느 길로 가야 할지, 언제 멈추어야 할지를 내게 물어보았다. 마치 우리가 아직도 전장에 나와 있으며 내가 자기들 지휘관인 줄 아는 것만 같았다.

저녁이 가까워졌다. 저녁식사 시간에 늦지 않게 센터로 돌아가야만 했다. 그런데 버스를 타러 가려고 보니, 버스 요금이 없었다. 맘부가 제안했다. "앞자리에 앉아 있다가 센터 정류장에 도착하면 후다닥 뛰어내려서 도망가면 돼." 조용히 버스에 올라탄 우리는 정류장들에 도착하기 전부터 미리 요금을 걷는 차장을 바라보았다. 우리 목적지에 다다를 무렵 차장이 내릴 사람은 손을 들라고 했다. 그러고는 통로를 따라 걸으면서 돈을 걷었다. 버스가 정류장에 정차하자 차장이 출입구에 서서는 돈을 내지 않고 내리는 사람이 없나 지켜보았다. 나는 돈을 꺼내는 척 주머니에 손을 넣고서 차장을 향해 걸어갔다. 그러다가 차장을 옆으로 획 밀치고는 친구들이랑 같이 웃음을 터뜨리며 달아

났다. 차장은 잠깐 우리를 쫓아오다가 포기했다. 그날 밤 우리는 다른 아이들에게 도시의 마천루, 소음, 자동차, 시장에 관해 이야기를 늘어놓았다. 다들 기대감으로 가득 차 자기들도 시내에 가보고 싶다고 했다. 우리끼리 제멋대로 도시로 나가는 일을 막기 위해 센터 직원들은 주말에 아이들을 데리고 시내 구경을 시켜주는 수밖에 없었다. 하지만 우리는 일주일에 한 번으로는 도저히 성이 차지 않았다.

무슨 이유 때문인지 사람들이 더 이상 우리 학용품을 사들이지 않았다. 더 싼 값에 넘긴다고 제안했는데도 구매하겠다는 장사꾼이 나서지 않았다. 달리 돈을 구할 방법이 없었기 때문에 더 이상 우리끼리, 원하는 만큼 자주 시내에 갈 수 없게 되었다. 더군다나 주말에 시내 소풍을 가려면 반드시 수업에 참석해야 한다는 조건이 제시되었다. 어쩔 수 없이 우리는 수업에 들어가기 시작했다.

정식 학교는 아니었다. 수학 시간에는 덧셈, 곱셈, 나눗셈을 배웠다. 영어 시간에는 책에 나오는 지문들을 읽거나 단어 철자를 맞게 쓰는 법을 배우거나 선생님이 큰 소리로 읽어주는 이야기를 공책에 받아 적었다. 선생님 말로는 "너희 기억을 새로이 되살리는" 방법 중 하나라고 했다. 물론 우리는 수업에 집중하지 않았다. 단지 시내로 놀러 가기 위해 자리만 채웠을 뿐이다.

수업 도중에 싸움을 벌이거나 다른 아이의 손을 연필로 찍어버리릴 때도 있었다. 하지만 선생님이 개의치 않고 수업을 계속 진행하면 결국 싸움을 멈추기는 했다. 싸움질이 시들해지면 크루만 기슭에서 보았던 선박들이나 라이트풋보스턴 거리를 거닐 때 하늘 위를 지나가던 헬리콥터에 관해 수다를 떨기도 했다. 수업을 마칠 때마다 선생님은 이렇게 말했다. "수업 시간에 가만히 앉아 있지 못하는 게 너희들 잘못은 아니란다. 때가 되면 수업에 집중할 수 있을 거야." 심술이 난 우리는 발걸음을 돌리는 선생님을 향해 연필을 집어던지곤 했다.

수업이 끝나면 점심을 먹고 나서 탁구나 축구를 즐기는 데 집중했다. 하지만 문제는 밤이었다. 우리 중 몇몇은 땀을 뻘뻘 흘리며 악몽에서 깨어나 소리를 지르면서 자기 머리를 마구 두들겼다. 잠을 이룰 수 없을 때 역시 끊임없이 우리를 괴롭히는 머릿속의 끔찍한 이미지들을 몰아내려고 자신의 머리를 주먹으로 때렸다. 어떤 아이들은 자다가 벌떡 일어나서 자기 옆 침대에 누운 친구의 목을 조르기도 했다. 간신히 말리고 나면 녀석들은 어둠이 깔린 바깥으로 정신없이 뛰쳐나갔다. 간헐적으로 발생하는 이런 이상 행동을 통제하기 위해 센터 직원들은 늘 불침번을 서면서 우리를 지켜보아야 했다. 그런데도 어떻게 빠져나갔는지 매일 아침마다 축구장 옆 잔디밭에 숨어 있는 아이들이 발견되었다. 본인조차 자기가 왜 거기 나와 있는지 기억하지 못했다.

　약품의 도움 없이 잠을 이루는 법을 다시 배우기까지 여러 달
이 걸렸다. 하지만 겨우 잠이 든다 하더라도 한 시간도 채 안 되
어 잠에서 깨곤 했다. 꿈에서는 웬 얼굴 없는 남자가 총을 들고
나타나 나를 밧줄로 동여매고는 총검의 톱날 부분으로 내 목을
베기 시작했다. 남자가 내 목을 서걱서걱 톱질하는 내내 칼날이
가하는 고통이 생생하게 느껴졌다. 깜짝 놀란 나는 땀에 젖은
채 잠에서 깨어 허공에 대고 주먹을 날렸다. 축구장 한복판으로
뛰쳐나가 양팔로 다리를 감싸고 쭈그려 앉아 몸을 앞뒤로 흔들
때도 있었다. 어떻게든 내 유년 시절을 떠올리려고 안간힘을 썼
지만 유년의 기억은 도무지 떠오르지 않았다. 전쟁에 대한 기억
이 장벽처럼 머릿속을 가로막고 있어서 전쟁 이전의 삶을 떠올
리려면 장벽에 부딪힐 수밖에 없었다.

　시에라리온의 우기는 5월부터 10월까지인데, 특히 7월, 8월,
9월에 가장 강한 폭우가 쏟아진다. 언젠가 우리 분대는 내가 훈
련을 받았던 기지를 잃었었다. 그때 총격전이 벌어지는 와중에
모리바가 죽었다. 우리는 입에서 피를 쏟는 모리바를 벽에 기대
놓은 채 떠날 수밖에 없었다. 그날 이후로도 모리바에 관해 그
리 깊이 생각하지는 않았다. 살육을 저지르며 목숨을 부지하는

과정에 망자를 애도하는 일은 포함되어 있지 않았기 때문이다. 기지를 잃은 우리는 우기가 시작되기 전에 새 기지를 찾기 위해 숲 속을 떠돌았다. 하지만 결국 제때 찾지는 못했다. 마주치는 마을들은 대부분 우리가 이전에 태워버렸거나 다른 군인들이 파괴해버린 곳이었기 때문에 기지로서는 부적합했다. 크게 당황한 중위님은 마땅한 곳을 발견할 때까지 계속 걷겠다고 선언했다.

처음에는 비가 오다 그치다 했다. 하지만 어느 순간부터는 비가 끊임없이 쏟아졌다. 우리는 비를 피하기 위해 수풀이 빽빽이 들어찬 숲 속 깊숙이 들어가 커다란 나무를 우산 삼아 서 있었다. 하지만 비가 어찌나 세차게 쏟아지던지 더 이상 나뭇잎이 빗물을 막아주지 못하는 지경에 이르렀다. 우리는 눅눅한 숲 속을 몇 주 동안이나 걸어다녔다.

비가 억수같이 오던 날 아침이었다. 느닷없이 사방에서 포화가 쏟아졌다. 우리도 RPG를 발사해 대응했지만 로켓수류탄이 터지지 않았다. 결국 퇴각하는 수밖에 없었다. 상대가 멀리까지 쫓아오지는 않았기 때문에 전열을 가다듬을 기회가 생겼다. 중위님은 우리가 즉시 반격을 감행해 상대를 추격해야 한다고 말씀하셨다. "뒤를 쫓아가면 저놈들 기지를 발견할 수 있을 것"이기 때문이었다. 그래서 우리는 반군을 향해 전진했다. 전투는 비가 쏟아지는 가운데 하루 종일 이어졌다. 숲 속은 물

바다였고 비가 숲을 닦아주려는 듯 잎사귀에 흥건한 피를 씻어 냈다. 하지만 수풀 아래에는 시체들이 널브러져 있었고 시체에서 쏟아져나온 피가 흙탕물 위에 벌겋게 고였다. 마치 흙이 오늘 몫은 끝냈으니 더 이상 피를 빨아들이지 않겠다고 거부하는 것 같았다.

어둠이 깔릴 무렵 반군이 퇴각하기 시작했다. 그들은 서둘러 도망치느라 부상당한 병사를 남겨두고 갔다. 우리가 그 반군에게 다가갔다. 중위님이 반군들의 기지가 어디 있는지 대라고 다그쳤지만, 반군이 입을 열지 않아서 그의 목에 밧줄을 감았다. 그러고는 반군을 추격하는 내내 그를 개처럼 질질 끌고 다녔다. 결국 그는 죽고 말았다. 밤이 되자 반군이 더 이상 뒤로 물러나지 않았다. 자기네 기지 외곽에 도착한 것이었다. 기지를 포기하고 싶지 않았는지 반군들은 격렬하게 저항했다. 중위님이 명령했다. "치고 빠지기 전술을 수행하도록." 우리는 두 팀으로 나뉘어 공격을 개시했다. 첫 번째 팀이 사격을 하다가 퇴각하는 척을 했다. 그러자 반군들은 근처 수풀에 두 번째 팀이 매복하고 있는 줄도 모르고 첫 번째 팀을 쫓아갔다. 우리는 조용히 매복을 풀고 일어나 녀석들의 후방을 공략했다. 이런 식으로 게릴라전을 밤새 반복하자 반군의 기세가 크게 꺾였다. 아침이 되자 우리는 마을로 진입해 차마 기지를 버리고 떠나지 못한 잔당을 처리했다. 우리는 반군 여덟 명을 생포해 녀석들의 팔과 다리를 묶은 채 빗속에 내버려두었다.

마을에는 화덕이 여러 군데 있었고 장작과 식량도 많았다. 우기에 대비해 반군이 물자를 약탈해 모아놓은 것이었다. 하지만 이제 식량이며 물자며 모두 우리 차지가 되었다. 우리는 마른 옷을 찾아 갈아입었다. 또 화롯가에 앉아 몸을 녹이고 신발을 말렸다. 나는 총을 꼭 쥐고는 살짝 미소를 지었다. 보금자리를 찾았다는 사실이 기뻤다. 발가락을 말리려고 화롯불을 향해 쭉 발을 뻗어놓고 보니, 발가락이 하얗게 불어터져서는 썩어가고 있었다.

그렇게 마을에서 몇 분 정도 쉬었을까, 반군이 다시 공격을 시작했다. 마을을 쉽게 포기할 생각이 없는 모양이었다. 화롯가에 둘러앉아 있던 우리는 서로 눈빛을 교환하고는 탄창을 매섭게 갈아끼웠다. 그러고는 반군 놈들을 영영 끝장내주자는 마음으로 마을 밖으로 나섰다. 전투는 날이 밝을 때까지 이어졌다. 양쪽 모두 마을을 상대에게 내줄 생각이 추호도 없었다. 결국 우리는 반군을 거의 다 사살하고 몇 명을 더 생포하는 데 성공했다. 나머지 녀석들은 차가운 비가 쏟아지는 숲 속으로 도망가는 수밖에 없었다. 화가 머리끝까지 난 우리는 포로들을 그냥 쏘아 죽이는 대신 지독한 형벌을 내리기로 결정했다. 중위님도 "저것들한테 총을 쏘기에는 총알이 아깝지"라고 말씀하셨다. 우리는 녀석들 손에 삽을 쥐여준 다음 총구를 들이대면서 자기 무덤을 스스로 파라고 지시했다. 그러고는 오두막 아래 앉아 마리화나를 피우면서 녀석들이 비를 맞으며 땅을 파는 광경을 지켜보았다. 손이 느려진다 싶으면 주변에 총을 갈겼다. 그러면 녀석들이 다시 속도를 내 땅을 팠다. 땅을 다 판 뒤에는 손을 묶은 다음에 총검으로 다리를 찔렀다. 소리를 지르는 녀석이 있으면 웃음을 터뜨리면서 입을 다물라고 발로 찼다. 다음으로는 녀석들을 각자 자기가 판 구멍 속으로 굴려 넣고는 축축한 진흙으로 덮어버렸다. 다들 겁에 질려 있었다. 우리가 흙을 퍼넣자 녀석들은 일어나서 구멍 밖으로 나오려고 애썼다. 하지만 우리 총 끝이 구멍 속을 가리키는 것을 보고는 다시 엎드려 누운 채 슬픈 눈빛으로 맥없이 우리를 지켜보기만 했다. 녀석들은 흙에 파묻힌 뒤에도 어떻게든 살아보려고 발악을 했다. 숨이 막혀 괴롭게 신음하는 소리가 내 귀에도 들렸다. 그 소리가 잦아든 후 우리는 발걸음을 돌렸다. 군인들 중 한 명이 말했다. "곱게 묻힌 게 어디야." 모두 웃음을 터뜨렸다. 몸을 녹이러 화롯가로 되돌아가면서 나는 다시 살짝 미소를 지었다.

화롯가에서 찬찬히 살펴보니 팔과 등과 발에 멍이 들어 있었다. 알하지가 반군이 남겨두고 떠난 붕대와 의약품을 가지고 처치를 도와주었다. 알고 보니 멍의 원인은 총알이었다. 나한테 날아온 총알들이 아슬아슬하게 비껴 지나가면서 피부에만 상처를 낸 것이었다. 하지만 워낙 약에 취해 있었던 데다가 정신

적 외상도 심각했던 탓에 내가 방금 어떤 위험에서 살아남았는
지 전혀 알아차리지 못했다. 오히려 내 몸에 멍이 몇 개나 났는
지 세어보는 알하지를 보며 깔깔 웃음을 터뜨렸다.

　아침에 비몽사몽 간신히 눈을 뜨는데, 센터 직원이 내 몸을
이불로 감싸주는 것을 느낄 수 있었다. 귀에는 이런 말이 들려
왔다. "그건 네 잘못이 아니야. 알지? 정말 네 잘못이 아니야. 이
겨낼 수 있을 거야." 직원은 나를 일으켜 세운 다음 기숙사로 데
려다주었다.

17

지난번에 간호사가 배알도 없는 중위 양반이랑 떠들고 있는
사이에 병원을 걸어나온 뒤로는 한 번도 병원에 가지 않았다.
간호사도 더 이상 병원에 검사받으러 오라고 독촉하지 않았다.
그런데 어느 날 오후 베닌홈의 전 직원이 모두 모여 탁구 경기
를 하고 있을 때였다. 누군가 내 어깨를 톡톡 두드렸다. 간호사
였다. 하얀 간호사복에 하얀 모자를 쓰고 있었다. 그녀를 똑바
로 쳐다본 것은 이번이 처음이었다. 윤기가 흐르는 까무잡잡한
얼굴과 대비되어 새하얀 치아가 두드러져 보였다. 미소를 띤 얼
굴은 아름답고 매력적이었다. 키는 큰 편이었고 커다란 갈색 눈
망울은 따뜻하고 서글서글해 보였다. 간호사가 내게 코카콜라
한 병을 건네면서 말했다. "오고 싶을 때 언제든 오렴." 그리고
는 미소를 지으며 떠나갔다. 코카콜라 병은 놀랄 만큼 차가웠

다. 나는 알하지랑 같이 경기장 밖으로 나가 바위 위에 앉아서 코카콜라를 마셨다. 알하지가 나를 놀렸다. "네가 마음에 드나 본데?" 나는 아무 대꾸도 하지 않았다.

알하지가 물었다. "네 마음은 어때?"

내가 대답했다. "글쎄. 나보다 나이도 많고 우리 간호사잖아."

알하지가 고개를 끄덕였다. "여자가 겁이 나는 거구나?"

"저분이 네가 생각하는 식으로 나를 좋아하는 것 같지는 않은데." 내 말에 알하지가 웃음을 터뜨렸다.

콜라를 다 마시고 나서 알하지와 헤어진 나는 병원에 가기로 마음먹었다. 입구에 도착해 안을 살짝 들여다보니 간호사는 전화를 받고 있었다. 그러다 나를 발견하고는 안으로 들어와 앉으라고 손짓했다. 그녀가 미소를 지었다. 전화 때문이 아니라 내가 반가워서 짓는 미소임이 분명해 보였다. 주변을 둘러보는데 벽에 걸린 차트 하나가 눈에 들어왔다. 센터에 입소한 소년들의 이름이 전부 적혀 있었다. 이름 옆의 빈칸에는 적어도 한 번은 진료를 받았다는 뜻으로 체크 표시가 되어 있었다. 내 이름 옆에는 아무 표시도 되어 있지 않았다. 간호사는 전화를 끊으면서 차트를 떼어 서랍에 넣었다. 그러고는 의자를 내 쪽으로 가까이 당겨 앉았다. 나는 그녀가 나에게 전쟁에 관한 질문을 던질 거라 예상했다. 하지만 그 대신 "이름이 뭐야?"라고 차분한 목소리로 물었다. 나는 그녀가 당연히 내 이름을 알고 있을 줄 알았기 때문에 당황했다. 괜히 심술이 나 쏘아붙였다. "제 이름 아시 잖아요."

간호사는 물러서지 않고 눈을 크게 뜨면서 말했다. "그럴지 도. 그래도 직접 이름을 말해주면 좋겠는데?"

"알겠어요. 알겠어요. 이스마엘이에요."

"멋진 이름이네." 간호사는 고개를 끄덕이고는 덧붙였다. "내 이름은 에스터인데. 우리 친구 하자."

내가 물었다. "정말 저랑 친구가 되고 싶어요?" 간호사가 잠 깐 생각하다가 말했다. "아닐 수도 있고."

뭐라고 말해야 할지 생각이 나지 않았거니와 당시 나는 아무 도 믿지 못하는 상태였기 때문에 그냥 아무 말도 하지 않고 있 었다. 나는 살아남는 법과 스스로를 돌보는 법밖에 몰랐다. 얼 마 살지는 않았지만 어쨌든 거의 평생토록 몸성히 살아남는 데 만 몰두했다. 누구도 믿지 않았다. 아니, 솔직히 말해 혼자인 편 이 나았다. 그래야 살아남기가 더 쉬웠기 때문이다. 자바티 중 위 같은 사람들만 생각해도 그랬다. 한때 복종하고 신뢰하기야 했지만 이제 와서 보니 과연 누군가를, 특히 어른을 믿는 것이 괜찮은 일인가 의구심이 들었다. 사람들의 본심이 의심스러웠 다. 사람들이 서로 친밀하게 지내는 이유는 그저 서로를 이용하 기 위해서일 뿐이라는 믿음이 마음속에 굳게 자리 잡고 있었다. 그래서 나는 간호사를 무시하고 창밖을 뚫어져라 바라보았다.

간호사가 말했다. "나는 네 간호사지. 그게 다야. 만약 나랑 친구가 되고 싶다면 나한테 친구가 되어달라고 부탁해야 할 거야. 그리고 일단 내가 너를 믿을 수 있어야 하겠지." 내가 싱긋 웃었다. 나도 똑같이 생각했기 때문이다. 기대 밖의 미소였는지 간호사는 잠깐 어리둥절해 했다. 하지만 이내 이렇게 말했다. "미소가 참 예쁘네. 앞으로 더 자주 웃어야겠어." 멈칫한 나는 미소를 싹 거뒀다.

간호사가 물었다. "시내에 가서 해보고 싶은 거 있어?" 나는 대답을 하지 않았다.

"그럼 오늘은 이걸로 끝."

처음 대화를 나눈 날로부터 며칠 후에 간호사가 내게 선물을 주었다. 아이들이 마당에 배구용 그물을 펴는 모습을 보고 있을 때였다. 알하지가 병원 진료를 마치고 돌아와서는 에스터 간호사가 나를 찾는다고 전해주었다. 나는 배구 경기를 구경하고 싶었지만 알하지가 나를 병원 입구까지 끌고 갔다. 그가 나를 병원 안으로 냅다 밀어넣은 뒤 낄낄대며 도망갔다. 바닥에 엎어진 채로 고개를 들고 보니 에스터가 책상 뒤에 앉아 미소를 짓고 있었다.

내가 일어서면서 말했다. "알하지한테 들으니 저를 찾으셨다고요."

에스터가 내게 포장된 상자 하나를 던져주었다. 나는 얼떨결에 그 상자를 받아 들고는 '이게 뭘까? 간호사가 왜 나한테 이런 걸 주는 걸까?' 생각했다. 에스터는 내가 선물을 풀어보기를 조용히 기다렸다. 포장을 뜯어본 나는 폴짝폴짝 뛰면서 에스터를 끌어안았다. 하지만 금방 정신을 차리고 기쁜 내색을 감추었다. 내가 퉁명스럽게 물었다. "친구도 아니라면서 웬 워크맨에 카세트테이프래요? 제가 랩 음악 좋아하는 건 또 어떻게 아셨어요?"

에스터가 말했다. "좀 앉아봐." 그러고는 선물 상자를 가져가 워크맨에 건전지와 카세트테이프를 넣은 뒤 다시 내게 주었다. 헤드폰을 쓰니 런 D.M.C.의 노래가 흘러나왔다. "그런 거야. 삶이란 원래 다 그런 거야……." 나는 고개를 까딱거리기 시작했다. 에스터가 헤드폰을 잠깐 들어올리고 말했다. "음악 듣고 있는 동안 진찰 좀 할게." 알았다고 했다. 나는 셔츠를 벗고 체중계 위에 올라갔다. 에스터는 내 혀를 확인하고 손전등을 비추어 내 눈을 들여다보았다. 하지만 나는 음악에 푹 빠져 가사 하나하나에 집중하고 있었기 때문에 전혀 개의치 않았다. 그런데 다리를 진찰하던 에스터가 내 왼쪽 정강이에 남은 흉터들을 발견했다. 에스터는 다시 헤드폰을 들어올리고 물었다. "이 흉터들은 어쩌다 생겼어?"

내가 무심하게 대답했다. "총상이죠, 뭐."

에스터의 얼굴이 슬픈 표정으로 굳어졌다. 그녀가 떨리는 목소리로 말했다. "무슨 일이 있었는지 말해주어야 해. 그래야 내가 처방을 내릴 수 있으니까." 처음에는 선뜻 이야기하기가 꺼려졌다. 하지만 에스터는 무슨 일이 있었는지, 특히 총상을 어떤 식으로 처리했는지 말해주지 않으면 제대로 치료할 수가 없다고 강조했다. 그래서 나는 내가 총을 맞은 경위를 전부 말해주었다. 이야기를 하고 싶어서 한 것은 아니었다. 단지 내 군인 시절이 얼마나 참혹했는지 진상을 들려주면 에스터가 나를 어려워하고 질문도 그만둘 줄 알았다. 내가 이야기를 시작하자 에스터는 내 얼굴에 시선을 고정시킨 채 가만히 귀를 기울였다. 나는 고개를 숙이고는 얼마 지나지도 않은 과거 속으로 빠져들었다.

소년병 시절 중 두 번째로 건기를 맞이했을 때였다. 식량과 탄약이 거의 바닥이 난 상태였다. 그래서 늘 하던 대로 다른 마을을 습격하기로 결정했다. 우선 내가 휘하 소년병들을 데리고 마을을 염탐하러 갔다. 하루 종일 마을을 지켜보았다. 상대는 우리 쪽보다 성인 남자 머릿수도 많고 최신식 총기로 잘 무장한 상태였다. 반군인지는 확실하지 않았다. 여태까지 우리가 상대한 반군 부대들에 비해 소년병의 비율이 훨씬 적은 편이었기 때문이다. 절반은 군복 차림이었고 나머지 절반은 사복을 입고 있었다. 우리는 기지로 돌아가 염탐을 통해 확인한 사실들을 중위에게 보고했다. 중위는 곧바로 출발 명령을 내렸다. 상대 마을은 걸어서 사흘 정도 걸리는 위치에 있었다. 우리 계획은 마을을 장악한 뒤, 물자를 챙겨 돌아오는 대신 그곳에 남아 새로운 기지를 구축하는 것이었다.

우리는 바로 그날 밤 기지를 떠났다. 밤새도록 빨리 걷기와 달리기를 번갈아가며 반복했다. 길을 따라 사흘을 이동하는 동안, 하루에 한 번씩만 멈춰 앉아 먹고 마시고 마약을 했다. 기지를 옮길 생각이었던 만큼 탄약과 소총과 기관총을 전부 챙겨 온 상태였다. 그래서 다들 총을 두 개씩 들고 있었다. 하나는 끈을 달아 등에 멨고 다른 하나는 손에 들었다. 이전 기지에는 군인 두 명만 보초를 서도록 남겨두었다. 셋째 날 아침에는 중위가 전날과 전전날보다 더 오래 휴식을 취하도록 허락했다. 휴식을 취한 뒤 저녁까지 반나절을 걷자 드디어 마을이 시야에 들어왔다.

마을에는 망고나무, 오렌지나무, 구아바나무가 즐비했다. 한때 농장이었던 것으로 보였다. 우리는 마을을 둘러싼 채 중위님의 명령을 기다렸다. 매복을 하고 엎드려 있는데 낌새가 이상했다. 마을이 비어 있었던 것이다. 내 옆에 엎드려 있던 중위님이 얼떨떨한 표정으로 나를 쳐다보았다. 나는 지금이야 버려진 마을처럼 보이지만 며칠 전만 해도 총을 든 장정들이 바글바글했다고 귓속말을 했다. 계속 마을을 지켜보고 있는데 개 한 마리가 길을 따라 마을을 가로질러 가면서 왈왈 짖어댔다. 한 시간 쯤 뒤에 총을 든 남자 다섯이 마을로 들어왔다. 그들은 어느 집 베란다에서 물동이를 집어들고는 강가로 향했다. 다들 무언가 단단히 잘못됐다고 생각하는 찰나 우리 뒤로 총알이 한 발 날아왔다. 이제 모든 것이 분명해졌다. 우리가 반군에게 매복을 당한 것이었다. 녀석들은 우리를 마을 쪽으로, 그러니까 개활지로 몰아붙이려 했다.

우리는 동이 틀 때까지 밤새도록 포화를 주고받았다. 결국에는 반군들이 바라는 대로 우리가 마을 안으로 후퇴하는 수밖에 없었다. 우리는 이미 동료 다섯 명을 잃은 상태였다. 다음은 우리 차례였다. 반군들은 망고나무, 오렌지나무, 구아바나무 위로 올라가 총알을 퍼부을 준비를 하고 있었다. 우리는 따로 흩어져 허리를 굽히고 건물 뒤로 숨으면서 마을 한쪽 끝에서 반대쪽 끝까지 달려갔다. 늦기 전에 마을을 빠져나가야 했다. 하지만 그러려면 일단 나무 위에 있는 반군들을 해치워야 했다. 우리는 나뭇가지 사이로 총알을 난사해 녀석들을 나무 아래로 떨어뜨렸다. 숨통이 붙어 있는 녀석들은 땅바닥에 닿기도 전에 조준해 사살했다. 개활지를 벗어나 근처 숲에서 재정비를 하려면 통로를 직접 뚫는 수밖에 없었다. 총알이 사방팔방에서 쏟아지고 있었다. 그래서 우리는 숲의 한 지점을 조준해 화력을 집중시켰다. 그리하여 그쪽 부근의 적들을 모두 해치웠다. 잠깐 모일 시간을 확보하자 중위는 죽을 각오로 싸워서 마을을 쟁취해야 한다고, 그렇지 않으면 다른 기지를 찾아 숲 속을 떠돌아다녀야 한다고 다시 한 번 강조했다.

우리 중 몇몇은 부상을 입었지만, 아예 전투를 할 수 없을 정도로 부상이 심하지는 않았다. 그런가 하면 나처럼 여러 차례 총상을 입고도 총상을 무시한 채 전투에만 몰두하는 사람들도 있었다. 우리는 시체에서 탄약을 확보하기 위해 처음으로 반격을 감행했다. 다음으로는 마을 일부를 장악하기 위해 맹공을 퍼부었다. 사살한 적들에게서 무기와 탄약을 탈취해가며 만 하루 이상 공격과 후퇴를 반복했다. 마침내 우리가 반군을 제압한 것처럼 보였다. 포화가 잦아들었고 망고나무 뒤의 수풀들 역시 잠잠해졌다. 마을이 우리 차지가 된 것 같았다.

어느 오두막에 들어가 배낭에 탄약을 넣고 있는데 마을 위로 총알이 다시 억수처럼 쏟아졌다. 나는 왼발에 총알 세 발을 맞았다. 처음 두 발은 발을 뚫고 지나갔다. 마지막 한 발은 발 속 깊이 박혔다. 걸을 수 없었다. 그래서 땅바닥에 엎드린 채 총알이 날아온 수풀을 향해 총을 갈겼다. 한 곳에만 탄창 하나를 죄다 비웠다. 척추가 찌릿거리는 게 느껴졌다. 왼발이 부어오르기 시작했는데도 약에 너무 취한 나머지 제대로 고통을 느끼지는 못했다. 우리 분대 군의관이 나를 집 안으로 질질 끌고 들어가 총알을 제거하려고 했다. 군의관이 총상을 처치하다 손을 올릴 때마다 손가락 곳곳이 내 피로 범벅이 되어 있었다. 군의관은 물을 적신 천으로 내 이마를 수도 없이 닦아냈다. 눈꺼풀이 점점 무거워지더니 나는 결국 정신을 잃고 말았다.

그 사이에 무슨 일이 벌어졌는지는 모르겠다. 어쨌든 다음 날 정신을 차렸을 때 나는 발에 극한의 고통을 느꼈다. 누군가 뼈에 못을 여러 개 박아넣은 뒤 혈관을 끌로 깎는 것만 같았다. 고통이 너무 심해서 크게 소리를 내 울지도 못했다. 눈에서 눈물만 후드득 떨어졌다. 침대에 누워 있는데 초가집 천장이 흐릿해 보였다. 눈이 주변 환경에 적응하려고 고투를 벌이고 있었다. 마을이 총성 없이 조용한 것으로 보아 적들을 몰아내는 데 성공한 것 같았다. 거기서 잠깐 안도감을 느꼈지만 이내 왼발에 고통이 돌아왔다. 온몸의 혈관이 바짝 조였다. 나는 입술을 앙다물고 무거운 눈꺼풀을 꼭 감은 채 나무 침대 모서리를 꽉 붙잡았다. 집으로 들어오는 사람들 발소리가 들렸다. 그들은 침대 옆에 서서 말을 주고받았다. 목소리를 듣자마자 누군지 알아챌 수 있었다.

군의관이 말했다. "고통이 보통이 아닐 텐데 이곳에는 고통을 줄여줄 만한 약이 하나도 없군요. 약은 죄다 이전 기지에 있으니." 그러고는 한숨을 푹 쉬면서 덧붙였다. "사람을 보내서 약을 가지고 돌아온다 해도 엿새를 기다려야 하는데 그때까지 못 버틸 겁니다."

중위가 말했다. "그럼 이 아이를 이전 기지로 돌려보내는 수밖에. 어차피 거기 있는 물자들도 챙겨와야 하니까. 이 아이를 살릴 수 있도록 할 수 있는 건 다 해보게." 그러고는 밖으로 나갔다.

군의관은 "예, 중위님" 하고 대답은 했지만 아까보다 깊은 한숨을 내뱉었다. 나는 천천히 눈꺼풀을 들어올렸다. 이번에는 시야가 또렷했다. 얼굴에 땀범벅을 한 군의관은 조금이라도 미소를 지어 보이려고 애썼다. 둘의 대화에 감명을 받은 나는 발이 낫기만 하면 우리 분대를 위해 힘껏 싸우는 것은 물론 무슨 일이든 마다하지 않겠노라고 다짐했다.

군의관이 침대 옆에 앉아 내 다리를 진찰하면서 상냥하게 말했다. "우리가 도와줄 테니까 마음 단단히 먹어."

나는 "네, 중사님"이라고 대답하면서 손을 들어 경례를 하려했다. 하지만 군의관이 부드럽게 내 손을 잡아 아래로 내렸다.

군인 두 명이 들어와, 군의관에게 중위의 지시를 받고 왔다고 말했다. 나를 이전 기지로 옮기는 일을 도우러 온 군인들이었다. 두 사람은 나를 침대에서 끌어내 해먹으로 옮기고는 해먹을 들것 삼아 밖으로 들고 갔다. 처음에는 햇빛이 강렬해서 앞이 보이지 않았지만 이내 빽빽한 우듬지가 눈에 들어왔다. 마을 밖으로 나가는 내내 하늘이 팽팽 돌았다. 예전 기지로 돌아가는 길이 한 달은 걸리는 느낌이었다. 중간에 여러 차례 정신을 잃었다가 되찾았다. 정신을 차릴 때면 나를 운반하는 군인들의 목소리가 저 멀리 흩어지듯 웅웅거렸다.

마침내 예전 기지에 도착했다. 군의관이 치료를 시작했다. 몸속으로 무언가가 들어왔다. 기지에 주사기가 있었나 싶었지만 무슨 상황인지 물어볼 상태는 아니었다. 나는 코카인을 달라고 미친 듯이 떼를 써서 코카인을 받아냈다. 군의관은 약효가 돌기도 전에 집도를 시작했다. 다른 군인 둘이 내 손을 붙잡고 내 입 가득 천을 물렸다. 군의관은 갈고리처럼 구부러진 모양의 가위를 상처에 쑤셔넣은 다음 총알을 찾아 뒤적거렸다. 금속 날붙이가 몸속에 들어와 있는 느낌이 생생했다. 고통이 온몸을 장악했다. 뼈가 시큰거렸다. 더 이상은 못 버티겠다고 생각하는 순간에 군의관이 총알을 확 뽑아냈다. 날카로운 통증이 척추를 타고 허리부터 목까지 이어졌다. 나는 그대로 정신을 잃고 말았다.

다시 정신을 차렸을 때는 다음 날 아침이었다. 약기운이 밀려왔다. 방을 둘러보았다. 탁자 위에는 수술에 사용됐던 도구들이 놓여 있었고, 그 옆에 피에 흠뻑 젖은 천 조각이 있었다. 수술 중에 피를 얼마나 쏟은 것일까? 발에 손을 가져다대니 붕대가 만져졌다. 나는 침대에서 일어나 절뚝거리며 밖으로 나갔다. 밖에는 군인들과 군의관이 앉아 있었다. 내가 물었다. "제 무기는 어디 있습니까?" 군의관이 절구 위에 놓인 G3 소총을 건네주었다. 나는 총을 닦고는 벽에 기대앉아 몇 발 쏘아보았다. 내 발에 감긴 붕대라든가 다른 사람들은 신경 쓰이지 않았다. 나는 마리화나를 피우고 음식을 먹고 코카인과 브라운브라운을 킁킁 들이켰다. 새 기지로 떠나기 전까지 사흘 동안 이런 짓만 반복했다. 떠날 때가 되자 우리는 초가집에 기름을 부은 뒤 성냥으로 불을 붙였다. 건물들 외벽을 향해 RPG도 몇 발 쏘았다. 기지를 버리고 떠날 때면 우리는 늘 이런 식으로 기지를 아무도 사용하지 못하도록 초토화시켰다. 군인 둘이 나를 해먹에 싣고 갔다. 하지만 이번에는 내게 총이 있었다. 숲길을 따라 이동하는 내내 나는 좌우를 경계했다.

새 기지에 도착한 뒤로도 3주 동안 누워서 안정을 취했다. 수색대 지휘는 알하지에게 맡겼다. 나는 쉬는 동안에도 내내 마약을 하고 총을 손질하면서 바쁘게 지냈다. 군의관은 내 상처를 소독할 때마다 늘 "넌 운이 좋아"라고 말했다. 그때만 해도 나는 그 말에 동의하지 못했다. 나는 내가 용맹하고 잘 싸울 줄 알기 때문에 살아남은 줄 알았다. 내가 참여한 전쟁, 아니 그 어떤 전쟁에서든 훈련을 잘 받았다거나 용맹하다는 것이 살아남는 것과 무관하다는 사실을 몰랐다. 훈련을 열심히 받고 용맹해져서 얻을 수 있는 것은 자신이 불사신이 되었다는 착각밖에 없는데도.

그렇게 3주가 지났을 무렵 처음으로 적들이 쳐들어왔다. 중위는 이미 예상하고 있었던 일이었다. 나는 붕대를 단단히 동여매고 총을 챙겨 대오에 합류했다. 적들이 마을 근처에 닿기도 전에 우리가 먼저 기습했고, 우리는 적들을 거의 다 섬멸한 뒤 몇몇을 붙잡아 기지로 데려왔다. 중위가 포로들을 가리키며 나에게 말했다. "자네 발에 난 총알구멍도 다 이 자식들 때문이야. 다시는 자네나 자네 전우에게 총을 겨누지 못하도록 본때를 보여주도록." 포로들 중에 정말 나에게 총을 쏜 사람이 있었는지는 모르겠다. 하지만 당시 내 눈에는 모두가 범인이었다. 포로들 여섯 명은 손이 뒤로 묶인 채 일렬로 서 있었다. 나는 포로들의 발에 총을 쏘고 그들이 하루 종일 고통에 몸부림치는 모습을 지켜보았다. 울부짖는 소리가 거슬리면 머리에 총을 쏴서 입을 다물게 했다. 한 명씩 사살할 때마다 나는 상대를 똑바로 쳐다보았다. 방아쇠를 당기기 전 상대의 눈에서 희망과 두려움이 모두 사라져가는 모습을 지켜보았다. 포로들의 침울한 눈빛에 짜증이 났다.

내가 이야기를 마쳤을 때, 에스터의 눈에는 눈물이 맺혀 있었다. 에스터는 내 머리를 쓰다듬어주어야 할지 나를 껴안아주어야 할지 갈피를 잡지 못하고 머뭇거렸다. 결국 이러지도 저러지도 못한 채 이렇게 말했다. "어떤 일도 네 잘못이 아니었어. 넌 아무것도 모르는 꼬마였을 뿐이야. 무슨 얘기든 하고 싶은 얘기가 있으면 언제든 나를 찾아오렴." 그냥 하는 말이 아니라는 사실을 확신시키고 싶었는지 에스터는 나를 똑바로 바라보며 시선을 마주치려 애썼다. 나는 화가 났다. 누군가에게, 그것도 민

간인에게 내 경험을 털어놓았다는 게 후회스러웠다. 센터 직원
들이 전쟁 이야기만 나왔다 하면 하나같이 내뱉는 '네 잘못이
아니야'라는 말도 신물이 났다.

나는 자리에서 일어나 병원 밖으로 걸어나가려 했다. 에스터
가 말했다. "코노트 병원에 종합검진 잡아놓을게." 그러고는 잠
깐 멈추었다가 덧붙였다. "워크맨은 내가 가지고 있을게. 다른
애들이 샘이 나서 훔칠지도 모르니까. 나는 매일 여기 있을 테
니 음악 듣고 싶으면 아무때나 찾아오렴." 나는 워크맨을 팽개
친 뒤 에스터가 또 "네 잘못이 아니야"라고 말할까 봐 손가락으
로 귀를 막은 채 밖으로 나갔다.

그날 밤 나는 베란다로 나와 앉았다. 안에서는 아이들이 내가
놓친 배구 경기에 관해 떠들고 있었다. 나는 어릴적 기억을 떠
올리려고 안간힘을 썼다. 하지만 불가능했다. 오히려 처음으로
사람 목을 그어버렸을 때가 플래시백처럼 떠오르기 시작했다.
비구름이 잔뜩 낀 새까만 밤하늘에 번개가 내리치듯이 머릿속
에 잔혹한 장면이 번쩍번쩍 모습을 드러냈다. 그럴 때면 날카로
운 비명 소리가 머릿속을 가득 채웠고 척추가 찌릿찌릿 아팠다.
나는 방 안으로 들어가 벽을 마주본 채 침대에 누웠다. 생각 자
체를 멈추려고 했다. 하지만 결국에는 심한 편두통이 찾아왔다.
머리를 차가운 시멘트 바닥에 대고 마구 흔들었으나 편두통은

가라앉지 않았다. 샤워실로 가서 냉수를 틀고 머리를 대보았지만 역시 도움이 되지 않았다. 두통이 너무 심해져 걸을 수 없을 지경이 되었다. 나는 크게 소리내 울기 시작했다. 야간 당직 중이던 간호사가 불려왔다. 간호사가 수면제를 몇 알 주었지만 나는 편두통이 가라앉은 뒤에도 잠을 이루지 못했다. 기어코 나를 찾아올 악몽을 감당할 자신이 없었다.

어쩌다 보니 에스터에게 꿈 이야기를 털어놓게 되었다. 에스터는 내 옆에 가만히 앉아 이야기를 듣기만 했다. 그녀는 뭔가 하고 싶은 말이 있을 땐 먼저 이렇게 물어보았다. "네 꿈에 대해 내가 어떻게 생각하는지 말해줬으면 좋겠니?" 그러면 나는 대개 됐다고 말한 뒤 워크맨이나 달라고 했다.

어느 날 오후, 에스터가 근무일이 아닌데도 센터에 나왔다. 그녀는 하얀 간호사복 대신 청치마를 입고 있었다. 그녀가 타고 온 흰색 도요타에는 남자 두 사람도 같이 타고 있었다. 한 명은 운전사였고 다른 한 명은 CAW(Children Associated with the War, 전쟁피해아동기구)에서 나온 현장 직원이었다. CAW는 유니세프 및 여러 비정부기구와 공조해 베닌홈과 같은 센터를 설립하는 가톨릭계 단체였다.

에스터가 들뜬 목소리로 말했다. "오늘 너 종합검진 받으러 병원에 갈 거야. 병원 들른 다음에는 시내 구경을 시켜줄까 하는데." 그녀가 내게 물었다. "어때?"

내가 "좋죠" 하고 대답했다. 시내라면 언제든 환영이었다. 내가 물었다. "알하지도 같이 가도 돼요?"

그럴 줄 알았다는 듯이 에스터가 말했다. "물론이지."

차를 타고 프리타운으로 가는 길에 현장 직원이 자기소개를 했다. "내 이름은 레슬리란다. 만나서 반가워요, 신사 여러분." 레슬리는 조수석에서 몸을 돌려 우리와 악수를 나누었다. 그러고는 자세를 고쳐 앉아 백미러로 우리를 바라보았다. 뒷좌석 가운데에 앉은 에스터가 나와 알하지를 간지럽혔다. 이따금 우리 어깨에 팔을 두르기도 했다. 내가 애정 표현에 질색하면 에스터는 보란 듯이 양팔을 모두 알하지에게 둘렀다. 내가 고개를 돌리면 팔꿈치로 내 옆구리를 쿡쿡 찌르고는 다시 내게 팔을 둘렀다.

도심에 도착하자 에스터가 손가락으로 우체국, 상점들, 유엔 건물, 코튼트리를 하나하나 짚어주었다. 윌러스 존슨 거리에서는 상인들이 사람들의 관심을 끌기 위해 음악을 크게 틀어놓고 종을 울리고 있었다. 머리 위에 아이스박스를 이고 "차가운 얼음, 차가운 얼음 있어요" 또는 "시원한 진저비어 있어요"라고 외치는 아이들도 있었다. 분주하게 왔다갔다 하는 시민들부터 도시 특유의 왁자지껄한 분위기를 만들어내는 상인들까지, 시내는 언제 봐도 놀라웠다. 헌옷을 파는 어떤 상인이 지나가는 사람들 관심을 끌려고 종을 울리면서 옷을 하늘 높이 던지는 광경을 보고 있을 때, 차가 검사를 받을 병원 앞에 도착했다.

의사는 내 몸에 있는 부상과 총상을 만져보고 눌러보면서 계속 "느낌이 어때?"라고 질문을 던졌다. 슬슬 짜증이 나려는 순간, 의사가 진찰이 끝났다고 말했다. 나는 옷을 챙겨 입은 뒤 에스터, 레슬리, 알하지가 앉아서 기다리고 있는 대기실로 나왔다. 다들 미소를 띠고 있었다. 에스터는 내게 다가와 기운 내라는 듯이 코를 잡아당겼다. 우리는 병원에 오면서 지나쳤던 상점가를 거닐었다. 나는 가판대에 진열된 카세트테이프를 구경하는 데 정신이 팔렸다. 에스터는 알하지와 같이 축구 유니폼을 구경하다가 알하지에게 셔츠를 하나 사주었다. 레슬리는 내게 밥말리 카세트테이프를 사주었다. 〈엑소더스〉 앨범이었다. 어릴 때는 레게 음악을 즐겨 들었지만 듣지 않은 지가 꽤 되었다. 카세트테이프를 들여다보면서 어떤 노래가 있었는지 기억을 떠올리려 하는데 머리가 아프기 시작했다. 에스터가 눈치를 챘는지 카세트테이프를 가져가 자기 가방에 넣었다. 그러고는 물었다. "코카콜라 먹을 사람?" 나는 신이 나 코카콜라 가판대를 향해 달려갔다. 에스터가 우리에게 코카콜라를 한 병씩 사주었다. 이가 시릴 만큼 차가웠다. 나는 센터로 돌아가는 내내 차 안에서 콜라를 음미했다. 기분이 날아갈 듯 좋았고 미소가 떠나지 않았다.

레슬리는 그때가 기회라고 생각했는지 자신이 나를 비롯한 몇몇 아이들을 담당하게 되었다고 말했다. 레슬리가 맡은 일 가운데에는 내가 재활 과정을 마친 뒤에 살 거처를 찾아주는 일이 포함되어 있었다. "언제든 나한테 할 말이 있으면 에스터 누나 사무실을 찾아가렴. 누나가 전화를 연결해줄 거야." 나는 콜라 병을 입에 문 채 알았다고 고개를 끄덕였다.

그날 저녁, 에스터가 집에 돌아가려고 차에 오르기 전에 나를 한쪽으로 불러놓고는 허리를 숙여 내 눈을 똑바로 바라보았다. 나는 시선을 피했지만 에스터는 굴하지 않고 이렇게 말했다. "밥 말리 테이프는 내가 가지고 있다가 내일 다시 가져올게. 그러니까 듣고 싶으면 한번 들러."

그러고는 차에 탄 뒤 손을 흔들면서 떠나갔다. 벌써 축구 유니폼을 입은 알하지는 있지도 않은 축구공을 발로 차는 시늉을 하며 이리저리 뛰어다녔다. 우리가 기숙사 베란다에 들어서자 아이들 모두가 입을 헤벌쭉 벌린 채 알하지의 새 셔츠를 바라보았다. 셔츠는 시에라리온 국기 색깔인 초록색, 흰색, 파란색으로 되어 있었고 뒤쪽에는 등번호 11번이 적혀 있었다. 알하지는 여봐란듯이 뽐내며 베란다를 거닐었다. 그러다가 걸음을 멈추고 자랑스레 외쳤다. "이제 시내 구석구석을 다 알아. 어떤 물건이 어디 있는지 환히 꿰고 있다고."

알하지는 샤워 할 때만 빼놓고 거의 일주일 내내 그 새 셔츠만 입었다. 어디 벗어서 놓아두었다가는 도둑맞을 것 같았던 모양이다. 그러다 어느 순간부터는 그 셔츠를 가지고 다른 아이들한테 장사를 하기 시작했다. 셔츠를 몇 시간 빌려주는 대신 치약, 비누, 점심식사 따위를 받는 식이었다. 주말쯤 되었을 때는 치약이랑 이런저런 물건들이 넘치도록 쌓였고, 알하지는 그것들을 센터에서 멀리 떨어진 노천 시장에 가져다 팔았다.

시내에 다녀온 다음 날이었다. 수업이 끝난 후 나는 구내 병원으로 가서 에스터를 기다렸다. 문간에서 기다리고 있는 나를 본 에스터는 깜짝 놀란 눈치였다. 내 머리를 쓰다듬고는 말했다. "좋은 소식이 있단다. 네 검사 결과가 나왔어. 의사 선생님이 그러는데 큰 문제는 없대. 몇 가지 약만 잘 챙겨 먹다가 몇 달 지나서 다시 검사 받으러 가면 돼." 에스터가 문을 열고 들어갔고 나도 조용히 따라 들어갔다. 에스터는 내가 왜 들렸는지 잘 알고 있었다. 그녀가 내게 밥 말리 카세트테이프와 워크맨을 건네주었다. 게다가 엄청 멋진 공책과 펜도 선물해주었다.

"앨범 듣다가 마음에 드는 곡 있으면 여기에 가사를 적어보렴. 그럼 가사를 보면서 나랑 같이 노래를 따라 부를 수도 있겠지? 물론 네가 원한다면 말이야." 에스터는 그렇게 말하고는 전화 업무를 보기 시작했다.

'내가 노래 가사 적는 걸 좋아하는 줄은 어떻게 알았지?' 하는 생각이 들었지만 물어보지는 않았다. 나중에 재활 과정을 마친 뒤에야 센터 수업을 진행하는 선생님들이 에스터에게 내가 무엇에 관심이 있는지 전해주었다는 사실을 알게 되었다. 짧은 수업 시간 중에 우리는 시험을 보듯 설문지 답안을 작성하곤 했다. 초창기에는 지극히 일반적인 질문들이 나왔다. 아이들이 떠올리고 싶어하지 않는 기억을 자극하지 않기 위해서였다. '어떤 음악을 좋아하나요?' '레게를 좋아하나요?' '만약 그렇다면 어느 가수를 좋아하나요?' '음악을 듣는 이유는 무엇인가요?' 수업 시간이면 이런 질문들을 놓고 이야기를 나누거나 각자 답안지에 답변을 적었다. 그러면 선생님들은 우리가 대답한 내용을 간호사나 상담을 맡은 책임자에게 전달했다.

나는 오후마다 에스터가 센터에 도착하기만을 손꼽아 기다리게 되었다. 에스터를 만나면 그날 내가 외운 가사를 불러주었다. 가사를 암기하는 데 몰두한 덕분에 전쟁 중에 겪은 일들을 떠올릴 일이 줄어들었다. 에스터가 편해지면서 대화도 늘었다. 나는 주로 밥 말리나 런 D.M.C.의 노래 가사에 관해 이야기했다. 에스터는 보통 듣는 쪽이었다. 일주일에 두 번씩은 레슬리도 나를 찾아와 가사 연습을 도와주었다. 레슬리는 라스타파리아니즘(예수를 흑인으로 보고 에티오피아 황제 라스 타파리 마콘넨을 재림 예수로 섬기는 신앙 운동으로서 밥 말리의 종교로도 유명하다—옮긴이) 역사를 들려주기를 좋아했다. 나도 에티오피아 역사가 마음에 들었다. 특히 시바의 여왕이 솔로몬 왕과 만나는 대목을 흥미롭게 들었다. 기나긴 거리를 여행해야 했음에도 기어코 목적지를 향해 나아간 그들의 확고한 투지에 나 역시 공감할 수 있었다. 내 여정도 그들의 여정만큼이나 뜻깊고 즐거움이 가득했다면 얼마나 좋았을까?

노래 가사를 읽다가 잠든 어느 밤이었다. 나는 몇 달째 잠을 제대로 자지 못하고 있었다. 여태까지는 낮이든 밤이든 밥 말리 노래를 듣고 가사를 받아 적는 데 온 신경을 쏟았기 때문에 간신히 악몽을 피해갈 수 있었다. 하지만 그날 밤에는 그때까지 꾸지 않았던 악몽을 꾸고 말았다. 꿈속에서 나는 주니어 형과 함께 마르투종의 어느 강에서 수영을 하고 있었다. 우리 둘은 강바닥까지 잠수해 굴을 땄다. 뭍으로 올라와 굴을 바위 위에 올려놓고는 다시 물속 깊이 들어가 굴을 따기를 반복했다. 우리는 누가 굴을 더 많이 따나 시합을 했고, 주니어 형이 이겼다. 우리는 저녁식사 시간에 맞추어 서로 앞서거니 뒤서거니 하면서 집으로 달려갔다. 집에 도착하니 냄비에 음식이 준비되어 있었다. 하지만 아무도 없었다. 형한테 어떻게 된 일이냐고 물어보려는데 형도 사라지고 없었다. 깜깜한 집에 나 혼자였다. 등을 하나 찾아냈지만 왠지 겁이 났다. 이마에는 식은땀이 맺혔다. 나는 등을 가지고 거실로 갔다. 거실 탁자 위에는 성냥갑이 하나 있었다. 등에 불을 붙였다. 거실이 환해지자, 사방에서 나를 둘러싸고 있는 남자들이 눈에 들어왔다. 어둠 속에서 나를 이미 포위한 상태였다. 남자들은 몸밖에 보이지 않았다. 목 위로는 어두웠다. 마치 머리 없이 걸어다니는 생명체 같았다. 몇 몇은 맨발이었고 몇몇은 군화를 신고 있었다. 모두 총과 칼을 들고 있었다. 그들은 서로 총을 쏘고 칼로 찌르고 목을 베기 시작했다. 쓰러졌다가도 다시 일어나 죽임을 당하기를 반복했다. 피가 거실 바닥을 가득 메우더니 바닷물처럼 빠르게 차올랐다. 남자들이 흑흑 흐느끼는 소리가 귀를 후벼팠다. 귀를 막고 울음소리를 무시하려 했지만 그들이 느끼는 고통이 마치 내 일처럼 옮아오기 시작했다. 누군가 칼에 찔릴 때마다 내가 느끼는 고통도 더해졌다. 누군가 몸에서 피를 흘릴 때마다 내 몸에서도 같은 부위에서 피가 뚝뚝 떨어졌다. 거실을 가득 채운 피바다 속에서 나는 울음을 터뜨렸다. 그러자 남자들이 사라지고 문이 확열렸다. 피가 홍수처럼 거실을 빠져나갔다. 나는 온몸에 피를 뒤집어쓴 채 밖으로 나갔다. 밖에 엄마와 아빠, 형과 동생이 있었다. 다들 아무 일도 없었다는 듯이, 쭉 같이 있었다는 듯이 웃음을 짓고 있었다.

아빠가 나에게 말했다. "사고뭉치 씨, 좀 앉아보렴."

엄마가 빙그레 웃으면서 말했다. "내버려둬요."

나는 아빠를 마주보고 앉았다. 하지만 밥이 넘어가지 않았다. 정신이 아득해졌다. 내가 피범벅인데도 식구들은 신경 쓰지 않는 것 같았다. 갑자기 비가 오기 시작했다. 식구들은 나만 밖에 남겨둔 채 집으로 들어갔다. 나는 한동안 빗속에 우두커니 앉아 있었다. 비가 내 몸에서 피를 씻어냈다. 이제 일어나 집으로 들어가려고 하는데 집이 사라지고 없었다.

어리둥절해서 주위를 둘러보다가 꿈에서 깼다.

침대 아래로 떨어져 있었다.

나는 자리에서 일어나 기숙사 밖으로 나갔다. 현관 층계에 앉아 밤하늘을 올려다보았다. 내가 꿈을 꾼 것인지 아닌지 아직도 헷갈렸다. 전쟁을 피해 달아나기 시작한 이래로 가족 꿈은 처음이었다.

다음 날 오후 에스터를 만나러 갔다. 에스터는 뭔가가 내 신경을 건드리고 있다는 사실을 알아차린 것 같았다. 그녀가 속삭이듯 말했다. "침대에 누울래?"

내가 눈길을 돌리면서 말했다. "어젯밤에 꿈을 꿨는데요. 그 꿈을 어떻게 생각해야 할지 모르겠네요."

에스터가 내 옆으로 다가와 앉은 후 물었다. "어떤 꿈이었는지 얘기해줄래?"

나는 얼른 대답하지 못했다.

"아니면 그냥 내가 여기 없다 치고 큰 소리로 말해보든지. 난 아무 말도 안 할게. 네가 부탁하지 않는 이상 말이지." 에스터는 내 옆에 조용히 앉아 있기만 했다. 한동안 침묵이 이어졌다. 그러다 내가 나도 모르게 꿈 이야기를 시작했다.

에스터는 처음에는 그저 듣기만 하다가 이야기가 진행될수록 내가 전쟁 전이나 전쟁 중에 어떤 삶을 살았는지 털어놓도록 유도 질문을 한두 개씩 던졌다. 화제를 하나씩 끝마칠 때마다 에스터는 단호한 표정으로 말했다. "그 무엇도 네 잘못이 아니야." 센터 직원 모두에게 들어본 말이었다. 솔직히 그 말을 들을 때마다 짜증이 났다. 하지만 바로 이날부터 그 말을 진심으로 받아들이게 되었다. 진정성이 담긴 에스터의 목소리 덕분에 드디어 그 말이 내 마음과 정신 속에 스며들기 시작한 것이다. 물론 내가 저지른 짓에 대한 죄책감이 씻은 듯 사라지지는 않았다. 하지만 천근만근 나를 짓누르던 기억들이 한층 가벼워졌고 무언가를 깊이 생각할 수 있는 힘이 생겨났다. 사실 내가 겪었던 경험을 털어놓으면 털어놓을수록 세세한 내용에서 드러나는 잔혹성 때문에 스스로가 점점 부끄러워졌다. 물론 겉으로 티를 내지는 않았다. 에스터를 백 퍼센트 신뢰하지는 못했다. 하지만 에스터에게 이야기를 들려주는 것은 좋았다. 전쟁 중에 내가 한 일을 가지고 나를 판단하지 않는다는 느낌을 받았기 때문이다. 에스터는 늘 환영한다는 눈빛과 미소로 나를 바라보았다. 마치 '넌 어린 소년일 뿐이야'라고 말하는 것 같았다.

어느 날 저녁, 에스터가 나를 자기 집으로 데려가 저녁밥을 해주었다. 저녁을 먹은 후에 우리는 시내로 산책을 나갔다. 로던 거리 끝에 있는 부두까지 갔다. 밤하늘에는 달이 환하게 떠 있었고 우리는 방파제에 앉아 달을 바라보았다. 나는 에스터에게 내가 훨씬 어렸을 때 달을 보며 찾아냈던 그림들에 관해 말해주었다. 에스터는 내 이야기에 푹 빠졌다. 우리는 달을 보면서 어떤 그림이 보이는지 서로에게 들려주었다. 내 눈에는 어렸을 때와 마찬가지로 여자가 아기를 품고 있는 모습이 보였다. 에스터의 집으로 돌아가는 길에 나는 더 이상 도시를 밝히는 불빛을 바라보지 않았다. 그 대신 하늘을 바라보았다. 달이 우리를 쫄래쫄래 따라오는 것 같았다.

어렸을 적에 할머니는 하늘을 들여다보고 하늘에 귀를 기울이는 사람들은 하늘이 하는 말을 들을 수 있다고 말씀하셨다. "언제든 하늘을 보면 모든 것에 대한 해답과 설명을 찾을 수 있단다. 고통이든 고난이든 기쁨이든 혼란이든 무엇에 관해서든 말이야." 에스터와 함께 길을 걸어가던 그날 밤, 나는 하늘이 내게 말을 걸어주기를 간절히 원했다.

18

　베닌홈에서 지낸 지 다섯 달째 되던 날이었다. 교실 뒤에 있
는 바위 위에 앉아 있는데 에스터가 나를 찾아왔다. 에스터는 말
없이 내 옆에 앉았다. 그녀의 손에는 내 가사 공책이 들려 있었
다. 내가 천천히 말했다. "이제 뭘 위해 살아야 할지 잘 모르겠어
요. 저한테는 가족이 없잖아요. 저 혼자예요. 내 유년 시절이 어
땠는지 얘기해줄 사람은 없을 거예요." 나는 살짝 훌쩍거렸다.
　에스터가 내 어깨에 팔을 두르고는 나를 자기 쪽으로 끌어당
겼다. 자기를 보아달라는 듯이 나를 살짝 흔들고는 말했다. "나
를 네 가족이라고 생각하렴. 누나는 어때?"
　"저한테는 누나가 없는데요."
　"뭐, 이제 생긴 거지. 새로 가족을 만든다는 게 얼마나 아름다
운 일인지 경험해보렴. 앞으로 다른 가족도 찾을 수 있을 거야."

에스터가 나를 똑바로 바라보면서 대답을 기다렸다.

"그래요. 에스터가 내 누나 하세요. 임시로요." 나는 마지막 말을 강조했다.

"난 좋아. 그럼 내일 임시 누나 보러 오는 거다? 제발?" 에스터는 내가 싫다고 하면 울어버리겠다는 듯이 얼굴을 가렸다.

"알겠어요. 알겠어요. 울지 말아요." 우리는 피식 웃음을 터뜨렸다.

에스터가 웃을 때면 늘 아비게일이 떠올랐다. 아비게일은 내가 보 마을에 있는 중학교를 다닐 때 첫 두 학기 동안 사귀었던 여자아이다. 때로는 '에스터가 아비게일이었으면' 하고 바랐다. 그러면 같이 전쟁 전의 추억을 나눌 수 있었을 테니까. 아비게일과 그랬듯이 에스터와도 아무 걱정 없이 오래도록 실컷 웃고 싶었다. 하지만 그럴 수 없었다. 웃음을 터뜨리고 나면 늘 어김없이 우울한 감정이 스멀스멀 밀려왔다.

이따금 정신없이 서류 작업을 하고 있는 에스터를 뚫어져라 바라보았다. 그럴 때면 에스터는 자기 얼굴에 머무르는 내 시선을 의식하고는 내 쪽을 보지도 않은 채 꼬깃꼬깃 접은 종이를 집어던졌다. 그러면 나는 씩 미소를 짓고는 아무것도 적히지 않은 종이가 소중한 편지라도 되는 양 주머니에 주섬주섬 집어넣었다.

그날 오후, 에스터는 내가 앉아 있는 바위를 떠나 건물 뒤로 사라지기 전까지 연신 뒤를 돌아보면서 내게 손을 흔들어주었다. 나도 미소로 화답했다. 그 순간만큼은 내 외로움을 잊을 수 있었다.

다음 날, 에스터 누나가 센터에 손님들이 방문할 것이라고 알려주었다. 센터 직원들은 아이들에게 장기자랑을 준비해달라고 부탁했다. 누구든 자기가 잘하는 것을 하나씩 선보여야 했다.

에스터 누나가 제안했다. "너는 레게 노래 부르면 되겠네."

내가 물었다. "셰익스피어 독백은 어때요?"

누나가 내 어깨에 팔을 두르면서 말했다. "나쁘지 않지. 그래도 내 생각엔 노래를 안 하기엔 너무 아까운데." 나는 누나가 너무 좋았지만 겉으로 티를 내지는 않았다. 누나가 나를 안아주거나 내게 팔을 두르면 재빨리 빠져나갔다. 그러면서도 누나가 떠날 때면 누나 뒷모습을 빤히 지켜보았다. 누나는 걸음걸이가 독특하고 우아했다. 마치 땅 위를 미끄러지듯 떠다니는 것 같았다. 나는 수업을 마치고 나면 항상 누나에게 달려가 그날 일을 들려주었다. 맘부와 알하지는 까불까불 나를 놀렸다. "이스마엘, 네 여자친구 오셨다. 오늘 오후에도 네 얼굴 보기는 글렀군."

어느 날 오후, 센터에 차들이 줄지어 들어왔다. 예정대로 유럽위원회, 유엔, 유니세프 등 여러 비정부기구에서 온 손님들이 도착한 것이었다. 정장을 입은 사람들이 센터를 둘러보기 전에 서로 악수를 나누었다. 어떤 아이들은 신기한 듯 그들 뒤를 쫄쫄 따라다녔지만, 나는 맘부랑 같이 베란다에 앉아 있었다. 하나같이 웃는 얼굴을 한 손님들은 이따금 넥타이를 고쳐 매거나 메모지에 필기를 했다. 그들 중 몇몇은 우리 기숙사를 살펴보았으며, 어떤 사람들은 재킷을 벗고 아이들과 팔씨름이나 줄다리기를 하기도 했다. 그런 다음 센터 직원들이 손님들을 식당으로 안내했다. 식당은 장기자랑을 위해 꽤나 멋들어지게 꾸며져 있었다. 카마라 센터장님이 몇 마디 소개말을 한 뒤 장기자랑이 시작되었다. 브라 거미 이야기나 괴물 이야기를 들려주는 아이들도 있었고 자기 부족 전통춤을 추는 아이들도 있었다. 나는 『줄리어스 시저』에 나오는 독백을 읊었다. 그리고 과거에 소년병이었던 아이가 구원에 이르는 과정을 그린 짤막한 힙합 공연도 했다. 에스터 누나가 독려해준 덕분에 내가 직접 대본을 쓴 공연이었다.

장기자랑 이후로 나는 센터에서 유명인사가 되었다. 어느 날 아침, 카마라 센터장님이 나를 사무실로 불러 말씀하셨다. "손님들이 너랑 친구들 공연을 보고 깊이 감명을 받으셨다고 하는구나. 너희들이 얼마든지 재활에 성공할 수 있다는 사실을 확신하신 것 같아." 나는 그저 다시 공연을 할 수 있었다는 사실이 행복했다. 그것도 평화로운 분위기 속에서 말이다. 하지만 센터장님은 한층 더 들뜬 상태였다.

"너한테 센터 대변인 역할을 맡기고 싶은데 어때?"

내가 망설이며 물었다. "어, 제가 뭘 해야 하는데요?" 나에게는 너무나 과분한 일이라는 생각이 들었다.

"음, 소년병 문제를 다루는 행사가 있으면 일단 처음에는 우리가 읽을거리를 적어서 줄게. 나중에 여유가 생기면 네가 직접네 연설을 짜도 돼. 하고 싶은 말이라면 무엇이든." 센터장님의진지한 얼굴을 보니 진심으로 하는 말이었다. 그로부터 일주일이 채 지나지 않아 나는 프리타운에서 열리는 모임에 참석해 소년병 착취가 어떻게 이루어지고 있는지, 착취를 어떻게 막아야하는지 연설을 했다. "우리는 재활할 수 있습니다." 내가 늘 강조한 말이다. 그럴 때면 그 사례로서 나를 가리켰다. 나는 늘 사람들에게 말했다. 기회만 주어진다면 아이들은 역경을 극복할회복력을 가지고 있다고.

센터에서 만 여섯 달을 지냈을 무렵이었다. 내 소꿉친구 모하메드가 센터에 들어왔다. 모하메드를 마지막으로 본 것이 탈로이와 주니어 형과 함께 마트루종으로 공연을 하러 모그브웨모를 떠났을 때였다. 모하메드는 아버지를 도와 부엌 수리를하느라 그날 우리와 함께 가지 못했다. 모하메드는 어떤 일을겪었을까 궁금했던 적이 많지만 다시 만날 수 있으리라고는 생각지도 못했다. 내가 세인트에드워드중학교에서 열린 모임에

갔다가 저녁에 센터로 돌아왔을 때였다. 현관 계단에 웬 소년
이 앉아 있었다. 피부색이 밝고 광대뼈가 툭 튀어나온 깡마른
소년이었다. 친숙한 얼굴이었지만 내가 아는 사람이 맞나 확신
이 들지는 않았다. 그에게 가까이 다가가자 소년이 펄쩍 뛰어
오르며 소리쳤다.

"야! 나 기억해?" 그러고는 러닝맨 동작을 하면서 〈히어 컴즈
더 해머〉를 부르기 시작했다.

나도 합세했다. 그 곡에 맞추어 연습했던 군무도 몇 동작 같이
추었다. 우리는 서로 하이파이브를 한 뒤 와락 껴안았다. 모하
메드는 여전히 나보다 키가 컸다. 우리는 같이 계단에 앉아 개구
쟁이 어린 시절 얘기를 짤막하게 나누었다. 모하메드가 먼 산을
바라보며 말했다. "이따금 찬란했던 그 시절이 떠올라. 장기자
랑에 나가 춤추고 새로운 동작을 배우고 날이 새도록 축구를 하
고⋯⋯. 다 까마득한 옛날 일 같아. 되게 기분이 이상해. 알지?"

"알지, 알지⋯⋯."

모하메드가 내 과거를 일깨웠다. "너 참 골칫덩어리였는데."

"알지, 알지⋯⋯."

재활센터에서의 일곱째 달이 시작되었다. 레슬리 아저씨가
나랑 대화를 나누러 센터에 들렀다. 나더러 구내 병원으로 오라
고 해서 가보니, 아저씨가 방에서 나를 기다리고 계셨다. 내가

들어가자 아저씨가 일어나서 나를 반겼다. 아저씨의 얼굴은 반은 슬퍼 보이고 반은 기뻐 보였다. 무슨 일인지 궁금했다.

"괜찮으세요?" 나는 그렇게 말하고는 아저씨를 찬찬히 훑어보았다.

"괜찮아." 아저씨가 머리를 긁적이면서 혼자 뭐라고 중얼거리다 내게 말했다. "이 문제를 다시 끄집어내서 미안하다. 썩 달갑지는 않겠지만 나로서는 솔직히 말해줘야 하니까." 그러고는 방을 이리저리 거닐다가 다시 말을 이었다. "네 직계가족을 아무도 찾지 못했단다. 남은 방법은 이 도시에서 수양가족을 찾는 것뿐이야. 그래도 괜찮았으면 좋겠구나. 나는 네가 재활을 마친 뒤에도 새 인생을 잘 살고 있나 계속 지켜볼 테니 걱정 말고." 아저씨가 자리에 앉아 나를 바라보면서 덧붙였다. "뭐 하고 싶은 말이라든가 질문 있니?"

"네, 있어요." 나는 아빠가 프리타운에 사는 삼촌 얘기를 하신 적이 있다고 알려드렸다. 물론 나는 삼촌 댁이 정확히 어디 있는지는 고사하고 삼촌 얼굴도 몰랐다.

레슬리 아저씨가 물었다. "삼촌 성함이 어떻게 되시는데?"

"토미요. 그리고 아빠 말로는 목수시래요."

아저씨는 이 베일에 싸인 삼촌 이름을 공책에 휘갈겨 적었다. 그러고는 말했다. "뭐라 약속은 못 하겠다만 찾을 수 있는 데까지는 찾아보마. 금방 다시 올게." 아저씨가 잠깐 말을 멈추었다가 내 어깨를 두드리며 덧붙였다. "요즘 잘 지낸다고 들었어. 계속 힘 내렴."

그러고는 밖으로 나가셨다. 그렇게 거대한 도시에서 삼촌을 찾을 수 있으리라고는 기대하지 않았다. 내가 알려드린 정보는 빈약하기 짝이 없었으니까. 나는 방에서 나와 건물 반대편에 있는 에스터 누나를 만나러 갔다. 누나는 벽에 걸린 캐비닛마다 새로 들어온 붕대와 약품을 정리해 넣느라 정신이 없었다. 문간에 서 있는 나를 보고는 얼굴에 미소를 지었지만 계속 일을 하느라 바빴다. 나는 자리에 앉아서 누나가 일을 마칠 때까지 기다렸다.

누나가 마지막 약 상자를 다 정리한 다음 물었다. "레슬리 아저씨랑은 어땠어?" 나는 아저씨가 한 말을 그대로 들려주었다. 끝에는 아저씨가 삼촌을 찾아낼 수 있을지 썩 확신이 안 선다고 말했다. 누나가 귀 기울여 듣다가 말했다. "혹시 모르지. 찾을 수 있을지도."

토요일 오후였다. 에스터 누나랑 모하메드랑 같이 수다를 떨고 있는데 레슬리 아저씨가 함박웃음을 지으며 들어오셨다. 나는 수양가족을 찾아서 날 '복귀'(소년병이었던 아이를 다시 사회로 돌려보내는 과정을 가리키는 표현)시키는 게 가능해졌나 보다 추측했다. 에스터 누나가 물었다. "좋은 소식 있어요?" 레슬리 아저씨가 호기심 가득한 내 얼굴을 들여다보더니 다시 문 쪽으로 가서 문을 열었다. 그러자 키가 큰 남자가 걸어 들어왔다. 남자는 어린아이처럼 꾸밈없이 활짝 웃고 있었고, 손이 길쭉했다. 남자가 미소를 지으며 나를 똑바로 바라보았다. 우리 아빠처럼 피부색이 밝지는 않았다.

레슬리 아저씨가 자랑스레 말했다. "이분이 네 삼촌이시란다."

남자가 말했다. "이스마엘, 잘 지냈니?" 그러고는 내가 앉아 있는 곳으로 다가와, 몸을 굽히고 나를 꼭 끌어안았다. 내 팔은 몸통 옆에 대롱대롱 늘어져 있었다.

'가짜로 내 삼촌 행세를 하는 사람이면 어떡하지?' 하고 생각했다. 남자가 꼭 껴안고 있던 나를 놓아주었다. 그는 울고 있었다. 그제야 그가 정말 내 가족이라는 믿음이 들었다. 눈물에 진심이 담겨 있었고 우리 문화권에서 다 큰 남자가 우는 일은 흔하지 않았기 때문이다.

남자가 내 옆에 웅크리고 앉아 말했다. "세월이 이렇게 많이 흘렀는데 이제야 너를 만나러 와서 미안하다. 더 일찍 만났으면 좋았으련만. 하지만 이제 와서 시간을 되돌릴 수는 없지. 지금부터라도 새로 시작하는 수밖에. 가족 일은 정말 유감이다. 레슬리 씨한테 다 들었어." 남자는 감사한 마음을 가득 담은 눈으로 레슬리 아저씨를 바라보고는 다시 말을 이어나갔다. "재활을 마치면 우리 집으로 가서 같이 살자꾸나. 이제 넌 내 아들이야. 내가 가진 것은 얼마 없지만 너에게 잘 곳과 먹을 것, 사랑은 줄 수 있단다." 그러고는 내 어깨에 팔을 둘렀다.

누가 나를 '아들'이라고 불러준 것이 얼마만인지. 뭐라 말해야 할지 얼떨떨했다. 하지만 다들 내 반응을 기다리고 있는 것 같았다. 나는 남자에게 미소를 지어 보이며 말했다. "절 보러 와주셔서 감사해요. 같이 지내자고 말씀해주셔서 특히 더 감사하고요. 하지만 저는 아저씨가 누군지도 모르는걸요." 그러고는 고개를 푹 숙였다.

남자가 대답했다. "아까 말했듯이 과거를 되돌릴 수는 없어. 하지만 지금부터 새로 시작할 수는 있지. 우리는 가족이고, 서로를 알아가는 데에는 그거면 충분해." 그는 내 머리를 쓰다듬으면서 살짝 웃었다.

나는 자리에서 일어나 삼촌을 안았다. 삼촌은 아까보다 더 세게 나를 끌어안고는 내 이마에 입을 맞추었다. 그렇게 말없이 잠깐 서 있는데 삼촌이 다시 입을 열었다. "멀리서 처리해야 할 일이 있어서 오늘은 오래 있지 못한단다. 하지만 이제부터 주말마다 너를 보러 올게. 그리고 너만 괜찮다면 언젠가 우리 집에도 가보면 좋겠구나. 내가 어디 사는가도 보고 내 아내랑 아이들도, 그러니까 네 가족도 만날 수 있게." 삼촌의 목소리가 떨렸다. 그는 흐느낌을 참으려고 애쓰고 있었다. 그가 한 손으로는 내 머리를 쓰다듬으면서 다른 손으로 레슬리 아저씨와 악수를 했다.

레슬리 아저씨가 말했다. "선생님, 오늘부터 이 친구가 어떻게 지내는지 꾸준히 전달해드릴게요."

삼촌이 대답했다. "고맙습니다." 나는 삼촌 손을 잡은 채 삼촌과 아저씨가 타고 온 밴까지 배웅을 나갔다. 삼촌은 차에 오르기 전에 다시 한 번 나를 안아주고는 말했다. "너희 아빠를 꼭 닮았구나. 어릴 때 네 아빠 모습을 보는 것 같아. 너희 아빠처럼 고집이 세지는 않았으면 좋겠네." 우리는 웃음을 터뜨렸다. 에스터 누나와 모하메드와 나는 떠나는 두 사람을 향해 손을 흔들었다.

밴이 멀리 사라지자 에스터 누나가 말했다. "좋은 분 같구나."

모하메드도 말했다. "축하해, 친구. 난리통에 이렇게 멀리 떨어진 도시에서 가족을 얻었네."

나는 "그런 것 같네"라고 대답했지만, 행복할 때 어떻게 행동해야 하는지 알지 못했다. 행복은 언제든 덧없이 망가질 수 있다고 생각했기 때문에 마음을 놓기가 여전히 망설여졌다.

모하메드가 내 귀를 잡아당기며 말했다. "이봐, 기운 내라고." 그러고는 누나랑 같이 나를 번쩍 들어올려 깔깔대면서 병원까지 데리고 갔다. 병원에 도착하자 누나는 워크맨에 밥 말리 테이프를 집어넣었다. 우리는 다 같이 〈쓰리 리틀 버즈〉를 따라 불렀다. "아무것도 걱정하지 말아요. 사소한 것 하나하나 다 괜찮아질 테니까……."

그날 밤 나는 맘부, 알하지, 모하메드와 함께 베란다에 앉아 시간을 보냈다. 여느 때와 다름없이 우리는 말이 없었다. 도시 어디선가 들려오는 앰뷸런스 사이렌 소리가 침묵을 집어삼켰다. 지금 이 순간 삼촌은 무얼 하고 계실까 궁금해졌다. 가족을 불러모아놓고 나에 대해 이야기하고 계시지는 않을까 상상했다. 상상 속에서 삼촌은 내 이야기를 하다 흐느껴 울기 시작했다. 다른 가족들도 이야기에 몰입해 하나둘 눈물을 흘렸다. 마음 한구석에서는 나를 만나기 전에 그들이 실컷 울어두었으면 좋겠다는 생각이 들었다. 누군가 내가 겪은 일을 두고 울음을 터뜨릴 때면 늘 마음이 불편했기 때문이다. 알하지와 맘부를 바라보았다. 둘은 밤하늘을 응시하고 있었다. 삼촌을 찾았다고 이야기해주고 싶었지만 말을 삼갔다. 아직 가족을 전혀 찾지 못한 친구들에게 괜히 미안한 마음이 들었기 때문이다. 게다가 앰뷸런스가 왱왱 우는 소리가 희미해진 뒤 다시 찾아온 침묵을 깨고 싶지 않았다.

삼촌은 약속대로 주말마다 나를 보러 센터에 오셨다.

삼촌을 처음 만난 바로 다음 주였다. 저 멀리 삼촌을 발견한 내가 에스터 누나에게 말했다. "삼촌이 오고 계셔요. 망고나무 옆길을 따라 걸어오시는 걸 봤어요."

누나가 펜을 내려놓으면서 말했다. "들떠 보이는구나." 누나는 내 얼굴을 찬찬히 들여다보고는 말을 이었다. "내가 좋은 분 같다고 했잖니."

삼촌이 문을 열고 들어와 땀에 젖은 이마를 손수건으로 닦고는 나를 안아주셨다. 삼촌은 나를 안은 채로 누나에게도 인사를 했다. 포옹을 풀고 나니 삼촌 얼굴에 활짝 피어 있는 미소가 눈에 들어왔다. 덩달아 나도 긴장이 풀리고 얼굴에 미소가 그려졌다. 삼촌이 배낭을 바닥에 내려놓더니 배낭에서 비스킷과 진저비어 한 병을 꺼내셨다.

"나랑 같이 산책하려면 연료가 필요할 것 같아서 말이야." 삼촌이 내게 선물을 건네면서 말씀하셨다.

에스터 누나가 제안했다. "자갈길을 따라 언덕까지 가보세요." 우리 둘은 알았다고 고개를 끄덕였다.

누나가 삼촌에게 말했다. "돌아오실 때쯤에는 제가 여기 없을 거예요. 다시 봬서 반가웠어요." 그러고는 나에게 말했다. "내일 보자."

삼촌과 나는 병원을 나와 누나가 추천한 방향으로 걷기 시작했다. 처음에는 서로 말이 없었다. 나는 자박자박 흙길을 밟는 발소리에 귀를 기울였다. 도마뱀들이 후다닥 길을 가로질러 근처 망고나무로 올라가는 소리도 들렸다. 삼촌이 나를 보고 있다는 느낌이 들었다.

삼촌이 물었다. "지내는 건 어때? 여기 분들은 다들 잘 대해주시니?"

내가 대답했다. "다 좋아요."

"네가 너희 아빠만큼 과묵하지는 않았으면 좋겠는데." 삼촌이 다시 이마를 닦고 물으셨다. "아빠가 집안 얘기를 해주신 적 있니?"

"가끔씩요. 제가 알고 싶은 만큼 충분히는 아니었지만요." 고개를 들자 삼촌과 잠깐 눈이 마주쳤다. 자상하고 너그러운 눈빛이었다. 나는 얼른 고개를 돌렸다. 언덕 아래로 다가갈수록 자갈길이 점점 좁아졌다. 나는 아빠가 어린 시절 말썽 부린 이야기를 들려주실 때면 늘 삼촌도 등장했다고 말했다. 그 중에는 아빠가 삼촌이랑 같이 장작을 구하러 숲에 갔다가 실수로 벌집을 건드렸던 이야기가 있었다. 매섭게 쫓아오는 벌들 탓에 두 분은 부리나케 마을을 향해 달려가야 했다. 아빠가 삼촌보다 키가 작은 편이었기 때문에 벌들은 대부분 삼촌 머리를 노렸다. 두 분은 강을 발견하고는 냅다 물속에 뛰어들었다. 하지만 벌들은 물 위에 둥글게 모여서는 아빠랑 삼촌이 물 밖으로 나올 때까지 기다렸다. 더 이상 숨을 참을 수 없었던 둘은 물 밖으로 나와 다시 마을까지 달려갔다. 벌들은 마을까지 끈질기게 쫓아왔다.

"그래, 기억나는구나. 마을까지 벌을 달고 왔다고 다들 우리한테 화를 냈지. 정작 벌에 쏘인 건 제대로 뛰지도 못하는 어르신들이나 어린아이들이었거든. 너희 아빠랑 나는 집에 들어가

문을 잠그고 침대 밑에 숨었단다. 침대 밑에서 둘이 어찌나 웃었던지.” 삼촌이 킥킥거렸다. 나도 참지 못하고 웃음을 터뜨렸다. 삼촌이 웃음을 멈추고는 한숨을 쉬면서 말씀하셨다. “하, 너희 아빠랑 나랑 둘이서 동네 사고는 다 치고 다녔지. 그러니 너도 우리만큼 사고뭉치였다고 해도 좀 봐주마. 내가 너한테 뭐라고 하는 건 공평하지가 않지.” 그러고는 내 어깨에 팔을 두르셨다.

내가 슬프게 말했다. “사고 치면서 놀던 시절은 한참 전에 지나간 것 같네요.”

삼촌이 말씀하셨다. “아이고, 넌 아직도 꼬마 아이야. 아직 좀 더 말썽 피워도 돼요.” 다시 침묵이 흘렀다. 늦바람이 나무 사이를 윙 하고 지나갔다.

삼촌이랑 산책하는 시간이 너무 좋았다. 내 유년 시절에 관해, 아빠랑 형이랑 함께 지내던 때에 관해 이야기할 기회가 생겼기 때문이다. 내게는 전쟁에 휘말리기 전 좋았던 시절에 관해 이야기할 수 있는 사람이 필요했다. 하지만 아빠 이야기를 하면 할수록 엄마랑 남동생이 너무 보고 싶어졌다. 따로 살았던 엄마랑 남동생과는 내 유년 시절을 거의 공유하지 못했다. 이미 기회를 놓치기도 했지만 앞으로도 영영 기회를 얻지 못할 것이라는 사실이 나를 슬프게 했다. 삼촌한테 이런 이야기를 하니 삼촌은 가만히 듣고만 계셨다. 우리 엄마와 남동생을 보신 적이 없으니 그러실 만도 했다. 삼촌은 간극을 채우고 싶으셨는지 마트루종에서 우리 가족이 다 같이 살 때 이야기를 해달라고 하셨다. 하지만 내가 한참 어릴 때 부모님이 헤어지셨기 때문에 딱히 들려드릴 이야기가 많지는 않았다.

같이 산책을 하면서 삼촌이랑 꽤 가까워졌다. 나는 주말에 삼촌이 오시기만을 손꼽아 기다리게 되었다. 삼촌은 늘 선물을 챙겨 오셨고 그 주에 있었던 일들을 들려주셨다. 누구네 집 지붕을 지었다는 이야기, 내일 광만 내면 멋들어진 탁자가 완성된다는 이야기, 사촌들이 학교 공부를 잘한다는 이야기도 하셨다. 숙모 안부를 전해주는 것도 빼놓지 않으셨다. 그러면 나는 탁구나 축구 경기를 한 이야기라든가 센터 손님들을 위해 공연을 한 이야기를 들려드렸다. 똑같은 자갈길을 삼촌이랑 하도 많이 걸어서 눈을 감고도 길 위의 바위를 피해 다닐 정도가 되었다.

어느 주말, 삼촌이 나를 자기 집으로 데려가 가족들을 소개해주었다. 땅에 그림자도 생기지 않을 만큼 해가 높이 뜬 토요일이었다. 삼촌 가족은 뉴잉글랜드라는 동네에 살았다. 프리타운 서부에 있는 언덕이 많은 동네였다. 삼촌은 나를 데리러 평소보다 일찍 센터에 오셨다. 우리는 시끄러운 화물차를 타고 도심으로 향했다. 가는 동안 얼마간은 서로 말이 없었다. 하지만 이내 웃음을 터뜨렸다. 옆에 타고 있던 남자 둘이 우뚝 선 야자나무에서 뽑은 야자주가 맛있는지 고꾸라진 야자나무에서 뽑은 야자주가 맛있는지 열띤 논쟁을 벌였기 때문이다. 두 남자의 말싸움은 우리가 화물차에서 내리는 순간까지도 끝나지 않았다. 삼촌은 내 어깨에 팔을 두른 채 집을 향해 천천히 걸어갔다. 삼촌과 함께 걸어가는 내내 행복했다. 하지만 한편으로는 삼촌 식구들도 삼촌처럼 소년병 시절 이야기는 전혀 묻지 않고 거리낌 없이 나를 받아들여줄 수 있을까 걱정스러웠다.

언덕을 올라 삼촌 집이 가까워지자 삼촌이 나를 한편에 세워놓고 말씀하셨다. "네가 소년병이었다는 얘기는 아내한테만 했단다. 아이들한테는 비밀로 했어. 아직 아내나 나만큼 잘 이해할 수 있을 것 같지는 않아서 말이야. 그래도 네가 괜찮았으면 좋겠는데." 도리어 마음이 놓인 나는 고개를 끄덕였다. 우리는 다시 발걸음을 옮겼다.

모퉁이를 돌아 비탈진 자갈길을 오르자마자 삼촌 집이 나타났다. 시내가 내려다보이는 위치였다. 베란다에서는 만에 정박한 선박들이 눈에 들어왔다. 내 보금자리가 될 이곳 도시 경관은 정말 아름다웠다. 삼촌 집에는 전기나 수도 시설이 없었다. 집과 따로 떨어져 있는 부엌은 전체가 다 아연으로 만들어졌다. 마당에서 몇 미터 떨어진 망고나무 아래에는 변소와 쿨레(옥외 샤워장)가 있었다. 마트루종에 온 것만 같았다.

베란다에 들어서자 평생 광을 낸 것처럼 환하게 빛나는 얼굴로 숙모가 나오셨다. 숙모는 문간에 서서 치마를 단단히 여민 뒤에 내게 다가와 나를 꼭 껴안아주셨다. 코와 입술이 숙모 팔에 눌려 으깨지는 줄만 알았다. 숙모가 포옹을 풀고 뒤로 살짝 물러나 내 양쪽 볼을 꼬집었다.

"환영해, 우리 아들." 키가 작은 숙모는 새까만 피부, 둥근 광대뼈, 초롱초롱한 눈빛을 가지고 있었다. 삼촌 부부는 직접 낳은 자식이 없었다. 그 대신 집안 식구들 자식을 친자식처럼 기르고 계셨다. 아이들은 모두 네 명이었다. 나이 순서대로 알리, 머틸다, 코나, 솜보였다. 막내 솜보가 여섯 살이었다. 넷은 하던 일을 멈추고 베란다로 나와, 삼촌에게 소개받은 자기 '형제'를 안아주었다.

알리가 나를 꼭 안아준 다음 말했다. "식구 중에 남자아이가 늘게 된 것, 대환영!" 그는 삼촌과 함께 웃음을 터뜨렸고 나도 미소를 지었다. 그날 오후에 나는 거의 입을 열지 않았다. 인사를 마친 뒤 아이들은 다시 각자 할 일을 하러 갔고 나는 삼촌이랑 숙모랑 같이 베란다에 앉았다. 집에서 보이는 시내 경관이 너무 아름다워 눈을 떼기 어려웠다. 이따금 내가 삼촌 쪽을 돌아보면 삼촌은 어김없이 활짝 웃고 있었다. 숙모는 커다란 접시에 밥, 생선, 스튜, 플랜테인(후식용 바나나와 달리 단 맛이 덜하고 녹말이 많은 요리용 바나나─옮긴이)을 쉴 새 없이 내오셨다. 어찌나 많이 먹었는지 배가 불룩 나올 정도가 되었다. 식사를 마친 뒤에는 삼촌이 나를 작은 마당으로 데리고 나와 목공용 연장과 마당 대부분을 차지하고 있는 작업대를 보여주셨다.

삼촌이 말씀하셨다. "목공 일에 흥미가 있다면 기꺼이 내 제자로 삼아줄게. 하지만 내가 네 아빠를 알잖니. 아마 너도 학교에 가고 싶어할 것 같구나." 나는 씩 웃기만 하고 아무 말도 하지 않았다. 알리가 다시 와서 삼촌에게 나를 데리고 동네 축구 경기를 보러 가도 되냐고 물었다. 삼촌은 내가 원한다면 그러라고 하셨다. 나는 알리와 함께 거리로 나가 브룩필즈에 있는 경기장으로 걸어갔다.

경기가 시작되기를 기다리는 동안 알리가 말했다. "우리랑 함께 지내게 돼서 기뻐. 나랑 방 같이 쓰면 되겠다." 알리는 나보다 형이었고 중학교를 마친 상태였다. 쾌활하면서도 굉장히 바르게 자란 청년이었다. 행동을 보면 알 수 있었다. 말도 잘했고 딱딱 핵심을 전달할 줄 알았다. 경기 시작 전에 경기장 맞은편에서 어떤 여자아이가 우리 쪽으로 손을 흔들었다. 그 여자아이의 얼굴에서 내내 웃음이 떠나지 않았는데 그렇게 밝고 아름다운 미소는 본 적이 없었다. 누군지 물어보려는 찰나 알리가 말했다. "우리 사촌인데 거리 건너편에서 수양가족이랑 같이 살아. 이름은 아미나타고. 언젠가 만나게 될 거야." 아미나타는 아빠의 배다른 형제 중 둘째 형의 딸이었다. 나중에 나는 새 형제자매들 가운데 특히 알리와 아미나타와 친해졌다.

삼촌이랑 여러 차례 산책을 하면서 할아버지에게 부인이 많았다는 사실을 알게 되었다. 더불어, 삼촌이 말씀하신 적은 없지만, 아빠한테는 형제가 많았다. 그 중 동복형제는 없이 할아버지랑 할머니 사이에서 태어난 아이는 아빠가 유일했다.

축구 경기를 보면서도 줄곧 내 머릿속은 존재하는 줄도 몰랐던 가족을 만나게 됐다는 생각으로만 가득 차 있었다. 행복했다. 하지만 나는 여전히 행복을 드러내는 데 익숙하지 않았다. 알리는 경기를 보는 내내 연신 웃음을 터뜨렸지만 나는 미소조차 짓지 못했다. 경기가 끝난 뒤 집으로 돌아오니, 삼촌이 나를 센터로 데려다주려고 베란다에서 기다리고 계셨다. 삼촌은 버스 정류장으로 걸어가는 동안에도 계속 내 손을 꼭 붙잡고 계셨다. 나는 입을 꾹 다물고 있었다. 삼촌이 직접 찾아오고 싶을 때 쓰라고 교통비를 쥐여주신 뒤에야 감사하다고 입을 떼었다. 센터 입구에 도착하자 삼촌이 나를 꼭 안아주었다. 헤어지는 길에 삼촌이 뒤를 돌아보면서 말했다. "곧 다시 보자, 우리 아들."

19

 2주 전, 레슬리 아저씨는 나에게 내가 사회로 복귀할 준비가
되었다고 말씀하셨다. 나는 삼촌과 함께 살기로 예정되어 있었
다. 그후 2주 동안 시간이 얼마나 느리게 흘렀는지 모른다. 베닌
홈에서 지낸 8개월보다 그 2주가 더 길게 느껴졌다. 가족과 함
께 살 생각을 하니 걱정이 앞섰다. 그 누구의 도움도 없이 홀로
여러 해를 보냈으니 당연한 일이었다. 만약 내가 삼촌 가족과
잘 어울리지 못한다면, 굳이 나를 받아줄 의무는 없었던 삼촌
이 나를 배은망덕하다고 생각하지나 않을까 두려웠다. 갑자기
악몽과 편두통이 나를 찾아와 괴롭히면 어떻게 해야 할지도 걱
정스러웠다. 이미 내 얼굴에 짙게 드리워져 도저히 숨길 수 없
는 슬픔을 새로운 가족들, 특히 아이들에게 어떻게 설명해야 할
까? 나는 도무지 해답이 떠오르지 않아 에스터 누나에게 걱정

거리를 털어놓았지만, 누나는 다 괜찮아질 거라고만 했다. 그러나 위로만으로는 도움이 되지 않았다.

나는 밤마다 침대에 누워 천장에 시선을 고정시키고 생각했다. '나는 왜 전쟁에서 살아남았을까? 우리 가족 중 왜 나만 살아남았을까?' 답은 알 수 없었다. 나는 축구나 탁구도 하지 않았다. 매일 에스터 누나를 보러 가기는 했지만 인사를 하고 잘 지냈냐고만 묻고는, 이내 센터에서 나간 후의 삶이 어떨지에 대한 고민에 빠져버리곤 했다. 누나가 정신 차리라며 내 얼굴 앞에 대고 손가락을 튕길 때도 있었다. 밤에는 베란다에 나가 모하메드, 알하지, 맘부와 함께 말없이 벤치에 앉아 있었다. 그러나 나 혼자만의 고민에 깊이 빠져서 친구들이 자리를 떠도 알아차리지 못했다.

마침내 복귀 날이 되었다. 나는 비닐봉지에 몇 가지 되지 않은 소지품을 담았다. 일단 운동화 한 켤레, 티셔츠 네 벌, 반바지 세 벌, 칫솔과 치약, 바셀린 한 통, 워크맨과 카세트테이프가 있었다. 또 회의 자리에서 입을 용도로 장만한 긴팔 셔츠 두 벌, 긴 바지 두 벌, 넥타이 한 개가 있었다. 가만히 기다리는데 심장이 빠르게 뛰었다. 엄마가 나를 기숙학교에 처음 떨어뜨려놓고 갔던 날 같았다. 센터로 이어지는 자갈길 위를 밴이 질주해 오는 소리가 들렸다. 나는 비닐봉지를 챙겨 들고 약속대로 구내 병원 건물로 걸어갔다. 모하메드, 알하지, 맘부가 현관 계단에 앉아 있었다. 에스터 누나도 미소를 지으며 나왔다. 밴이 빙 돌아 길 옆에 멈추어 섰다. 늦은 오후였다. 하늘은 아직 푸르렀 지만 태양은 하나 남은 구름 뒤에 숨어 흐릿했다. 레슬리 아저 씨가 조수석에 앉아 내가 차에 타기를 기다리고 있었다. 드디어 새 집으로 떠나는 것이다.

내가 떨리는 목소리로 모두에게 말했다. "이제 가야겠네." 그 러고는 모하메드에게 손을 뻗었다. 모하메드는 손을 잡아 악수 를 하는 대신 벌떡 일어나서 나를 끌어안았다. 모하메드가 아직 나를 붙들고 있는데 맘부도 그 위로 팔을 둘렀다. 그러고는 영 영 헤어질 사람처럼 꼭 껴안아주었다. (내가 센터를 떠난 뒤 맘부 는 다시 전장으로 돌아갔다. 가족이 맘부를 받아주기를 거부했기 때 문이다.) 모하메드, 맘부와의 포옹 후에는 알하지와 악수를 했 다. 우리는 손을 꽉 잡은 채 서로의 눈을 바라보았다. 함께 겪은 일들이 주마등처럼 지나갔다. 내가 다 잘 될 거라는 마음으로 알하지의 어깨를 두드리자 알하지가 내 마음을 읽고는 미소를 지었다. 그날 이후로는 알하지가 여러 위탁 가정을 전전해야 했 던 탓에 다시는 알하지를 만나지 못했다. 악수를 마친 다음 알 하지는 뒤로 한 걸음 물러나 내게 경례를 하면서 속삭였다. "잘 가, 대장." 나는 다시 그의 어깨를 두드려주었다. 차마 경례를 해주지는 못했다. 에스터 누나가 다가왔다. 눈가가 촉촉해져 있 었다. 누나는 나를 그 전 어느 때보다 세게 껴안아주었다. 나는 눈물을 훔치느라 정신이 없어서 포옹을 제대로 받아주지도 못했다. 포옹을 푼 다음 누나는 내게 종이 한 장을 건네며 말했다. "내 주소야. 언제든 들르렴."

그로부터 여러 주가 지난 다음 누나네 집을 찾아간 적이 있다. 하지만 타이밍이 좋지 않았다. 누나가 출근해야 하는 시간이었던 것이다. 누나가 나를 안아주었고 이번에는 나도 그녀를 꼭 껴안아주었다. 신기했는지 포옹을 푼 뒤에 누나가 웃음을 터뜨렸다. 그러고는 내 눈을 똑바로 바라보며 말했다. "서로 밀린 얘기를 오래 할 수 있게 다음 주 주말에 다시 와. 알겠지?" 하얀 간호사복 차림을 한 누나는 정신적 외상을 입은 또 다른 아이들을 돌보러 가는 길이었다. 그토록 많은 전쟁 이야기에 둘러싸여 살아간다는 것도 보통일이 아닐 터였다. 나는 내 이야기 하나만으로도 벅찼다. 과거의 악몽이 끊임없이 나를 괴롭혔다. 갈림길에서 누나와 헤어지면서 생각했다. '누나가 이 일을 하는 이유가 뭘까? 아니, 누나뿐만 아니라 왜 다들 이 일을 하는 걸까?' 그날 이후 다시는 누나를 보지 못했다. 나는 누나를 사랑했지만 끝내 그 말을 하지는 못했다.

삼촌은 내가 밴에서 내리자마자 나를 양팔로 안아올려 베란다로 데리고 갔다. 삼촌이 웃으면서 말했다. "오늘은 족장님 모시듯 환영해주마. 하지만 땅에 발이 닿는 순간 족장 자리에서 물러나는 거야. 자, 그게 바로 지금이다." 그러고는 나를 내려놓았다. 나는 미소를 지었지만 긴장하고 있었다. 사촌들, 그러니까 알리 형과 세 자매인 머틸다, 코나, 솜보가 함박웃음을 지으면서 나를 돌아가며 안아주었다.

숙모가 말했다. "배고프지? 네가 이 집에 온 걸 환영하는 의미로 새끼솜보이를 준비했단다." 나를 환영해주기 위해 닭고기를 곁들인 카사바 잎 요리를 하셨다는 뜻이었다. 누군가에게 닭고기를 대접하는 것은 흔한 일이 아니었고, 그런 대접을 받는 것은 영예로운 일이었다. 닭 요리는 크리스마스나 정월 초하루 같은 명절에만 먹는 귀한 음식이었다. 살레이 숙모는 내 손을 끌어 나를 삼촌 옆에 앉혔다. 숙모가 요리를 내왔고 삼촌과 나는 같은 접시의 요리를 손으로 먹었다. 무지 맛있어서 손가락에 묻은 야자유를 쪽쪽 빨았다. 삼촌이 나를 보고 웃음을 터뜨리며 숙모에게 말했다. "여보, 이번에도 성공이구먼. 이제 이 녀석 어디 도망 못 가겠어."

손을 깨끗이 닦은 후에 삼촌은 스물한 살인 사촌 형 알리를 베란다로 불러내 내게 어디서 자면 되는지 알려주라고 하셨다. 나는 비닐봉지를 들고 알리 형을 따라갔다. 삼촌 침실이 있는 집 뒤에 또 다른 집이 있었다. 두 집 사이를 이어주는 통로에는 양쪽으로 돌이 가지런히 놓여 있어서 마치 오솔길 같았다.

내가 짐을 들고 방으로 들어갈 수 있도록 알리 형이 문을 잡아주었다. 방은 깨끗하고 정갈했다. 침대에는 이불이 반듯하게 정돈되어 있었고 장대에 걸어놓은 옷들은 말끔히 다림질이 되어 있었으며 선반에는 신발이 차곡차곡 늘어서 있었고 갈색 타일 바닥은 광이 났다. 알리 형이 침대 밑에서 매트리스를 끄집어냈다. 침대는 자기랑 룸메이트가 같이 쓰기 때문에 나는 바닥에서 자면 된다고 말했다. 매트리스를 깔고 잔 뒤 매일 아침 매트리스를 접어서 다시 침대 밑으로 집어넣으면 되었다. 방을 깨끗이 유지하려면 내가 어떻게 하면 되는지 설명을 들은 다음에 베란다로 돌아가 삼촌 옆에 앉았다. 삼촌은 내 어깨에 팔을 두르고는 내 코를 잡아당겼다.

삼촌이 물었다. "도시에는 좀 적응을 했니?"

"아직요."

"너만 괜찮다면 알리가 날 잡아서 너를 여기저기 데리고 다녀줄 거야." 삼촌이 껄껄 웃으며 말했다. "아니면 과감히 혼자 나가봐도 되고. 직접 길을 잃었다 찾았다 해봐야 도시를 제대로 알 수 있을 테니까." 기도 시간을 알리는 소리가 도시 전체에 울려퍼졌다.

"나는 기도를 드리러 가봐야겠구나. 필요한 게 있으면 사촌들한테 물어보렴." 삼촌은 현관 계단에서 주전자를 가져와 손 씻는 의식을 시작했다. 그러고 나서 언덕을 내려가 근처 모스크로 향했다. 숙모도 방에서 나와 머릿수건을 두른 뒤 삼촌을 따라갔다.

나는 베란다에 혼자 앉아 한숨을 내쉬었다. 긴장은 풀렸지만 베닌홈이 그리웠다. 그날 밤 삼촌과 숙모가 기도를 마치고 돌아오신 뒤에 가족이 다 같이 베란다에 둘러앉아 오디오로 이야기를 들었다. 삼촌이 손바닥을 맞댄 채 쓱쓱 문지르고는 오디오 재생 버튼을 눌렀다. 그러자 렐레 그봄바라는 유명한 이야기꾼의 목소리가 흘러나왔다. 어떤 남자가 심장을 깜빡하고 집에 놓아둔 채 전세계를 유랑했다는 이야기였다. 어릴 때 할머니네 마을에 놀러 갔다가 들어본 적이 있는 이야기였다. 삼촌네 식구들은 이야기를 듣는 내내 깔깔거리며 웃었지만, 나는 미소만 지을 뿐 말 한마디 하지 않았다. 그후로도 한동안은 그랬다. 하지만 시간이 흐르면서 나도 행복한 사람들과 함께 지내는 데 점점 익숙해져갔다.

삼촌 식구들과 같이 산 지 하루나 이틀 정도 됐을 때였다. 알리 형이 내게 구두와 벨트, 멋들어진 정장 셔츠를 건네주었다. 정장은 처음이었다.

형이 웃으며 말했다. "신사가 되고 싶다면 신사처럼 입어야 하는 법." 내가 이걸 왜 주는 거냐고 물어보려는데 형이 먼저 입을 열었다. "우리끼리 비밀인데, 오늘 밤 널 댄스파티에 데려가서 놀 거야. 삼촌 주무시러 가면 몰래 빠져나가자."

그날 밤 우리 둘은 몰래 집에서 나와 춤을 추러 술집에 갔다. 형이랑 같이 걸어가는데 중학생 시절에 친구들과 춤을 추러 다녔던 기억이 났다. 아주 오래 전 일처럼 느껴졌지만 '다시 학교로', '펜은 내려놓고', '밥 말리의 밤' 등 댄스파티에 붙었던 갖가지 주제들이 생생하게 떠올랐다. 그 시절 우리는 꼭두새벽까지 춤을 추곤 했다. 춤을 실컷 추고 나면 땀에 젖은 웃통을 까고는 시원한 아침 바람을 맞으며 기숙사로 걸어 돌아갔다. 진심으로 행복했던 시절이다.

"다 왔어." 알리 형이 한 손으로는 내 손을 흔들고, 다른 손으로는 자기 손가락을 튕기며 말했다. 술집에 들어가려는 젊은이들이 길게 줄을 서서 기다리고 있었다. 다들 차림새가 보통이 아니었다. 남자아이들은 잘 다린 바지에 셔츠를 집어넣은 차림이었다. 여자아이들은 화려한 꽃무늬 드레스에 하이힐을 신었다. 높은 굽 때문에 같이 온 남자아이보다 키가 훨씬 더 커 보이는 여자아이들도 있었다. 입술에 바른 립스틱도 선명하게 도드라졌다. 잔뜩 신이 난 알리 형이 앞에 서 있는 사람들과 떠들어댔다. 나는 말없이 술집 입구에 달려 있는 형형색색의 조명들을 바라보았다. 특히 커다란 파란 전구 불빛이 사람들이 입은 흰 셔츠에 비치는 모습이 아름답기 그지없었다. 마침내 우리 차례가 되어 입구에 도착하자 형이 두 명 요금을 냈다. 쾅쾅 커다랗게 울리는 음악 소리가 술집 안을 가득 채웠다. 술집에 와본 것이 몇 년 만인가 싶었다. 나는 형을 따라 술을 마시는 테이블 존으로 갔다. 거기서 테이블을 하나 잡은 다음 높은 스툴에 나란히 앉았다.

"난 춤추러 간다!" 알리 형이 시끄러운 음악 소리를 뚫으려고 고함을 치다시피 말한 후, 사람들 속으로 사라졌다. 나는 가만히 앉아 주변을 훑어보다가, 댄스 플로어 구석으로 가서 혼자 춤을 추기 시작했다. 그때 피부가 굉장히 까만 소녀가 댄스 플로어 전체를 밝히는 환한 미소를 지으며 내게 다가왔다. 그러고는 내가 거절할 새도 없이 나를 플로어 중앙으로 잡아끌었다. 소녀는 내게 바짝 붙어 춤을 추기 시작했다. 나는 테이블 존에 서 있는 알리 형을 바라보았다. 형이 엄지를 치켜들었다. 나는 천천히 몸을 움직이다가 온전히 리듬에 몸을 맡겼다. 템포가 빠른 음악에 맞춰 한 곡을 추고 나자 느리고 잔잔한 곡이 흘러나왔다. 소녀는 나를 자기 쪽으로 끌어당겼다. 나는 그녀의 손을 부드럽게 잡고 음악에 맞춰 천천히 몸을 흔들었다. 소녀의 심장 박동이 느껴졌다. 소녀는 나와 눈을 마주치려 했지만 나는 애써 시선을 돌렸다. 곡이 끝나기도 전에 나이가 좀 더 많은 소년이 다가와 소녀를 데려갔다. 소녀는 그 소년에게 이끌려 사람들 사이를 뚫고 문 쪽으로 가면서도 연신 내게 손을 흔들었다.

알리 형이 어느새 내 옆에 와 있었다. "어이, 작업 솜씨가 아주 보통이 아니신데? 다 봤어." 형이 다시 테이블 존으로 걸어갔고 나도 그 뒤를 따라갔다. 우리는 카운터에 나란히 기대어 댄스 플로어를 바라보았다. 형은 여전히 실실 웃고 있었다.

내가 말했다. "난 진짜 아무것도 안 했어. 그냥 걔가 나랑 춤추고 싶어하는데 거절을 못했을 뿐이야."

형이 나를 놀렸다. "내 말이 그 말이야. 아무 말도 안 했는데 여자들이 알아서 다가오다니." 그러나 나는 더 이상 농담을 하고 싶지 않았다. 소년병 시절, 학교에서 댄스 축제를 하는 중이던 어느 마을을 습격했던 기억이 불쑥 떠올랐기 때문이다. 교사들과 학생들의 겁에 질린 울음소리가 머릿속에 되살아났다. 눈앞에는 피바다가 된 댄스 플로어가 보였다. 알리 형이 내 어깨를 두드린 덕분에 간신히 현실로 돌아왔다. 나는 애써 미소를 지어 보였지만 그곳을 벗어날 때까지 마음속에는 깊은 슬픔이 가득했다. 우리는 밤새도록 춤을 추다가 삼촌이 일어나시기 전에 집으로 돌아왔다.

그로부터 며칠 뒤, 밤에 혼자 그 술집에 갔다가 지난번에 같이 춤을 췄던 소녀를 다시 만났다. 소녀는 자기 이름이 자이납이라고 했다.

자이납이 말했다. "지난번 일은 미안해. 오빠가 집에 가자고 해서 나도 따라가야 했거든. 안 그랬으면 부모님이 펄쩍펄쩍 뛰셨을 거야."

그날은 나와 마찬가지로 자이납도 혼자 왔다고 했다.

우리 둘은 3주 정도 데이트를 했다. 그런데 만난 지 3주쯤 되자 자이납의 질문이 많아졌다. "너는 어디 출신이야?" "업라인 생활을 하면서 자라는 건 어땠어?" '업라인'이란 주로 프리타운 사람들이 시골 지역 사람과 풍습의 후진성을 가리킬 때 쓰는 크리오 단어다. 내가 아무것도 털어놓지 않으려고 하자 자이납은 나를 차버렸다. 프리타운에서 만난 여자아이들과의 인연은 다 그렇게 끝났다. 다들 나에 대해 알고 싶어했지만 난 말할 준비가 되어 있지 않았다. 상관없었다. 혼자인 편이 더 편했으니까.

레슬리 아저씨가 나를 만나러 왔다. 아저씨는 나에게 그 동안 무엇을 하며 어떻게 지냈냐고 물어봤다. 실은 편두통이 한 번 심하게 찾아온 적이 있었다. 머릿속에 마을이 불타는 광경이 번쩍 스치더니 수많은 사람들이 흐느끼는 소리가 뒤따랐다. 뒷목이 뻣뻣하게 굳고 집채만 한 바위를 올려놓은 것처럼 머리가 무겁게 느껴졌던 날도 있었다. 이런 얘기를 솔직하게 털어놓고 싶었지만 나는 그냥 다 괜찮다고 말했다. 아저씨는 메모장을 꺼내 무언가를 적더니, 나를 보며 말했다. "너한테 제안할 게 하나 있단다. 중요한 거야."

"언제는 아저씨가 용건이 없으셨던 적이 있나요?"

"이번에는 진짜 중요한 일이야." 아저씨가 손에 쥔 메모장을 들여다보면서 계속 말을 이어나갔다. "아이 둘을 뽑는 면접이 있단다. 선발된 아이들은 뉴욕에 있는 유엔 본부에 가서, 그래 자그마치 미국에 가서, 시에라리온 아이들이 어떤 삶을 살고 있는지 그래서 어떤 조치가 필요한지 이야기를 할 거야. 카마라 센터장님 기억하지? 네가 이 일의 적임자라고 널 추천해주셨어. 관심 있다면 여기 주소를 적어놨으니 가봐." 아저씨가 메모장에서 메모지를 쭉 찢어 건네주었다. 내가 메모지를 들여다보고 있는데 아저씨가 덧붙였다. "내가 같이 가줬으면 좋겠다면 사무실에 들르렴. 면접에 어울리게 잘 차려입고. 알겠지?" 그러고는 반응을 살피려고 내 얼굴을 요리조리 뜯어보았다. 나는 아무 말도 하지 않았다. 그러자 아저씨는 면접에 가는 것으로 알고 있겠다는 듯이 미소를 지으며 떠났다.

마침내 면접 날이 되었다. 나는 캐주얼 하게 차려입었다. 초록색 긴팔 셔츠에 깔끔한 검정 바지를 입고 운동화를 신었다. 레슬리 아저씨가 알려준 주소를 향해 시아카 스티븐스 거리를 걸어가면서 셔츠를 바지 속으로 집어넣었다. 나는 어디에 가는지 아무한테도 말하지 않았다. 알리 형한테는 말해주고 싶었지만 망설여졌다. 면접 이야기를 꺼내려면 내 과거에 대해 삼촌이 형에게 알려준 것 이상으로 많은 사실들을 털어놓아야 할 것이기 때문이었다.

아직 한낮도 아닌데 아스팔트 도로는 벌써부터 열기를 뿜어 내고 있었다. 바람에 날려온 비닐봉지가 땅에 닿자마자 흐물흐물 녹아내렸다. 걷고 있는 내 옆으로 작은 버스가 지나갈 때마다, 차장이 호객을 하려고 목적지를 크게 외치는 소리가 들려왔다. 저기 앞에서는 누군가 길 옆에 잠시 차를 세우고는 기름통에 채워놓은 물을 과열된 엔진 사이로 부어 넣고 있었다. 그가 "이 놈의 차는 소보다 물을 많이 처먹네"라고 투덜거렸다. 나는 천천히 걷고 있었는데도 속옷이 땀으로 흠뻑 젖었다.

아저씨가 적어준 주소로 가보니, 굉장히 높은 건물이 우뚝 솟아 있었다. 나는 건물 입구에 우두커니 서서 건물의 높이에 감탄했다. 로비에는 소년들이 스무 명 가량 있었는데, 다들 나보다 잘 차려입고 왔다. 어떤 아이들은 부모님까지 따라와 마지막 면접 준비를 도와주고 있었다. 나는 커다란 시멘트 기둥에 정신이 쏠렸다. 대체 사람들이 이렇게 거대한 기둥을 어떻게 만들고 세울 수 있었을까 상상하는 게 재미있었다. 한창 기둥 하나를 들여다보고 있는데, 어떤 남자가 와서 내 어깨를 두드리고는 면접을 보러 왔냐고 물었다. 내가 고개를 끄덕이자 남자가 웬 금속 상자 하나를 가리켰다. 활짝 열린 금속 상자 속에 아이들이 들어가 서 있었다. 나는 머뭇머뭇하며 사람들로 꽉 찬 상자 속에 들어갔다. 상자를 움직이려면 버튼을 눌러야 한다는 사실도 모르고 멍하니 서 있자 아이들이 웃음을 터뜨렸다. 이런 상자는 난생처음이었다. '이 놈이 우리를 어디로 데려가려는 거지?'라고 생각하는데 파란 셔츠를 입은 남자아이 하나가 내 옆을 비집고 들어와 '5'라고 적힌 버튼을 눌렀다. 버튼에 불이 들어오자 박스가 닫히면서 우리를 가뒀다. 하지만 주변을 둘러보니 다들 차분해 보여서 나도 걱정할 필요가 없겠거니 생각했다. 상자가 빠르게 올라가기 시작했다. 아이들은 다들 아무렇지도 않다는 듯 셔츠를 여미고 넥타이를 고쳐 맸다. 상자 문이 열리고 내가 제일 마지막으로 나왔다. 갈색 가죽 소파가 여럿 놓인 탁 트인 방이었다. 맞은편 벽 쪽의 책상 앞에 앉아 있던 남자가 내게 자리를 찾아 앉으라는 손짓을 했다. 다른 아이들은 이미 자리를 잡고 앉아 있었다. 나는 혼자 멀찌감치 떨어져 앉아 방을 둘러보았다. 창밖으로 다른 건물들 꼭대기가 보였다. 나는 자리에서 일어나 우리가 땅에서 얼마나 멀리까지 올라와 있는지 살펴보려고 했다. 창문으로 다가가려는데 누가 내 이름을 불렀다.

돌아보니 시에라리온 사람인지 아닌지 분간이 가지 않을 정도로 피부색이 아주 밝은 남자가 커다란 검정색 가죽 의자에 앉아 있었다. 남자가 영어로 말했다. "앉아 계시면 금방 시작할게요." 그러고는 서류를 획획 넘기더니 수화기를 들고 번호를 눌렀다. 상대가 전화를 받자 남자는 "바로 시작하죠" 한 마디만 하고는 전화를 끊었다.

남자는 내 쪽으로 고개를 돌려 나를 잠깐 훑어보다가 면접을 시작했다. 그가 영어로 아주 천천히 질문을 던졌다.

그가 책상에 놓인 명단을 들여다보면서 내 이름을 물어보았다. "성함이 어떻게 되시죠?"

내가 "이스마엘……"이라고 답하자 남자는 성을 듣기도 전에 명단에 체크를 했다.

남자가 다시 고개를 들고 나를 보면서 물었다. "유엔에 가서 시에라리온 아이들의 상황을 알리는 사람이 본인이어야 한다고 생각하시는 이유가 있나요?"

"저는 도시 밖에 살면서 전쟁 때문에 고통을 겪었을 뿐만 아니라 직접 전쟁에 참여했다가 재활 과정까지 거쳤습니다. 직접 경험한 만큼 여기 면접을 보러 온 다른 도시 아이들 누구보다 상황을 더 잘 이해한다고 생각합니다. 저 아이들이 유엔에 간다고 한들 무슨 말을 할 수 있을까요? 전쟁에 대해서는 뉴스로나 들었지 실제로 아는 건 아무것도 없을 텐데요." 남자는 미소를 짓고 있었다. 살짝 화가 났다.

"더 하시고 싶은 말씀 있나요?"

나는 부드러운 가죽 의자에 몸을 기대며 말했다. "아뇨. 다만 왜 웃으시는지 궁금하네요."

남자가 계속 미소를 띤 채 말했다. "이제 가셔도 좋습니다."

나는 자리에서 일어나 문도 닫지 않은 채 방에서 나왔다. 그러고는 정체불명의 상자로 다가가 그 앞에 섰다. 그렇게 몇 분을 기다렸지만 아무 일도 일어나지 않았다. 상자를 이곳으로 올라오게 하려면 어떻게 해야 할지 알 수 없었다. 면접을 기다리는 아이들이 쿡쿡대며 나를 비웃기 시작했다. 그러자 상자 맞은편에 앉아 있던 남자가 다가와 벽에 달려 있는 버튼을 눌러주었다. 문이 바로 열리기에 상자 안으로 걸어 들어갔다. 남자는 숫자 '1'이 적힌 버튼을 누른 뒤 문이 닫힐 때까지 내게 손을 흔들어주었다. 상자 안에 붙들고 있을 게 없나 찾으려는데 상자가 이미 1층에 내려와 있었다. 나는 건물 밖으로 나가서도 한참을 서서 건물 구조를 살펴보았다. '모하메드를 만나면 이 어마어마한 건물 안이 어떻게 생겨먹었는지 말해줘야지' 하고 생각했다.

그날 오후, 나는 내 옆을 스쳐 지나가는 차들을 구경하면서 천천히 집으로 걸어왔다. 딱히 면접에 대한 생각은 하지 않았지만, 면접관이 왜 미소를 지었을까 여전히 궁금하기는 했다. 내가 한 말은 진심이었고 웃을 문제가 아니었다. 길을 걷다 보니, 국기를 꽂은 벤츠와 군용 밴을 비롯해 수많은 차량이 줄지어 지나갔다. 창문이 새까맣게 코팅 되어 있어서 누가 타고 있는지 보이지 않았다. 게다가 쏜살같이 지나갔기 때문에 코팅이 안 되어 있었다 하더라도 안을 들여다보기는 어려웠을 것이다. 집에 와서 알리 형에게 시내를 그런 식으로 행진할 만큼 힘을 가진 사람을 아느냐고 물어보았다. 형은 테잔 카바라고 말했다. 테잔 카바는 8개월 전인 1996년 3월에 시에라리온인민당 소속으로 대선에서 승리한 신임 대통령이었다. 나는 처음 들어보는 이야기였다.

그날 밤, 삼촌이 땅콩 한 자루를 들고 집에 왔다. 살레이 숙모가 땅콩을 삶아 커다란 쟁반에 내왔다. 삼촌과 숙모, 알리 형, 머틸다와 코나와 솜보, 그리고 나까지 식구들 모두가 쟁반 주위에 둘러앉아 렐레 그봄바의 이야기를 들으면서 땅콩을 먹었다. 이번에는 그가 태어나기도 전에 다른 소년과 친구가 되었던 이야기였다. 렐레의 어머니와 그 소년의 어머니는 이웃에 살았는데 한날한시에 임신을 했다고 한다. 그래서 둘은 어머니 뱃속에 있을 때부터 서로를 만나서 놀았다. 렐레는 뱃속의 삶을 생생하게 묘사했다. 친구와 같이 사냥을 했다느니 게임을 했다느니 바깥세상 이야기에 귀를 기울였다느니⋯⋯. 배꼽이 빠질 만큼 재미있는 이야기였다. 말도 안 되는 반전이 여러 차례 등장해 우리를 충격에 빠뜨리기도 했다. 삼촌과 숙모와 사촌들은 이야기가 끝나고 몇 시간이 지나도록 웃음을 멈추지 못했다. 특히 삼촌은 무슨 말을 하려다가도 계속 웃음이 터져나와 단어 하나를 끝마치기도 전에 다시 빵 웃음을 터뜨렸다. 그 모습을 보고 나도 웃기 시작했다. 삼촌은 실실 새어나오는 웃음을 참으며 간신히 말했다. "다음에도 이런 모임을 가져야겠구나. 이렇게 웃는 게 정신 건강에도 좋아." 우리는 서로 잘 자라는 인사를 주고받은 후 각자의 침실로 갔다.

어느 날 아침, 카마라 원장님이 CAW의 밴을 타고 삼촌 댁에 왔다. 내가 유엔 본부에 가게 되었다는 소식은 벌써 며칠 전에 들었다. 하지만 나는 내가 뉴욕에 간다는 사실이 좀처럼 믿기지 않아, 내가 선발됐다는 사실을 모하메드에게만 알려주었다. 원장님이 도착했을 때는 정오가 되기 전이었기 때문에 삼촌은 출근하고 안 계셨다. 숙모만 부엌에 계셨는데, 숙모의 표정을 보니 삼촌도 카마라 원장님이 방문한 사실을 알게 될 것 같았다. 그제야 삼촌한테도 내가 유엔 본부에 가게 되었다는 사실을 말씀드려야겠구나 싶었다.

카마라 원장님이 손목시계를 보며 아직 아침인 것을 확인하고는 인사를 건넸다. "굿 모닝."

내가 대답했다. "안녕하세요."

카마라 원장님이 영어로 내게 물었다. "시내로 나가서 여행 준비를 시작해볼까?" 원장님은 내가 선발되었다는 사실을 아신 후부터는 쭉 영어로만 말씀하셨다. 나는 숙모에게 인사를 하고, 여권을 신청하러 가기 위해 서둘러 밴에 올라탔다. 여권사무소에 도착하니 사람들이 바글바글했다. 오늘이 여권의 날이라도 되는지 온 도시 사람들이 시에라리온을 떠날 준비를 하러 모여든 것 같았다. 다행히 카마라 원장님이 미리 약속을 잡아놓아

줄을 서서 기다릴 필요는 없었다. 카마라 원장님이 접수처로 가서 내 증명사진과 필요한 양식과 요금을 냈다. 얼굴이 둥그스름한 직원이 서류를 찬찬히 들여다보더니 출생증명서를 달라고 했다. "이 나라에서 출생했다는 증거를 제출하셔야 합니다." 나는 갑자기 전쟁이 났기 때문에 그런 서류를 챙길 여유가 없었다고 설명했다. 하지만 그 직원은 시에라리온에서 태어났다는 증거를 제시하지 않으면 안 된다는 말만 반복했다. 나는 그를 한 대 후려치고 싶을 만큼 진심으로 화가 났다. 내가 설명하려고 애쓰는 혹독한 현실을 이해하기엔 그는 너무나 단순한 사람이었다. 카마라 원장님이 나를 옆으로 불러내시더니 자기가 직원과 이야기하는 동안 벤치에 가서 앉아 있으라고 부드럽게 말씀하셨다. 카마라 원장님은 직원에게 상사를 만나게 해달라고 요구했다. 몇 시간을 기다린 끝에, 직원 중 누군가가 서류를 뒤져 내 출생증명서 사본을 찾아내는 데 성공했다. 나흘 뒤에 여권을 찾으러 오면 된다고 했다.

여권사무소를 나오면서 카마라 원장님이 말씀하셨다. "일단 첫 단계는 끝났구나. 이제 비자를 발급받아야 해." 나는 대꾸를 하지 않았다. 아직 분이 안 풀린 데다가 진이 다 빠져서 그냥 집에 가고 싶었다.

그날 저녁, 내가 차를 타고 집에 도착했을 때 삼촌이 집에 와 계셨다. 내가 반갑게 인사를 건네자 삼촌이 미소 띤 얼굴로 말씀하셨다. "무슨 일인지 말해봐." 나는 뉴욕 시에 있는 유엔 본부에 가서 전쟁이 아이들에게 어떤 피해를 입히는지에 대해 이야기하게 되었다고 말씀드렸다. 하지만 삼촌은 내 말을 곧이곧대로 믿지 않으셨다. "사람들은 항상 뜬구름 잡는 약속을 해서 남을 속이려 하지. 그러니 너무 기대하지는 마라, 아들아."

삼촌은 아침에 출근하기 전마다 내게 농담을 던지셨다. "자, 미국에 가려면 오늘은 뭘 하면 된답니까?"

카마라 원장님이 나를 데리고 쇼핑을 가서 여행가방과 옷 몇 벌을 사주셨다. 옷은 대개 와이셔츠와 정장 바지, 면 소재에 왁스 코팅을 한 후 칼라와 소매, 바짓단에 정교한 자수를 놓은 화려한 색상의 전통의상이었다. 삼촌한테 그것들을 보여드렸지만 삼촌은 여전히 내가 미국에 간다는 사실을 믿지 못하셨다.

삼촌이 또 농담을 하셨다. "네가 맨날 그 놈의 헐렁한 바지만 입고 다니니까 널 좀 새롭게 꾸며주고 싶은가 보지. 좀 더 아프리카 사람답게 말이야."

삼촌이 퇴근하고 오시면 이따금 같이 산책을 했다. 삼촌은 내게 요즘 지내는 건 괜찮냐고 물어보셨고, 그때마다 나는 늘 잘 지낸다고 말씀드렸다. 삼촌은 긴 팔을 내 어깨에 두르시고는 나를 가까이 끌어당겼다. 삼촌도 내가 따로 하고 싶은 말이 있다는 사실을 눈치 채신 것 같았다. 하지만 나는 입이 떨어지지 않았다. 사촌들과 함께 장작을 가지러 수풀에 갔을 때 내가 과거에 목격했던 일들, 내가 과거에 저질렀던 일들이 마음속에 떠올랐다는 사실을 차마 얘기할 수 없었다. 나무껍질에 붉은 수액이 말라붙어 있는 모습을 보면 소년병 시절 포로들을 나무에 묶어놓고 쏘아 죽였던 기억이 머릿속을 스치고 지나갔다. 포로들의 피는 나무에 수액 같은 얼룩을 남겼으며 우기 중에도 씻겨나가지 않았다. 또 어린아이가 자기 아빠를 끌어안는 모습, 엄마 품에 안기는 모습, 부모님 손을 하나씩 잡고서 도랑을 뛰어넘는 모습 등 다른 가족이 평범한 일상을 보내는 모습을 지켜볼 때면 내가 잃어버린 것들이 떠오른다는 말도 할 수 없었다. 그럴 때마다 다시 처음으로 돌아가 모든 것을 바꾸고 싶었을 뿐.

월요일 아침에 미국 대사관에 가서 탐바 박사라는 분을 만나라는 통보를 받았다. 대사관으로 걸어가는 길에 도시가 서서히 깨어나는 소리를 들었다. 도시 중심에 있는 모스크에서 기도 시간을 알리는 소리가 흘러나와 온 도시에 울려퍼졌다. 거리를 가득 메운 버스에서는 차장이 탑승구에 매달린 채 "럼리 갑니다! 럼리!"라든가 "콩고!" 하고 목적지를 외치는 소리가 들려왔다. 한참 이른 시간에 도착했는데도 대사관 문 밖에는 사람들이 길게 늘어서 있었다. 다들 목숨이 걸린 재판을 기다리는 사람들처럼 얼굴에 슬픔과 불안감이 가득했다. 뭘 해야 할지 몰라 일단 나도 줄을 섰다. 한 시간쯤 지나자, 탐바 박사라는 분이 다른 소년과 함께 나타나 내게 따라오라고 말했다. 기품이 넘쳐 보이는 분이라 줄을 서서 기다릴 필요가 없는 높은 사람일 거라는 생각이 들었다. 역시 소년병 출신인 다른 소년이 악수를 청하며 자기소개를 했다. "내 이름은 '바'야. 같이 대표로 떠나게 돼서 정말 기뻐." 나는 삼촌이라면 어떻게 대답하실지 생각했다. "어이, 어린 친구. 저 인간들한테 말려서 너무 헛꿈을 꾸지는 말라고."

대사관 안으로 들어가니, 작은 방에 고급스러운 벤치 의자가 몇 개 있었다. 우리는 그 의자들 중 하나에 앉아 인터뷰 차례를 기다렸다. 투명한 유리창 뒤에 백인 여자 한 명이 서 있었다. 그녀의 목소리가 유리창 아래 있는 스피커를 통해 흘러나왔다. 그녀는 앞에 놓인 서류에 시선을 고정한 채 "미국을 방문하는 목적이 무엇입니까?"라고 물었다.

우리 차례가 되어 유리창 앞으로 다가가 보니 그녀의 손에는 이미 우리의 여권이 들려 있었다. 그녀는 나를 쳐다보지도 않고 내 여권을 휙휙 넘겼다. 나는 왜 굳이 이런 식으로 유리창을 세워 인간적인 교감도 나누지 못하게 막아놓았을까 의문이 들었다.

여자가 말했다. "마이크에 대고 말씀하시면 됩니다." 그러고는 물었다. "미국을 방문하는 목적이 무엇입니까?"

"회의에 참여하려고요."

"무엇에 관한 회의입니까?"

"주로 전세계 아이들에게 영향을 미치는 문제들을 다루는 자리예요."

"회의는 어디서 열립니까?"

"뉴욕 시에 있는 유엔 본부에서요."

"고국으로 돌아올 거라는 사실을 보증할 수단이 있습니까?" 무슨 말인가 생각하고 있는데 여자가 되물었다. "귀국을 보증할 부동산이나 계좌가 있습니까?"

나는 인상을 찌푸렸다. '이 나라 사람들이 어떻게 살아가는지 알기는 하시나요?' 하고 머릿속으로 물었다. 내 얼굴을 제대로 보기만 했더라도 마지막 두 질문은 하지 않았을 것이다. 시에라리온에서 내 또래 아이가 은행 계좌를 갖는 것은 꿈도 꾸지 못할 일이었다. 더군다나 신고할 부동산이라니 말도 안 된다. 탐바 박사님은 자신이 CAW에서 나온 보호자로서 여행에 동행할 것이며 회의가 끝나면 꼭 같이 귀국할 것을 보장하겠노라고 말씀하셨다.

여자가 마지막 질문을 던졌다. "미국에 지인이 있습니까?"

"아니요. 저는 우리나라 밖으로는 나가본 적이 없어요. 사실 이 도시에 온 것도 처음인걸요." 여자는 여권을 덮은 다음 한쪽에 밀어놓고 말했다. "네 시 반에 다시 오시면 됩니다."

밖으로 나가자 탐바 박사님이 우리 비자가 나왔다고 말씀하셨다. 여권은 자신이 챙겨서 출국 날까지 보관하겠다고 하셨다. 아직 내 여권을 곁눈질로 확인한 게 다였지만 이제야 좀 우리가 진짜 미국에 가는구나 싶었다.

내 오른손에는 캐리어가 들려 있었다. 나는 바짓단에 지그재그 자수 패턴이 들어간 갈색 여름용 전통 바지에 티셔츠 차림이었다. 알리 형 방에서 베란다로 나가니 삼촌이 앉아 계셨다.

내가 말했다. "저 이제 공항 가요." 삼촌이 또 냉소적인 농담을 던질 게 뻔했기 때문에 씩 미소를 지었다.

삼촌은 역시나 껄껄대며 말씀하셨다. "아이고, 그러십니까. 미국에 도착하거든 전화 한 통 해주렴. 아 참, 나한테는 전화가 없지? 아미나타네 집으로 전화를 걸면 되겠구나. 걔가 나를 불러주겠지."

나도 낄낄거리며 말했다. "그래요. 그럴게요."

삼촌이 사촌들에게 말씀하셨다. "얘들아, 와서 이스마엘이랑 작별인사 해야지. 당최 어디 가는지는 모르겠는데 어쨌든 떠난다니 축복해주자꾸나." 머틸다, 코나, 솜보가 양동이를 들고 베란다로 나왔다. 물을 길러 가는 길이었던 모양이다. 그들은 나를 안아주고는 행운을 빈다고 말했다. 숙모도 연기 냄새를 풍기며 부엌 밖으로 나와 나를 껴안아주셨다. "어디를 가든 자기 집 냄새를 잊으면 안 되지. 내가 뿌려주는 향수라고 생각하렴." 그러고는 깔깔 웃음을 터뜨리면서 나를 놓아주셨다. 마지막으로 삼촌이 일어나 나를 안아준 뒤 내 어깨에 팔을 두르고 말씀하셨다. "건강하게 무사히 다녀오렴. 이따 저녁에 보는 거지?" 그러고는 베란다에 있는 의자로 돌아가 앉으셨다.

20

나는 뉴욕 시를 랩 음악으로 배웠다. 그래서 나에게 뉴욕이란 사람들이 거리에서 서로 총을 쏘고도 아무 일 없다는 듯 유유히 돌아서는 곳이었다. 내 상상 속의 뉴욕에서는 걸어다니는 사람이 없었다. 다들 스포츠카를 몰고 다니면서 클럽이나 싸움판을 찾아다녔다. 그런 아수라장에 가다니 당연히 전혀 기대가 되지 않았다. 아수라장이라면 고향 땅에서 충분히 겪었으니까.

비행기가 존에프케네디국제공항에 도착했을 때 사방에 어둠이 깔려 있었다. 오후 네 시 반이었다. 나는 탐바 박사님에게 이 나라는 왜 이렇게 금방 해가 지냐고 물어보았다. 탐바 박사님이 대답했다. "겨울이니까." 나는 "아!" 하고 고개를 끄덕였지만 이해는 되지 않았다. 셰익스피어 작품에서 '겨울'이라는 단어를 본 적은 있었다. 이번 기회에 다시 찾아보아야겠다 싶었다.

탐바 박사님이 우리의 여권을 들고 입국 심사대로 가서 필요한 절차를 다 밟아주었다. 우리는 가방을 챙겨서 슬라이드문으로 갔다. 내가 거리로 나가는 것을 조금 주저하고 있는데 탐바 박사님은 이미 밖에 나가 계셨다. 바와 내가 문 밖으로 발을 내딛으니 어마어마하게 차가운 바람이 우리를 맞이했다. 피부가 팽팽하게 조여드는 느낌이 들더니 얼굴에 감각이 사라졌다. 귀가 떨어져나갈 것 같았다. 손가락이 욱신거리고 이가 딱딱 맞부딪혔다. 바람이 내 여름 바지와 티셔츠를 그대로 뚫고 들어왔다. 꼭 벌거벗고 있는 것 같았다. 나는 오들오들 떨면서 다시 공항으로 뛰어 들어갔다. 이런 매서운 추위는 난생처음이었다. 열을 내려고 손을 비비고 팔짝팔짝 뛰어다니면서 '이런 나라에 어떻게 사람이 산다는 거지?' 하고 생각했다. 탐바 박사님과 같이 밖에 서 있던 바는 양손으로 자기 몸을 감싼 채 벌벌 떨고 있었다. 탐바 박사님과 달리 바와 나는 외투를 갖고 있지 않았다. 나는 탐바 박사님이 택시를 잡는 동안 공항 안에서 기다리다가, 택시가 도착하자마자 후다닥 달려나가 차 안으로 뛰어들어가 얼른 문을 닫았다. 하늘에서 무언가 작고 하얀 물체가 떨어지고 있었다. 그 하얀 물체가 점점 땅에 쌓이는 것 같았다. 저게 뭔가 싶었다. 탐바 박사님이 택시 기사에게 목적지를 알려주고는 손에 든 종이로 시선을 돌렸다.

기사가 물었다. "뉴욕 시에는 처음 오시는 건가요? 눈이 참

예쁘죠?"

"네, 이 친구들은 처음이에요." 탐바 박사님은 그렇게만 말하고 다시 서류를 들여다보았다. '눈'이라는 건 처음 듣는 말이었다. 시에라리온에서 쓰일 만한 단어가 아니지 않은가. 생각해보니 크리스마스에 관한 영화들을 본 적이 있었는데 그 영화들에 이 하얀 솜털 같은 물체가 등장했었다. 어쩌면 이 동네는 매일이 크리스마스인가 보다 싶었다.

시내에 들어서자 하늘 끝까지 치솟은 키 큰 건물들이 누가 불을 지펴놓은 것처럼 빛을 뿜어내고 있었다. 멀리서 보면 어떤 건물들은 아예 다채로운 조명들을 가지고 만든 것만 같았다. 어디에 눈을 두어야 할지 정신이 아득해질 정도로 반짝거리는 그 도시에 나는 완전히 압도당했다. 프리타운에서도 높은 건물들을 보기는 했지만 이곳의 건물들은 높다는 말로는 한참 부족했다. 아예 하늘을 찌르고 있는 것 같았다. 거리에는 차가 셀 수 없이 많았다. 차들은 빨간 신호등인데도 그새를 못 참고 경적을 빵빵 울렸다. 그 다음에 내 눈에 들어온 것은 보도를 걷는 행인들이었다. 내가 보고 있는 사람들이 정말로 뉴욕 거리의 사람들이 맞나 믿기지가 않아 눈을 비볐다. 그들은 랩 음악에서 들었던 것만큼 위험해 보이지 않았다. 적어도 그때까지 본 것만으로는 그랬다. 거리는 우리나라 거리보다 훨씬 밝았다. 그래서 전깃줄이 걸려 있는 전봇대가 어디 있나 계속 찾아보았지만 하나도 찾을 수 없었다.

우리는 47번가에 있는 반더빌트YMCA호텔에 도착했다. 짐을 들고서 로비로 들어가, 탐바 박사님을 따라 프런트까지 가서 객실 열쇠를 받았다. 혼자서 방을 쓰는 것은 난생처음이었다. 방에 텔레비전까지 있어서 밤이 새도록 보았다. 방이 어찌나 뜨겁던지 옷을 벗은 채 땀을 뻘뻘 흘리면서 텔레비전을 보았다. 이틀 뒤에야 방이 뜨거운 이유가 최고 세기로 틀어놓은 라디에이터 때문이라는 얘기를 들었다. 하지만 나는 라디에이터를 조작하는 법은커녕 라디에이터가 어떻게 생겼는지도 몰랐다. '밖은 얼음장처럼 추운데 방 안은 불구덩이처럼 덥다니 참 이상한 나라구나'라고 생각했던 기억이 난다.

도착한 다음 날 아침 호텔 식당으로 내려가보니, 23개국에서 온 57명의 아이들이 '1회 유엔 국제아동의회'를 열기 전에 아침 식사를 하려고 기다리고 있었다. 참석한 나라들 일부만 이름을 대자면 레바논, 캄보디아, 코소보, 브라질, 노르웨이, 예멘, 모잠비크, 팔레스타인, 과테말라, 미국(뉴욕 주), 남아프리카, 페루, 북아일랜드, 인도, 파푸아뉴기니, 말라위 등이 있었다. 탐바 박사님과 바가 어디 있나 주변을 둘러보고 있는데 백인 여자가 나를 자기 옆으로 끌어당기더니 자기소개를 했다.

"내 이름은 크리스틴이야. 노르웨이에서 왔어." 그녀가 손을 내밀며 악수를 청했다.

악수를 하면서 내가 대답했다. "저는 시에라리온에서 온 이스마엘이라고 해요." 크리스틴은 봉투 하나를 열고 이름표를 꺼내 내 셔츠에 달아주었다. 그녀는 미소를 지으며 내게 아침식사 줄에 가서 서라고 손짓을 한 뒤, 이름표가 없는 다른 아이들을 찾으러 갔다. 나는 낯선 언어를 사용하는 두 소년의 뒤를 따라갔다. 그 두 아이는 자신들이 먹고 싶은 음식에 대해 잘 알고 있는 것 같았지만, 나는 뭘 받아 갈지는 물론 요리 중인 음식들 이름이 무엇인지도 몰랐다. 그곳에서 지내는 내내 음식 때문에 애를 먹었다. 나는 그저 "같은 걸로 주세요"라고 하거나, 남들이 접시에 담는 음식을 따라 담곤 했다. 그렇게 선택한 음식이 입에 맞을 때도 있었지만 실패하는 경우가 부지기수였다. 나는 탐바 박사님에게 쌀밥, 야자유 생선 스튜, 카사바 잎 수프, 오크라 수프를 먹으려면 어디로 가야 하냐고 물었다. 하지만 박사님은 웃으며 이렇게 대답했다. "로마에 왔으면 로마 법을 따라야지."

나는 오렌지주스를 들이키면서 '이 나라 음식에 익숙해질 때까지 버틸 수 있게 집에서 먹을거리를 챙겨왔어야 하는 건데' 하고 후회했다.

아침식사를 마친 뒤 우리는 살을 에는 추위 속에 두 블록을 걸어 어느 건물로 갔다. 그 건물에서 대부분의 회의가 열리기로 예정되어 있었다. 여전히 눈이 내리고 있었는데 나는 얇은 정장

바지에 긴팔 셔츠 차림이었다. 나는 밖에 나갈 때마다 코랑 귀, 얼굴이 떨어져나갈 걱정을 하느니 이렇게 지독하게 추운 나라에서는 살지 않겠노라고 속으로 다짐했다.

  뉴욕 시에서 맞이한 첫 아침, 우리는 몇 시간에 걸쳐 대화를 나누면서 서로의 삶에 대해 알게 되었다. 회의에 참석하려고 목숨을 걸고 온 아이들도 있었고, 비행기를 탈 수 있는 이웃나라까지 수백 마일을 걸어서 온 아이들도 있었다. 대화를 시작한 지 몇 분 만에 우리는 방을 가득 채운 청소년들 대부분이 더없이 힘든 유년 시절을 보냈다는 사실을 알았다. 회의가 끝난 뒤 고국으로 돌아가면 다시 그 힘겨운 삶을 이어나가야 하는 이들도 있었다. 각자 소개를 마친 뒤 우리는 회의를 돕는 조력자들도 자기소개를 할 수 있도록 빙 둘러앉았다.

  조력자들은 대부분 비정부기구 소속이었다. 그런데 작은 키와 긴 흑발, 밝은 눈동자를 가진 어느 백인 여자가 자기를 이렇게 소개했다. "저는 이야기꾼이랍니다." 나는 그 말에 깜짝 놀라 주의를 집중시켰다. 그녀는 세심한 몸짓을 자유자재로 사용했고 단어 하나하나를 또박또박 발음했다. 그녀는 자신의 이름이 로라 심즈라고 말한 후, 자신과 함께 진행을 맡은 테레즈 플레어도 소개해주었다. 피부색이 밝고 이목구비가 전형적인 아프리카인처럼 생긴 테레즈는 북 하나를 들고 있었다. 로라가 설명을 마치기도 전에 나는 로라가 진행하는 워크숍에 참여하기로 결심했다. 그녀는 워크숍에서 흥미롭고 설득력 있는 방식으로 이야기하는 법을 가르쳐주겠다고 했다. 나는 뉴욕 시에서 태어났다는 백인 여자가 어떻게 이야기꾼이 되었을까 호기심이 생겼다.

그날 오전 내내 로라는 바와 나를 유심히 보았다. 얇은 아프리카 셔츠와 바지를 입고 양손으로 작은 몸을 감싼 채 라디에이터에 바짝 붙어 앉아서는, 뼛속까지 파고든 추위 때문에 이따금씩 몸을 부르르 떠는 우리의 모습을 지켜보고 있었던 것이다. 점심식사를 하기 전 오후 시간에 로라가 우리에게 다가왔다. "겨울 외투 가지고 왔니?" 우리는 고개를 저었다. 안쓰러웠는지 로라의 얼굴에 근심 어린 빛이 스치고 지나가면서 미소가 살짝 딱딱해졌다. 그날 저녁, 그녀가 겨울 외투, 모자, 장갑을 가져다주었다. 무거운 초록색 외투를 걸치니 행사용 코스튬을 입은 느낌이 들었다. 내 몸집이 실제보다 더 커진 것 같았다. 하지만 행복했다. 이제 매일 워크숍을 마친 다음에 밖으로 나가 시내 구경을 할 수 있게 되었기 때문이다. 그로부터 여러 해가 지난 후 로라가 내게 자기 겨울 외투를 주겠다고 한 적이 있었다. 나는 어떻게 여자 옷을 입느냐며 거절했다. 그러자 로라는 처음 만났을 때만 하더라도 너무 춥다고 여자 옷도 잘만 받아 입더니 사람이 변했다고 농담을 했다.

바와 나는 회의가 진행되는 동안 로라와 테레즈와 조금 친해졌다. 로라가 내가 어릴 때 들었던 이야기를 들려주었던 적도 있다. 우리나라에 한 번도 와본 적이 없는, 대서양 건너편에 사는 백인 여자가 우리 부족에서 자란 사람들만 알 만한 이야기를 술술 하다니 경외감이 느껴졌다. 몇 년 뒤 로라가 내 양어머니가 되어준 후, 로라와 나는 이야기를 즐기는 문화권에서 자란 내가 이야기꾼인 엄마와 뉴욕에서 살게 된 것이 운명일까 우연일까에 대해 대화를 나누곤 했다.

둘째 날, 프리타운에 계신 삼촌에게 전화를 걸었다. 아미나타가 전화를 받았다.

"여보세요? 이스마엘이야. 혹시 삼촌 바꿔줄 수 있어?"

"가서 모셔 올게. 2분만 있다가 다시 전화해." 아미나타는 그렇게 말하고 전화를 끊었다. 다시 전화를 걸자 이번에는 삼촌이 받았다.

내가 말했다. "저 뉴욕 시에 있어요."

삼촌이 말했다. "그러셔요? 뭐, 믿어줘야지. 며칠 동안 안 보이기는 하니까." 삼촌이 낄낄거리며 웃었다. 나는 뉴욕의 소리를 들려드리려고 호텔 창문을 열었다.

"확실히 프리타운이랑은 다르구나." 삼촌이 잠깐 침묵하다 물었다. "거기 생활은 어떠냐?"

내가 "추워 죽겠어요"라고 답하자 삼촌이 다시 너털웃음을 터뜨렸다.

"아! 아마도 그게 백인 세계에 들어가려면 거쳐야 하는 신고식인가 보다. 여하튼 돌아오면 하나도 빼놓지 말고 다 얘기해주렴. 너무 추울 땐 밖에 나가지 말고." 삼촌의 목소리를 듣고 있자니 삼촌 댁 옆의 자갈길이 떠올랐다. 숙모의 땅콩 수프 냄새도 나는 것 같았다.

매일 아침 우리는 거리에 쌓인 눈을 뚫고 종종걸음으로 회의실까지 갔다. 그곳에서 우리는 자신이 겪었던 고통은 잠깐 잊은 채 각국에서 벌어지고 있는 아동 문제의 해결방안을 이성적으로 논의했다. 기나긴 논의를 마치고 나면 우리의 얼굴과 눈빛은 행복한 미래를 향한 희망과 기대로 반짝였다. 아이들이 겪는 고통을 세상에 널리 알리고 고통의 원인을 해결할 방안을 이야기하면 할수록 우리가 느끼는 고통은 더 나은 미래를 위한 발판인 것처럼 느껴졌다.

둘째 날 밤, 말라위에서 온 마도카와 함께 47번가를 따라 서쪽으로 걸어갔다. 우리가 정확히 타임스퀘어 중심부를 향해 다가가고 있다는 것은 알지 못했다. 건물들과 분주하게 오가는 사람들을 넋놓고 구경하면서 걷던 우리 앞에, 공연 영상을 띄운 거대한 스크린이 갑자기 펼쳐졌다. 거리에서는 휘황찬란한 불빛들이 사방을 밝히고 있었다. 우리는 이보다 신기하고 복작복작한 곳이 또 어디 있을까 입을 헤벌린 채 서로를 바라보았다. 어느 스크린에는 속옷만 입은 남녀가 나왔다. 나는 '아주 자신감이 넘치시는구먼'이라고 생각했는데, 마도카는 스크린을 가리키면서 웃음을 터뜨렸다. 뮤직비디오가 나오거나 숫자들이 지나가는 스크린도 있었다. 모든 것이 번쩍번쩍 빛을 비추며 삽시간에 지나갔다. 스크린 화면에 완전히 매료되어 한참을 가만히 서 있다가 간신히 눈을 떼고는 몇 시간이고 브로드웨이를 돌아다니면서 쇼윈도를 구경했다. 난생처음 보는 규모의 인파, 반짝반짝 광채를 뿜내는 빌딩, 시끌벅적한 자동차 소리에 완전히 압도당해 헤어나오지 못했다. 덕분에 추위는 깜빡 잊었다. 밤늦게 호텔로 돌아간 우리는 다른 아이들에게 우리가 본 광경을 이야기해주었고, 그후 매일 저녁마다 타임스퀘어로 놀러 나갔다.

마도카와 나는 관광을 하기로 예정된 날짜가 되기도 전에 이미 시내 몇 곳을 둘러보았다. 록펠러 광장에서는 잘 꾸며놓은 거대한 크리스마스 트리와 천사 조각상들, 스케이트를 타고 있는 사람들을 보았다. 사람들이 광장을 계속 빙빙 돌았는데, 나는 뭐가 재미있어서 저러는 건지 이해할 수 없었다. 호텔에서 만난 캐나다 아저씨 라이트 씨와 세계무역센터에도 가봤다. 어느 날 저녁, 사우스 스트리트 항구에 가기 위해 57명 전원이 지

하철을 탔을 때였다. 내가 마도카에게 물었다. "어떻게 다들 이렇게 조용하지?" 마도카가 주위를 둘러보고 대답했다. "우리네 나라 대중교통하고는 다른가 봐." 나중에 내가 뉴욕에 살게 됐을 때 내 양이모가 되어준 샨사는 그때 행사 촬영 담당이었는데, 샨사가 우리에게 카메라를 들이댔다. 마도카와 내가 포즈를 취했다. 어디를 가든 나는 삼촌과 사촌들, 모하메드에게 이야기해줄 것들을 머릿속에 기록으로 남겼다. 물론 그들이 내 이야기를 믿을 것 같지는 않았지만.

회의 마지막 날 유엔경제사회위원회(ECOSOC) 회의실에서, 각 나라의 아이들이 돌아가며 자기 나라의 상황과 자신의 경험을 짤막하게 발표했다. 외교관들을 비롯해 영향력 있는 사람들이 참석한 자리였다. 그들은 정장을 입고 똑바로 앉아 우리의 이야기를 경청했다. 나는 시에라리온 명패를 앞에 놓고 자랑스럽게 앉아, 다른 아이들의 발표에 귀를 기울이면서 내 차례를 기다렸다. 프리타운에서 받아온 연설문이 있었지만 연설문을 그대로 읽는 대신 마음에서 우러나온 이야기를 하기로 마음먹었다. 나는 내 경험을 간략히 소개한 뒤 전쟁이 끝나기를 간절히 희망한다고 밝혔다. 어른들이 아이들을 군인으로 이용하는 것을 막을 수 있는 유일한 방법은 종전뿐이었다. "저는 시에라리온에서 왔습니다. 시에라리온 아이들을 괴롭히는 문제는 바로 전쟁입니다. 전쟁 때문에 우리는 집을 버리고 도망쳐야 했고 가족을 잃어야 했으며 정처 없이 숲 속을 떠돌아다녀야 했습니다. 결국에는 전쟁에 직접 휘말려드는 것도 피할 수 없었지요. 군인이 되어야 했고 짐꾼이 되어야 했으며 온갖 어려운 일들을 도맡아야 했습니다. 굶주림과 가족과의 헤어짐, 모든 것이 망가진 상황에서, 안전을 찾고 어딘가에 소속되고 싶은 간절한 욕구를 충족시킬 수 있는 방법이 그것밖에 없었기 때문입니다. 저 역시 가족을 잃었고 배가 고팠기 때문에 소년병이 되었습니다. 가족을 죽인 사람들에게 복수하고 싶었고, 살아남으려면 어떻게든 조금이라도 식량을 구해야 했습니다. 그렇게 할 수 있는 유일한 방법은 군에 소속되는 것뿐이었습니다. 군인이 된다는 것은 결코 쉬운 일이 아니었습니다. 하지만 우리에게는 다른 선택지가 없었습니다. 물론 지금은 재활 과정을 마친 상태이니 저를 두려워하지 않으셔도 됩니다. 저는 이제 군인이 아닙니다. 소년입니다. 그리고 저희 모두는 형제이자 자매입니다. 복수는 결코 누구에게도 도움이 되지 않는다는 사실을 저는 경험을 통해 배웠습니다. 저는 가족의 복수와 생존을 위해 소년병이 되었습니다. 하지만 복수를 하려면 그 과정에서 또 다른 인간을 죽여야 한다는 사실을 깨달았습니다. 당연히 그 사람의 가족도 복수하기를 원하겠죠. 그러면 복수에 복수에 복수가 꼬리를 물고 끊임없이 반복될 수밖에 없습니다……."

모두 발표를 마친 뒤 우리는 구호를 외치는 대신 미리 준비
한 노래를 불렀다. 노래가 끝나면 다른 노래들을 불렀다. 눈물
을 흘렸고 웃음을 터뜨렸고 춤을 추었다. 더없이 감동적인 오후
였다. 다들 평화로운 곳으로 돌아갈 처지가 아니라는 사실을 알
았기 때문에 서로를 떠나보내기가 너무나 슬펐다. 마도카와 나
는 서로의 어깨에 팔을 두르고는 음악에 맞추어 방방 뛰어다녔
다. 바는 다른 소년들과 춤을 추고 있었다. 청중석에 앉아 계신
탐바 박사님은 뉴욕 시에 도착한 후 처음으로 미소를 지었다.
춤이 끝난 뒤 로라가 나를 한쪽으로 데려가 내가 발표한 내용에
깊이 감동받았다고 말해주었다.

그날 밤, 우리는 인도 음식점에 외식을 하러 갔다. 이 나라에
도 쌀밥을 주는 곳이 있다는 사실이 기뻤다. 우리는 맘껏 먹고
떠들고 주소를 주고받았다. 그러고 나서 이스트빌리지에 있는
로라네 집으로 갔다. 왜 '빌리지'라고 부르는지 이해가 가지 않
았다. 내가 아는 '마을'들과는 차원이 달랐다. 보호자들은 동행
하지 않고 호텔로 돌아갔다. 그때만 해도 로라네 집이 내 집이
될 줄은 몰랐다. 벽에는 세계 곳곳에서 가져온 전통 직물들이
걸려 있었고 이야기책이 가득한 커다란 책장 위에는 동물 모양
조각상들이 놓여 있었으며 탁자 위에는 아름답고 이국적인 새
무늬를 뽐내는 도자기들이 진열되어 있었다. 대나무로 만든 악
기라든가 갖가지 요상한 물건들도 눈에 들어왔다. 집은 57명 전

부가 들어가도 될 만큼 컸다. 우리는 일단 거실에 둘러앉아 서로 이야기를 들려주는 것으로 시작해 밤이 되도록 춤을 추고 놀았다. 뉴욕에서의 마지막 밤을 보내기에 더할 나위 없는 장소였다. 로라의 집은 우리를 닮아 있었다. 흥미진진했고 놀라운 이야기들로 가득 차 있었다. 다들 자기 집처럼 편안해 했고 실제로 자기 고향에서나 보던 물건들을 발견했다. 마치 뉴욕 시를 떠나 다른 세계에 들어온 것만 같았다.

다음 날 저녁, 바와 탐바 박사님과 같이 공항으로 가는 길을 로라와 샨사가 함께해주었다. 처음에는 차에 탄 누구도 말이 없었다. 하지만 공항이 가까워지자 탐바 박사님을 제외한 모두가 훌쩍이기 시작했다. 터미널에서 작별인사를 하고 안아줄 때에는 훌쩍임이 아예 흐느낌으로 바뀌어 있었다. 로라와 샨샤는 자신들의 주소와 전화번호를 주면서 계속 연락하자고 말했다. 1996년 11월 15일, 우리는 뉴욕 시를 떠났다. 8일만 지나면 내열여섯 번째 생일이었다. 비행기를 타고 집으로 돌아가는 내내 꿈을 꾸고 있는 것만 같았다. 절대 깨어나고 싶지 않은 꿈. 떠나기가 아쉬웠지만 시에라리온 밖에 사는 사람들을 만났다는 사실만으로도 기뻤다. 시에라리온으로 돌아가자마자 죽임을 당한다 해도 이 세상 어딘가에 나라는 존재를 기억해줄 사람들이 있다는 뜻이니까.

21

저녁 시간에 이따금씩 나는 이제 우리와 함께 살게 된 모하메드를 비롯해 우리 가족에게 내 여행 이야기를 들려줬다. 비행장, 공항, 비행기, 비행기 창밖으로 구름을 내다보는 기분이 어땠는지까지 하나도 빠짐없이 설명해주었다. 암스테르담공항에서 무빙워크 위를 걸어갈 때를 떠올리면 여전히 뱃속이 울렁거리는 것 같았다. 백인을 그렇게 많이 본 것은 처음이었는데 다들 캐리어를 끌고서 서둘러 제 갈 길을 달려갔다. 내가 만났던 사람들과 뉴욕 시의 고층빌딩들, 거리에서 욕지거리를 내뱉던 사람들 이야기도 들려주었다. 특히 눈이 내린다는 이야기랑 저녁이 되기도 전에 날이 어두워진다는 이야기는 한껏 공을 들였다.

그때마다 삼촌은 "거참, 요상한 여행이로구먼"이라고 말씀하셨다. 나조차도 그 모든 것이 내 머릿속에서 일어난 일인 것만 같았다.

　모하메드와 나는 세인트에드워드중학교에서 다시 학업을 시작했다. 신이 났다. 초등학생 시절 아침 등굣길이 떠올랐다. 빗자루로 망고 잎을 쉭쉭 쓸어내는 소리가 거칠게 울려퍼지면, 깜짝 놀란 새들이 서로 저 소리는 뭐냐고 묻는 것처럼 더 높은 소리로 지저귀곤 했다. 내가 다닌 초등학교는 작은 건물 하나가 다였다. 그마저도 진흙 벽돌을 쌓아올린 뒤 양철지붕을 올려서 만들었다. 문짝도 없었고 실내 바닥에는 시멘트도 발라져 있지 않았다. 무엇보다 너무 비좁아서 학생들이 다 들어가지도 못했다. 그래서 대부분의 수업을 망고나무 아래 그늘에서 했다.

　모하메드는 학창 시절에 대해서라면 주로 초등학교와 중학교에 학습자재가 부족했던 것과 선생님들을 도와 농장이나 정원에서 작물을 길렀던 일이 떠오른다고 했다. 선생님들은 몇 년 동안 임금을 받지 못하는 경우가 허다했기 때문에 따로 농사일을 하지 않고는 생계를 유지할 수 없었다. 모하메드와 학창 시절 이야기를 하면 할수록 학생으로 살아간다는 게 어떤 느낌인지 까맣게 잊고 있었다는 사실이 분명해졌다. 수업을 듣고 필기를 하고 숙제를 하고 친구를 만들고 아이들을 약올리고……. 다 머나먼 과거의 일이었다. 다시 돌아가고 싶다는 열망이 불타올랐다. 하지만 우리가 다시 학교에 간 첫날, 아이들 모두가 모하메드와 나에게서 멀찍이 떨어져 앉았다. 우리가 언제라도 달려들어서 누군가를 죽이기라도 할 것처럼 생각하는 것 같았다. 어떻게 알았는지는 모르겠지만 그들은 우리가 소년병 출신이라는 사실을 알고 있는 것이 분명했다. 전쟁은 우리의 유년 시절을 앗아갔을 뿐만 아니라 우리 삶에 지우기 힘든 얼룩을 남기고 말았다. 그 얼룩은 여전히 우리에게 고통과 슬픔을 안겨주고 있었다.

모하메드와 나는 늘 천천히 걸어서 학교에 갔다. 여유롭게 걸으며 내 인생이 어떤 식으로 흘러갈지 상상해보는 게 좋았다. 나는 아무리 나빠도 소년병 시절보다 더 나쁜 상황은 일어나지 않을 거라고 확신했다. 그렇게 생각하면 얼마든지 미소를 지을 수 있었다. 나는 가족의 일원으로서 살아가는 데 익숙해지려 애쓰는 중이었다. 사람들에게는 모하메드가 내 친형제라고 말하기 시작했다. 그러면 다른 말을 덧붙일 필요가 없어서 좋았다. 과거를 절대 잊지 못하리라는 것은 알고 있었지만, 과거 이야기는 이제 묻어두고 새로운 삶에 온전히 매진하고 싶었다.

평소와 마찬가지로 아침 일찍 일어나 집 뒤의 평평한 바위 위에 앉은 채 도시가 깨어나기를 기다리고 있었다. 1997년 5월 25일이었다. 그런데 그날 도시를 깨운 것은 하루의 활기를 불어넣는 일상적인 소음이 아니라, 주의회 의사당과 국회 의사당 근방에서 터져나온 총성이었다. 모두들 깜짝 놀라 잠에서 깼다. 베란다로 가니 삼촌과 이웃들이 모여 있었다. 다들 무슨 일이 일어난 건지 알지 못했다. 하지만 어디론가를 향해 파뎀바 도로를 급히 달려가는 군인들이 보였고, 군용 트럭들이 교도소 앞을 오가고 있었다.

해가 뜬 뒤로는 총소리가 점점 잦아져 도시 전역에서 총성이 났다. 주민들이 베란다 밖으로 나와 잔뜩 긴장한 채 바들바들 떨고 있었다. 모하메드와 내가 눈빛을 교환했다. "다시는 안 돼." 이른 오후 즈음에는 중앙교도소 문이 열렸고 죄수들이 풀려나왔다. 새 정부 측에서는 풀려난 죄수들에게 총을 지급했다. 몇몇 죄수들은 자신들의 판결에 관여한 판사나 변호사의 집을 곧장 찾아가 그들과 그들의 가족을 죽였다. 아무도 없으면 집에 불을 질렀다. 어떤 죄수들은 이미 상점을 약탈하기 시작한 군인들 사이에 합류했다. 불타는 집들에서 피어오른 연기가 점점 퍼지더니 결국 도시 전체를 자욱하게 덮었다.

라디오에서 웬 남자 목소리가 나왔다. 그는 스스로를 시에라리온의 신임 대통령이라고 선언했다. 이름은 조니 폴 코로마로, 무장혁명군평의회(AFRC) 수장이었다. AFRC는 민주적으로 선출된 테잔 카바 대통령의 정부를 전복하기 위해 시에라리온 군 장교 집단이 조직한 단체였다. 코로마의 영어 실력은 그가 쿠데타를 일으킨 명분만큼이나 형편없었다. 코로마는 모든 것이 제

자리를 찾았으니 다들 일터로 돌아가면 된다고 권고했다. 그렇게 말하는 코로마의 목소리는 총소리와 성난 군인들이 내뱉는 욕설과 환호에 묻혀버렸다.

밤이 되자 라디오에서는 한 번 더 발표가 나왔다. 국군과 반군이 "국익을 위해" 힘을 모아 민간 정부를 몰아냈다고 선언하는 내용이었다. 전선에 있던 반군들과 국군들이 프리타운으로 물밀듯 몰려오기 시작했다. 온 나라가 무법천지가 되어버렸다. 나는 내 눈앞에서 벌어지고 있는 상황에 증오가 차올랐다. 다시 예전의 삶으로 돌아갈 수는 없었다. 게다가 이번에는 살아남을 자신이 없었다.

일명 '소벨'('soldier'의 앞 음절과 'rebel'의 뒤 음절을 딴 혼성어—옮긴이)이라 불린 AFRC와 RUF 연합군은 RPG나 여타 폭발물을 이용해 은행 금고에 구멍을 내버리고는 돈을 쓸어담았다. 때로는 지나가는 사람을 붙잡아 몸을 수색하고는 물건이 나오는 족족 다 빼앗기도 했다. 소벨은 중학교와 고등학교는 물론 대학교 캠퍼스까지 점거했다. 낮 동안 우리는 베란다에 앉아 있는 것 말고는 아무것도 할 일이 없었다. 그래서 삼촌은 내가 같이 살게 된 후부터 짓기 시작한 건물 공사나 마무리해야겠다고 결정하셨다. 우리는 해가 뜨면 건물 부지로 가서 작업을 하다가, 총성이 울리는 이른 오후가 되면 집으로 달려와 침대 밑에 숨었다. 하지만 점점 탁 트인 부지에 나가 있기가 위험해졌다. 빗나간 총알에 맞아 숨진 시민들도 많았기 때문이다. 얼마 지나지 않아 우리는 작업을 중단했다.

무장한 군인들이 상점과 시장을 닥치는 대로 약탈했기 때문에 도시에는 식량이 거의 남지 않았다. 설상가상으로 나라 밖이나 지방에서 들여오는 식량마저 공급이 끊겼다. 광기로 물든 난장판에서 얼마 남지 않은 식량을 구해야 했다. 로라가 나에게 돈을 보내줄 때마다 조금씩 저축을 해뒀던 덕에 돈이 좀 있었다. 그래서 모하메드와 나는 시내에 가서 가리든 정어리 통조림이든 쌀이든 뭐든 구해보기로 결정했다. 물론 소년병 시절 군인 친구들을 맞닥뜨릴 위험이 있다는 사실은 잘 알고 있었다. 녀석들은 내가 더 이상 전쟁에 참여하지 않는다고 말하면 나를 죽일 게 뻔했다. 하지만 그렇다고 집에만 있을 수는 없었다. 반드시 식량이 필요했다.

우리는 시내의 어느 버려진 집 뒷마당에서 암시장이 열린다는 소문을 들었다. 다른 곳에서는 구할 수 없는 식품들을 시민들에게 판다고 했다. 물론 정상가보다 두 배 더 비쌌지만 충분히 위험과 비용을 감수할 만한 가치가 있어 보였다. 우리는 혹시 우리를 아는 군인을 마주칠까 두려워 새벽에 길을 나섰다. 고개를 숙인 채 어린 군인들 사이를 서둘러 지나갔다. 우리가 암시장에 도착했을 때, 마침 상인들이 막 식품을 꺼내놓고 있었다. 우리는 쌀, 야자유, 소금, 생선을 약간씩 샀다. 우리가 볼 일을 다 보았을 즈음 시장에 사람들이 불어나고 있었다. 사람들은 돈이 되는 대로 무엇이든 서둘러 사려고 분주하게 움직였다.

우리가 그곳을 떠나려는 순간, 개방형 랜드로버 한 대가 굉음을 내며 달려왔다. 차가 멈추기도 전에 무장한 남자들이 차에서 뛰어내렸다. 그들은 시민들 가운데로 달려와 위협사격을 했다. 지휘관이 확성기를 들고는 모두에게 식량을 내려놓고 양손을 머리에 올린 채 땅바닥에 납작 엎드리라고 명령했다. 여자 하나가 겁에 질려 달리기 시작했다. 빨간 머리띠를 맨 군인 하나가 여자 머리에 총을 쏘았다. 여자가 외마디 비명을 지르면서 돌바닥 위로 쿵 하고 고꾸라졌다. 그러자 사람들이 한층 더 겁에 질려 사방으로 흩어지기 시작했다. 우리도 식량을 챙겨들고 몸을 숙인 채 달려갔다. 점점 익숙한 상황이 펼쳐지고 있었다.

우리가 시장을 벗어나 달리고 있을 때, 랜드로버 한 대가 더 도착했다. 중무장을 한 군인들이 우르르 쏟아졌다. 그들은 사람들에게 총알을 퍼붓고 개머리판으로 사람들 머리를 후려쳤다. 우리는 시장과 큰길 사이를 가로지르는 벽 뒤에 숨었다. 그러고는 만에서 떨어져 있는 집들 뒷골목을 따라 빠르고 조심스럽게 나아갔다. 거의 만이 끝나는 지점에 다다르자 파도가 가라앉은 배 한 척을 철썩철썩 때리는 모습이 눈에 들어왔다. 거기서부터 식품을 겨드랑이 사이에 단단히 낀 채 대로로 올라가 집을 향해 걸어가기 시작했다. 시내 중심에 있는 코튼트리 방향으로 걸어가는데 한 무리의 시위대가 '살인을 멈춰라!' 같은 문구가 적힌 포스터를 들고 우리 옆으로 달려갔다. 그들은 하얀 셔츠를 입고 머리에도 하얀 천을 두르고 있었다. 우리는 그들을 애써 무시하려 했다. 그런데 집으로 이어지는 모퉁이를 돌자 사복 차림과 군복 차림이 반반씩 섞인 무장 군인들이 우리 쪽으로 달려오면서 시위대를 향해 총을 발포했다. 시위대를 떨쳐낼 방법이 없었기 때문에 우리도 사람들 사이에 섞여 들어갔다. 군인들이 최루탄을 던지기 시작했다. 사람들이 코피를 흘리며 보도 위에 구토를 했다. 모두가 키시 거리를 향해 달려갔다. 숨을 쉬기가 힘들었다. 매운 양념장에 푹 담근 것처럼 코가 얼얼해서 손으로 코를 막았다. 식품을 담은 자루를 꽉 붙든 채 군중 사이에서 모하메드를 잃어버리지 않으려고 애쓰면서 달리고 또 달렸다. 눈물이 뺨을 타고 흘렀다. 눈알과 눈꺼풀이 무겁게 느껴졌다. 분노가 치밀어올랐지만 스스로를 억제하려고 애썼다. 화를 냈다가는 죽기 십상이었기 때문이다. 이제 나는 민간인이었다. 그 사실을 잘 알고 있었다.

우리는 계속 사람들과 발맞추어 달리면서 그곳을 빠져나가 집으로 향할 기회를 잡으려고 애썼다. 목이 아프기 시작했다. 모하메드는 목에 핏줄이 선명하게 도드라질 만큼 기침을 해대고 있었다. 마침내 간신히 군중 사이에서 빠져나왔다. 모하메드는 공용 펌프 아래로 머리를 처박았다. 그때 난데없이 또 다른 사람들이 전력을 다해 우리 쪽으로 몰려왔다. 군인들이 그 뒤를 쫓고 있었다. 그래서 우리도 식량을 챙겨 일단 앞으로 냅다 달리기 시작했다.

우리는 다시 학생 시위대 사이에 갇힌 채 양쪽으로 고층 건물들이 늘어선 거리를 달리고 있었다. 사람들 위를 맴돌던 헬리콥터 한 대가 군중을 향해 강하하기 시작했다. 모하메드와 나는 무슨 일이 벌어질지 직감했다. 우리는 가장 가까운 배수로를 찾아 몸을 던졌다. 헬리콥터는 거의 지상 높이까지 내려왔다. 그러고는 시위대와의 거리가 약 25미터 정도로 좁혀지자 측면이 시위대를 향하도록 몸을 돌렸다. 개방된 측면에는 군인 하나가 앉아 있었다. 군인은 기관총을 쏘아 사람들을 살육하기 시작했다. 사람들은 어떻게든 살아보려고 계속 달렸다. 불과 1분 전만하더라도 팻말과 소음이 가득했던 거리가 제대로 잠들지 못한 영혼들이 갑작스런 죽음을 받아들이지 못해 고투를 벌이는 고요한 매장지로 변해버렸다.

모하메드와 나는 고개를 숙인 채 골목에서 골목으로 뛰어다녔다. 달리다 보니 울타리가 앞을 가로막았다. 건너편에 바리케이드로 막아놓은 큰길이 보였다. 무장한 남자들이 주변을 정찰하고 있었다. 우리는 배수로에 누워 어둠이 깔릴 때까지 여섯 시간 동안 숨어 있었다. 살아남을 수 있는 확률은 밤이 더 높았다. 총탄이 그리는 붉은 궤적이 어둠 속에서 잘 보이기 때문이었다. 우리가 숨은 곳에는 다른 사람들도 있었다. 파란 티셔츠를 입은 학생은 얼굴에 땀을 뻘뻘 흘렸다. 몇 초마다 셔츠를 잡아당겨 이마를 닦아내야 할 정도였다. 20대 초반으로 보이는 젊은 여자는 얼굴을 무릎 사이에 파묻은 채 벌벌 떨면서 앞뒤로 몸을 흔들었다. 다른 누군가의 피로 얼룩진 셔츠를 입고 있는 턱수염을 기른 남자는 배수로 벽에 기댄 채 양손으로 머리를 감싸고 있었다. 나는 상황이 마음에 안 들기는 했지만 전쟁 경험이 없는 이 사람들만큼 겁이 나지는 않았다. 이들의 첫 경험을 지켜보고 있자니 고통스러웠다. 삼촌이 우리 행방을 두고 너무 걱정하시지 않기를 바랐다. 총성이 몇 차례 더 울리고 최루탄 가스가 구름처럼 떠다녔다. 우리는 바람이 가스를 쓸어버릴 때까지 코를 붙잡고 있었다. 밤이 너무나 멀게 느껴졌다. 심판의 날이라도 기다리는 기분이었다. 하지만 밤은 반드시 찾아오는 법이다. 비로소 어둠이 깔리자 우리는 집 뒤로 숨고 담을 넘으면서 집에 도착했다.

삼촌이 눈가에 눈물이 고인 채 베란다에 앉아 계셨다. 내가 인사를 드리자 삼촌은 유령이라도 보신 것처럼 벌떡 일어나셨다. 그러고는 우리를 한참 동안 안아주시면서 다시는 시내에 나가지 말라고 당부하셨다. 하지만 다른 선택지가 없었다. 식량을 구하려면 밖으로 나가야만 했다.

그후 다섯 달 동안 총성은 잠시도 그치지 않았고, 이곳 도시를 상징하는 소리가 되어버렸다. 아침이면 집집마다 가족들이 베란다에 나와 앉아 아이들을 꼭 끌어안고 거리를 내다보았다. 거리에서는 군인들이 무리를 지어 이곳저곳 배회하면서 약탈, 강간, 살육을 마음껏 일삼았다. 총성이 격렬해질 때마다 어머니들은 벌벌 떨리는 팔로 자식들을 꼭 감쌌다. 사람들은 주로 물에 불린 쌀을 설탕에 찍어 먹거나 생 가리를 소금에 찍어 먹었다. 그러는 동안 혹시 희소식이 없을까 라디오를 들었다. 이따금 낮에는 군인들이 불을 지른 집들에서 연기가 줄기줄기 솟아올랐다. 그럴 때면 집들이 불타는 광경을 보며 신나게 웃는 소리가 여기까지 들려왔다. 어느 날 저녁, 삼촌 집에서 몇 집 떨어진 곳에 사는 이웃이 새 정부가 시민에게 저지르고 있는 만행을 규탄하는 무허가 채널 방송을 듣고 있었다. 몇 분 뒤에 군인들이 잔뜩 탄 트럭 한 대가 그의 집 앞에 멈추어 섰다. 군인들은 그는 물론 아내와 아들 둘까지 끌어내 총으로 쏘아 죽인 다음 시체를 근처 배수로에 발로 차넣었다. 그 광경을 지켜본 삼촌은 구토를 하셨다.

사태가 발발한 뒤 처음 3주 동안은 다들 겁에 질려 집 밖으로 나갈 엄두를 내지 못했다. 하지만 사람들은 총성과 광기에 금방 적응했다. 빗나간 총알에 맞을 가능성이 사라진 것은 아니었지만 평소처럼 식량을 구하러 다니기 시작했다. 아이들은 방금 울린 총성이 AK-47, G3, RPG, 기관총 중 어디서 나왔는지 알아 맞히는 놀이를 했다. 나는 주로 모하메드와 같이 집 뒤의 평평한 바위 위에 말없이 앉아 있었다. 전쟁을 피해 이렇게 멀리까지 도망쳐 왔는데 결국 다시 덜미를 잡혔구나 싶었다. 더 이상 갈 곳은 없었다.

뉴욕에 있는 로라와 연락이 끊어진 지도 다섯 달이 훌쩍 넘었다. 그 전에는 서로 꾸준히 편지를 주고받았다. 로라는 자기 근황을 알려주고 나 또한 반드시 스스로를 잘 돌보아야 한다고 말해주었다. 로라의 편지는 세계 곳곳에서 날아왔다. 그녀가 이야기 프로젝트에 맞추어 전세계를 다녔기 때문이다. 최근 매일 로라에게 수신자 부담 전화를 걸어보았지만 연결이 되지 않았다. 국영 전화 회사인 시에라텔이 더 이상 제 기능을 하지 못했기 때문이다. 나는 날마다 삼촌과 사촌들과 베란다에 앉아 시내 쪽을 바라보았다. 어두워지기도 전에 통행금지가 시작됐기 때문에 더 이상 카세트테이프로 이야기를 듣지도 않았다. 삼촌은 날이 갈수록 웃음이 줄고 한숨이 늘었다. 우리는 상황이 호전되기를 바랐지만 점점 악화되기만 했다.

삼촌의 건강이 나빠지셨다. 어느 날 아침, 다들 베란다에 앉아 있는데 삼촌이 몸이 너무 안 좋다고 말씀하셨다. 그날 저녁에는 열까지 나기 시작하더니 결국 끙끙대며 앓아 누우셨다. 나와 알리 형이 근처 가게에 가서 약을 사왔다. 하지만 열은 점점 더 심해졌다. 살레이 숙모가 삼촌에게 억지로라도 음식을 먹어보라고 권했지만 삼촌은 먹은 것을 전부 게워냈다. 병원과 약국은 죄다 문을 닫았다. 우리는 의사나 간호사를 찾아 시내를 샅샅이 뒤졌지만 아직 떠나지 않은 의사나 간호사는 다시는 가족 곁으로 돌아오지 못할까 봐 절대 집 밖으로 나서려 하지 않았다. 어느 날 저녁이었다. 내가 삼촌 옆에 앉아 이마를 닦아드리고 있는데 삼촌이 침대에서 떨어졌다. 나는 삼촌의 길쭉한 몸을 팔로 안고는 삼촌 머리를 내 무릎에 뉘었다. 삼촌의 동그란 얼굴에는 광대뼈가 툭 튀어나와 있었다. 삼촌이 나를 바라보셨다. 희망을 놓아버린 눈빛이었다. 나는 삼촌에게 제발 우리를 떠나지 말라고 빌었다. 뭐라 말씀하시려는 듯 삼촌의 입술이 파르르 떨리다가 이내 움직임을 멈추었다. 삼촌이 우리 곁을 떠난 것이다. 나는 삼촌을 양팔에 안은 채 숙모에게 이 사실을 어떻게 알려야 하나 고심했다. 숙모는 부엌에서 삼촌에게 가져다줄 물을 끓이고 계셨다. 얼마 지나지 않아 숙모가 방으로 들어왔다. 숙모 손에서 물잔이 뚝 떨어지면서 뜨거운 물이 우리 둘에게 튀었다. 숙모는 자기 남편이 죽었다는 사실을 도저히 받아들이지 못했다. 나는 여전히 삼촌을 양팔에 꼭 붙들고 있었다. 눈물이 주르륵 흘렀다. 온몸이 마비된 듯 앉은 채로 몸이 움직이지 않았다. 알리 형과 모하메드가 와서 삼촌을 들어다 침대에 눕혔다.

몇 분이 지난 뒤에야 나는 간신히 일어날 수 있었다. 나는 집 뒤로 가서 모하메드가 뜯어말릴 때까지 주먹으로 망고나무를 두들겼다. 세상은 매번 이렇게 내가 소중하게 여기는 것들을 송두리째 앗아갔다.

사촌들이 울면서 외쳤다. "이제 누가 우리를 돌봐주나요? 이 어려운 시기에 저희에게 왜 이런 일이 닥친 건가요?"

저 아래 시내에서 군인들이 탕탕 총을 쏘는 소리가 들렸다.

다음 날 아침, 삼촌 장례를 치렀다. 온 세상이 광기에 휩싸여 있는 와중에도 많은 사람들이 와주었다. 나는 관 뒤를 따라갔다. 발소리에 맞추어 심장이 쿵쿵 내려앉았다. 나는 사촌들과 모하메드와 손을 맞잡았다. 숙모는 어떻게든 묘지에 가보려고 하셨지만 집을 나서기도 전에 쓰러지시고 말았다. 묘지에서는 매장 전에 이맘이 코란 몇 장을 읽었다. 마침내 삼촌이 무덤 속으로 들어갔다. 그 위로 흙이 덮였다. 장례식이 끝나자 사람들은 각자의 삶 속으로 빠르게 흩어졌다. 나는 모하메드와 함께 뒤에 남았다. 무덤 옆에 앉은 다음에 삼촌에게 말을 걸었다. 우선 아무런 도움도 드리지 못해 죄송하다고 말씀드렸다. 또 내가 진심으로 삼촌을 사랑하는 것을 알아주시길 바란다고, 삼촌이 내가 어른이 되는 모습을 지켜보시지 못해 아쉽다고 말씀드렸다. 말을 마친 뒤 손을 무덤에 올린 채 조용히 흐느꼈다. 그렇게 시간 가는 줄 모르고 있다가 울음을 그치고 나서야 정신을 차렸다. 어느새 날이 저물어 통행금지가 시작되기 직전이었다. 모하메드와 나는 군인들이 총질을 시작하기 전에 서둘러 집으로 달려갔다.

그로부터 며칠 뒤, 드디어 로라에게 수신자 부담 전화를 거는데 성공했다. 나는 내가 뉴욕 시에 가면 로라네 집에 머무를 수 있냐고 물어보았다. 로라는 물론이라고 대답해주었다.

내가 다시 물었다. "아뇨. 진지하게 생각해주셨으면 좋겠어요. 제가 뉴욕에 가서 아줌마 집에 있어도 되나요?"

로라가 다시 말했다. "응, 돼." 나는 "저라면 좀 더 머릿속에 제대로 그려볼 텐데요"라고 말한 뒤 기니의 수도인 코나크리에 도착해서 다시 연락하겠다고 말했다. 이웃나라 기니는 평화로운 곳이었고 당시 시에라리온을 빠져나가려면 기니를 통해서 가야 했다. 나는 이 나라를 떠나야만 했다. 계속 프리타운에 남아 있다가는 다시 소년병이 되거나, 소년병이 되기를 거절했다가 예전 군인 친구들에게 죽임을 당하거나 둘 중 하나일 것 같았다. 재활 과정을 거친 친구들 중에도 이미 다시 군인이 된 아이들이 있었다.

나는 삼촌이 돌아가신 지 이레째 되는 날 아침 일찍 프리타운을 떠났다. 모하메드를 빼고는 아무에게도 떠난다는 사실을 알리지 않았다. 모하메드는 숙모가 슬픔을 추스르시면 숙모에게 내 얘기를 전해주겠다고 했다. 숙모는 삼촌이 돌아가신 뒤 세상과 모든 사람들에게 등을 진 상태였다. 나는 1997년 10월 31일, 여전히 밖이 살짝 어두운 새벽에 길을 나섰다. 아직 통금령이 풀리지 않았지만 해가 뜨기 전에 얼른 도시를 떠야 했다. 이 시간에 움직이는 편이 덜 위험했다. 군인들이 일부는 곯아떨어져 있을 것이고 그렇지 않더라도 어두워서 멀리서는 나를 제대로 보지 못할 것이기 때문이었다. 고요한 도시에 총성이 울렸다. 새벽바람이 내 얼굴을 거칠게 스쳤다. 공기에서는 썩은 시체와 화약 냄새가 났다. 나는 모하메드와 악수를 하면서 말했다. "결국 이 여정의 끝이 어딘지를 꼭 알려줄게." 모하메드는 내 어깨를 살살 두드릴 뿐 아무 말도 하지 못했다.

나는 작고 낡은 가방에 옷가지만 몇 개 챙겼다. 크거나 화려한 가방을 들고 다니기에는 위험 부담이 컸다. 군인들이 안에 귀중품이 들었으리라고 생각하고는 총을 쏠 것이 뻔했다. 베란다에 서 있는 모하메드를 뒤로한 채 몇 시간 남지 않은 어둠 속으로 걸어 들어가는데 덜컥 겁이 났다. 선명한 기시감이 들었다. 나는 전봇대 옆에 잠깐 멈춰 서서 숨을 크게 내쉬고는 허공에 주먹을 날리면서 분을 풀었다. '빠져나가야 해. 그러지 못하면 다시 군대 신세야'라고 생각했다. 그런 결과를 예상해야만 하는 현실이 슬펐다. 나는 배수로 근처를 따라 빠르게 걸었다.

차량이 다가오는 소리가 들리면 바로 배수로 속으로 몸을 숨겼
다. 거리에는 민간인이 나밖에 없었다. 이따금 검문소를 마주치
면 배수로 바닥을 기거나 집 뒤로 웅크리고 다니면서 우회하는
수밖에 없었다. 드디어 시내 끝에 있는, 더 이상 사용하지 않는
버스 정류장까지 무사히 도착했다. 온몸이 땀범벅인 채 정류장
을 둘러보는데 눈꺼풀이 파르르 떨렸다. 30대로 보이는 남자들
이 여럿 있었고 여자들도 몇 명 있었다. 다섯 살 정도거나 그보
다 약간 커 보이는 아이들을 데리고 있는 가족들도 몇 팀 있었
다. 몇몇은 꾸러미를 쥐고 몇몇은 아이들 손을 쥔 채 허물어져
가는 벽에 기대어 줄을 서 있었다.

　나는 줄 끝으로 가서 무릎을 꿇고 앉아, 오른발에 신은 양말
속에 돈이 잘 들어 있나 확인했다. 내 앞에 서 있는 남자가 계속
혼자 중얼거리면서 왔다갔다 했다. 그러자 더 긴장이 되었다.
몇 분 정도 조용히 서서 기다리자 줄에 서 있던 남자 하나가 자
신이 버스 기사라고 외친 뒤 모두에게 따라오라고 지시했다. 남
자를 따라 쓰러진 시멘트벽 위를 걸어 정류장 깊숙이 들어가자
공터가 하나 나왔다. 그곳에는 밤의 어둠 속에 섞이기 위해 바
퀴 림까지 까맣게 칠한 버스 한 대가 서 있었다. 모두 버스에 탑
승하자 버스는 등을 끈 채 정류장을 나와 도시 밖에 위치한 비
포장도로에 올랐다. 여러 해 사용하지 않은 도로였기 때문에 마
치 버스가 숲 속을 헤치고 나아가는 것 같았다. 나뭇잎과 나뭇

가지가 버스 옆을 찰싹찰싹 때렸다. 버스는 해가 뜨기 전까지 천천히 나아갔다. 가끔씩 작은 언덕이 나오면 승객들이 내려 버스를 밀어주어야 했다. 다들 말이 없었고 얼굴에는 두려움과 긴장감이 역력했다. 아직 도시 지역을 무사히 통과하지 못했기 때문이다. 우리는 다시 버스에 올라 한 시간 정도를 더 갔다. 버스는 우리를 어느 낡은 다리 앞에 내려주었다.

버스 기사에게 요금을 낸 뒤 우리는 녹슨 다리 위를 한 번에 두 명씩 건너갔다. 그리고 다음 날 아침 도착할 다른 버스를 기다릴 정류장까지 하루 종일 걸어갔다. 사람들이 도시 밖으로 빠져나가는 모습을 눈 뜨고 지켜보지 못하는 새 정부 군인들에게 죽임을 당하지 않고 프리타운을 벗어나려면 이러는 수밖에 없었다.

정류장에 모인 사람은 서른 명이 넘었다. 우리는 수풀 근처에 앉아 밤새도록 기다렸다. 아직 생지옥을 완전히 벗어난 것이 아니었기 때문에 다들 말을 삼갔다. 부모들도 목소리가 새어나갈까 두려워 아이들에게 말할 때도 귓속말만 했다. 어떤 사람들은 땅바닥을 뚫어져라 쳐다보았고 어떤 사람들은 돌을 만지작거렸다. 바람을 타고 총성이 희미하게 들려왔다. 나는 배수로 가장자리에 앉아 비닐봉지에 담아온 생쌀을 조금 씹어 먹었다. 전쟁으로부터 도망치는 일은 언제 끝날까? 버스가 나타나지 않으면 어떡해야 하나? 프리타운에 있는 어느 이웃이 시에라리온을 빠져나가려면 이 루트가 유일하다고 말해줬었다. 지금까지는 순조로워 보였다. 하지만 이런 환경에서 상황이 얼마나 급속히 악화일로로 치닫는지 알고 있었기 때문에 염려를 떨칠 수 없었다.

생쌀을 가방에 도로 넣은 뒤 밤을 보낼 적당한 장소를 찾아 흙길을 걸었다. 사람들은 버스 정류장 근처에 있는 수풀 아래에서 잠을 청하고 있었다. 혹시 버스가 밤중에 나타나더라도 소리를 놓치지 않기 위해서였다. 길을 더 걸어가자 뒤엉킨 자두나무 가지 아래에 공간을 만들고 있는 사람들도 보였다. 그들은 손으로 마른 잎을 쓸어낸 뒤 신선한 잎을 모아 베개 삼아 쌓았다. 한 명은 나뭇가지들을 모아 빗자루를 만든 뒤 마른 잎을 손쉽게 쓸어내고 있었다. 나는 배수로 위를 폴짝 건너 어느 나무에 기대앉았다. 그러고는 밤새 삼촌 생각을 했다. 자연스레 아빠, 엄마, 형제들, 친구들 생각도 났다. 왜 죽음이 나만 빼고 모두를 앗아가는 것일까? 나는 분을 삭이려고 애쓰며 흙길을 왔다갔다 했다.

아침이 되자 사람들이 일어나 손으로 몸에 묻은 먼지를 털어냈다. 어떤 사람들은 아침이슬로 세수를 했다. 작은 풀이나 나무 이파리를 털어, 거기서 떨어지는 물을 얼굴과 머리에 문지르는 식이었다. 가슴을 졸이며 몇 시간을 기다리자 길 저편에서 투박한 엔진 소리가 들려왔다. 버스라고 장담할 수 없었기 때문에 다들 짐을 들고 근처 수풀 속에 숨었다. 엔진이 덜덜 울리는 소리가 점점 커지다가 비로소 버스가 눈에 들어왔다. 그러자 다들 수풀에서 뛰쳐나와 버스가 멈출 때까지 "여기요!"라고 소리쳤다. 버스가 멈추자마자 우르르 올라탔다. 버스가 움직이는 동안 차장이 돌아다니면서 요금을 걷었다. 나는 열여덟 살 미만이었기 때문에 요금을 절반만 냈다. 하지만 그마저도 평화로웠던 시기에 비하면 어른 요금보다 비싼 가격이었다. 나는 창밖으로 나무들이 지나가는 모습을 보았다. 어느 순간 버스가 속도를 줄이더니 창밖으로 나무 대신 커다란 총을 든 군인들이 보였다. 군인들 모두 도로와 버스를 향해 총을 겨누고 있었다. 군인들이 버스 안의 승객들에게 버스에서 내리라고 지시했다. 그러고는 바리케이드 쪽으로 걸어가라고 했다. 주변을 둘러보니 근처 수풀에 기관단총과 유탄 발사기를 쥔 군인들이 더 보였다. 어떤 대형을 갖추고 있나 관찰하다가 그만 버스에 다가가는 군인과 부딪힐 뻔했다. 그는 핏발이 선 눈으로 나를 쳐다보고는 '원하기만 하면 네놈을 죽인 다음 유유히 걸어 나갈 수 있어' 하는 표정을 지었다. 익숙한 표정이었다.

군인들은 얼토당토않은 이유를 내세우며 버스를 검사했다. 몇 분 뒤에 우리 모두 다시 버스에 올라탈 수 있었다. 버스가 서서히 움직이기 시작하자 나는 뒤로 멀어져가는 바리케이드를 바라보며 '저런 바리케이드를 습격하던 시절이 있었는데' 하고 회상했다. 정신이 그때로 돌아가려는 찰나 얼른 생각을 떨쳐버렸다. 길을 가는 동안 바리케이드가 계속 나타났다. 그때마다 군인들의 행동은 각양각색이었다. 어떤 곳에서는 승객들이 다들 올바른 서류를 가지고 있는데도 돈을 요구했다. 그 요구에 응하지 않았다가는 도시로 돌려보내질 수도 있었다. 돈이 없는 승객들은 시계나 보석 등 값비싼 물건을 내주는 수밖에 없었다. 앞에 바리케이드가 보일 때마다 나는 무사히 지나갈 수 있도록 도와달라고 기도했다.

오후 네 시쯤, 버스가 최종 목적지인 캄비아라는 마을에 도착했다. 도시를 떠난 뒤 처음으로 승객들의 딱딱하게 굳었던 얼굴이 약간 풀렸다. 하지만 얼마 지나지 않아 다시 잔뜩 긴장해야 했다. 출입국 관리 직원들이 국경을 건너가려면 돈을 내라고 요구하는 통에 울화가 치밀었다. 승객들은 다들 양말, 바지 밑단, 두건 속으로 손을 뻗어 남은 돈을 꺼냈다. 일곱 살짜리 아이 둘을 데리고 있던 어떤 여자는 코나크리에 가서 아이들 먹일 돈은 있어야 하지 않겠냐며 직원에게 사정을 했다. 직원은 그저 손을 내민 채 여자보고 물러나라고 소리쳤다. 같은 시에라리온 사람들이 전쟁을 피해 도망친 사람들에게 돈을 요구하다니 역겨웠다. 그들은 목숨을 부지하겠다고 도망다니는 사람들을 마음껏 이용해먹었다. 나는 '자기 나라를 떠난다는데 왜 돈을 내라는 걸까?' 하고 생각했지만 소리내 싸울 수는 없었다. 나도 돈을 내야만 했다. 직원들은 여권에 출국 도장을 찍고 싶으면 두

달치 월급에 해당하는 300리온을 내라고 요구했다. 여권에 도장이 찍히자마자 나는 국경을 넘어 기니로 향했다. 수도인 코나크리로 가려면 50마일이 넘는 장정을 거쳐야만 했다. 그래서 나는 또 다른 버스를 타기 위해 걸음에 속도를 냈다. 그러고 보니 내가 기니에서 사용되는 언어를 하나도 할 줄 모른다는 사실이 떠올랐다. 살짝 걱정이 되었지만 일단 시에라리온을 살아서 나온 것만으로 안도했다.

코나크리 행 버스들은 기니 군인들이 서 있는 검문소 맞은편에서 대기 중이었다. 검문소 근처에는 기니 화폐를 자기 마음에 드는 환율대로 판매하는 남자들이 서 있었다. 군인들이 저런 암시장을 가만히 둘까 싶었지만 군인들도 딱히 신경 쓰는 것 같지 않았다. 나는 가지고 있던 돈을 환전한 뒤 검문소로 향했다. 국경에 바글바글한 군인들은 실제로 모르는 것인지 모르는 척을 하는 것인지 영어를 쓰지 않았다. 다들 금방 무슨 일이 벌어지기라도 할 것처럼 준비 태세를 갖추고 있었다. 나는 그들과 눈을 마주치지 않으려고 애썼다. 혹시 그들이 내 눈을 들여다보고는 내가 한때 내전에 참여했던 소년병이었다는 사실을 알아차릴까 봐 두려웠다.

버스에 가려면 짙은 갈색 목조 건물을 통과해야 했다. 건물 안에서 사람들이 군인들에게 가방 검사를 받은 뒤 밖으로 나가 검문소 직원에게 서류를 제출하고 있었다. 건물로 들어가자 군인들이 내 가방을 쫙 열어젖히고는 내용물을 바닥에 쏟아냈다. 기껏해야 셔츠 두 벌, 내의 두 벌, 바지 세 벌이 다였기 때문에 가방을 다시 싸는 게 그리 어렵지는 않았다.

건물 밖으로 나오자 온 군인들이 모두 나를 쳐다보는 것 같았다. 서류를 제출해야 하는데 누구한테 제출하면 되는지 몰랐다. 테이블이 너무 많이 놓여 있어서 어디로 가면 되는지 감이 잡히지 않았다. 군인들은 완전군장을 한 채 망고나무 그늘에 앉아 있었다. 몇몇은 끈이 달린 총을 의자에 걸어놓았고 몇몇은 총구가 나무 건물을 향하게 한 채 총을 테이블 위에 올려놓았다. 돈을 요구하기 전에 사람들을 긴장시키는 방식이었다.

시가를 문 채 오른쪽 끝 테이블에 앉아 있던 군인이 나보고 가까이 오라고 손짓했다. 내가 다가가자 그는 여권을 달라고 손을 내밀었다. 나는 눈도 마주치지 않은 채 여권을 건넸다. 군인은 내가 알아듣지 못하는 언어로 말하다 내 여권을 가슴 주머니에 넣고는 시가를 입에서 떼고 양손을 테이블 위에 올린 채 고압적인 태도로 나를 바라보았다. 내가 바닥을 보자 군인이 내 턱을 들어올렸다. 군인은 시가를 한 모금 더 빨고는 다시 내 여권을 찬찬히 들여다보았다. 그는 충혈된 눈으로 싱긋 미소를 짓고 있었다. 그는 깍지를 끼고는 의자에 기댄 채 나를 바라보았다. 내가 살짝 미소를 짓자 나를 비웃었다. 그러고는 자기 언어로 뭐라 말한 뒤 다시 손을 테이블 위에 올려놓았다. 이번에는 미소가 사라져 있었다. 나는 그의 손에 돈을 올려놓았다. 그는 돈을 코에 대고 냄새를 맡더니 돈을 주머니에 집어넣었다. 그러고는 내 여권을 주머니에서 꺼내 돌려준 다음 문을 통과하면 된다고 손으로 가리켰다.

건물 맞은편에는 버스가 아주 여러 대 있었다. 코나크리로 가려면 어떤 버스를 타야 하는지 혼란스러웠다. 사람들을 붙잡고 길을 물어보았지만 아무도 내가 하는 말을 알아듣지 못했다. 내가 유일하게 아는 프랑스 말인 '봉주르'는 어디에도 쓸모가 없었다.

허둥지둥 코나크리로 가는 버스를 찾다가 그만 행인 한 명과 부딪히고 말았다.

남자가 크리오 말로 툴툴거렸다. "앞 좀 보고 다녀라."

나는 죄송하다고 말한 뒤 "안녕하세요?" 하고 악수를 청했다.

악수를 하면서 남자가 물었다. "안녕하다만, 여기서 뭐 하니 꼬마야?"

나는 코나크리 행 버스를 찾고 있다고 말했다. 그러자 남자는 자기도 그리로 가는 길이라고 말했다. 버스는 만원 상태였다. 그래서 가는 내내 거의 서 있어야 했다. 수도까지 50마일 이상을 가는 동안 검문소가 열다섯 군데 이상 있었고 검문소 군인들은 언제나 매정했다. 바리케이드는 죄다 모습이 똑같았다. 일단 총이 달린 지프차들이 도로를 가로막고 있었다. 한쪽 수로에서 반대편 수로까지 도로를 따라 늘어서 있는 금속 막대 옆에는 군인 둘이 서 있었다. 오른쪽에는 방수포를 덮은 판잣집 아래 군인들이 더 앉아 있었다. 판잣집은 칸막이 몇 개로 나뉘어 있었고 각각의 공간에서는 군인들이 사람들을 검문했다. 시에라리온 사람에게는 이미 정해놓은 액수가 있었다. 돈을 지불하지 못하면 버스 밖으로 쫓겨났다. 나는 군인들이 쫓겨난 사람들을 다시 국경 밖으로 돌려보내는 걸까 궁금했다. 같이 버스를 탄 남자 덕분에 나는 바리케이드 몇 군데를 공짜로 통과할 수 있었다. 군인들은 대부분 내가 남자의 아들이라고 착각하고는 남자의 서류만 검사한 뒤 그에게 두 명분 요금을 부과했다. 남자는 그런 줄 모르는 눈치였다. 그저 코나크리에 무사히 도착하기만 하면 되지 돈이 얼마가 들든 상관이 없는 것 같았다. 어느 바리케이드에서는 군인들이 나를 방으로 데려가더니 옷을 벗으라고 했다. 처음에는 옷을 벗기 싫었지만 군인들이 어떤 남자를 발로 차 넘어뜨린 뒤 셔츠랑 바지를 강제로 벗기는 모습을 본 후부터는 순순히 지시를 따랐다. 군인 한 명이 내 벨트를 빼앗았다. 버클에 사자 머리 장식이 달린, 내가 제일 아끼는 벨트였다. 나는 바지를 한 손으로 붙잡은 채 버스로 달려갔다. 분노를 삭이느라 이를 앙다물고 주먹을 꽉 쥐어야 했다.

마지막 검문소에서는 어느 군인이 몸을 수색할 수 있게 양손을 머리 위로 올리라고 지시했다. 내가 손을 올리자 바지가 주르륵 흘러내렸고 승객들 몇몇이 웃음을 터뜨렸다. 군인은 내 바지를 끌어올린 뒤 자기 주머니에 있던 신발끈으로 허리를 동여매주었다. 그런 다음 내 주머니에 손을 집어넣어 여권을 꺼냈다. 여권을 휙휙 넘기더니 다시 돌려주었다. 나는 입국 도장을 받으려고 줄을 서서 기다리고 있는 사람들 뒤에 가서 섰다. 화가 나서 몸이 부들부들 떨렸지만 코나크리로 무사히 들어가려면 진정해야 했다. 앞에 있는 사람들이 하는 얘기를 엿들으니, 입국 요금이 시에라리온 화폐로는 300리온에 달하는 금액이었다. 나한테는 100리온밖에 없었고 그마저도 남은 여정에 꼭 필요한 돈이었다. 이제 어떻게 해야 하나 고심하고 또 고심했다. 여기까지 어떻게 왔는데 전부 수포로 돌아가게 생겼다. 프리타운으로 돌아가고 싶어도 돌아갈 돈조차 없었다. 눈에 눈물이 맺히기 시작했다. 도저히 빠져나갈 구멍이 보이지 않아 초조했다. 불안감이 엄습하려는 찰나, 방금 막 여권에 도장을 찍은 어떤 남자가 버스에 다시 타려고 검문소를 빙 돌아가는 길에 실수로 자루 두 개를 떨어뜨렸다. 잠깐 망설였지만 기회를 붙잡아야겠다 싶었다. 나는 줄에서 나와 남자의 자루를 집어들고는 남자를 따라 버스에 올라탔다. 뒷좌석에 구부정한 자세로 앉아 혹시 군인들이 내 쪽을 바라보지는 않는지 힐긋힐긋 쳐다보았다. 사람들이 다 탑승할 때까지 나는 버스에 가만히 앉아 있었다. 다행히 군인들은 나를 찾지 않았다. 버스가 서서히 움직이더니 속도를 내기 시작했다. 나는 기니에 불법으로 들어온 셈이 되었다. 나중에 문제가 될 게 뻔했지만 어쩔 수 없었다.

버스가 코나크리를 향해 달리는 동안 슬슬 걱정이 되기 시작했다. 사실 코나크리에 도착한다 해도 뭘 해야 할지 몰랐다. 시에라리온 대사가 피난민들이 잠시 지낼 수 있도록 대사관 한켠을 내어줬다는 얘기는 들은 바 있었다. 하지만 애초에 대사관 자체가 어디 있는지를 몰랐다. 옆에는 프리타운에 살았다는 풀라니 부족 사람 잘로가 앉아 있었다. 우리는 전쟁이 시에라리온을 얼마나 쑥대밭으로 만들어놓았는지 대화를 나누었다. 잘로는 자기 전화번호를 주면서 도움이 필요하면 전화하라고 했다. 나는 당장 묵을 곳이 없다고 말하고 싶었지만 처지를 털어놓을 용기를 내기도 전에 잘로가 먼저 버스에서 내렸다. 혹시 정류장에서 마주쳤던 시에라리온 남자가 있나 버스 안을 둘러보았지만 보이지 않았다. 몇 분 뒤 버스가 커다란 정류장에 정차했다. 최종 목적지였다. 나는 버스에서 내려 모두가 떠나는 모습을 지켜보았다. 한숨을 내쉬고는 양손을 머리에 짚은 채 벤치로 가서 앉았다. 나는 손에 얼굴을 묻고 반복해서 중얼거렸다. "밤새도록 여기 앉아 있을 순 없어."

정류장에는 택시가 많았다. 정류장에 도착한 사람들은 다들 택시를 잡았다. 길 잃은 외국인이라고 대놓고 광고하고 싶지는 않았기 때문에 나도 택시를 잡았다. 기사가 프랑스어로 뭐라고 말했다. 목적지를 물어보는 게 뻔했기 때문에 "시에라리온 영사관, 아아, 대사관이요"라고 대답했다. 나는 창밖으로 전봇대와 거기에 대롱대롱 매달린 가로등을 보았다. 가로등 불빛이 달빛보다 환했다. 택시가 대사관 앞에 멈추어 섰다. 기사는 제대로 찾아왔다고 안심시키려는지 녹색, 흰색, 파란색으로 된 깃발을 가리켰다. 내가 고개를 끄덕이고는 요금을 냈다. 차에서 내리자 대사관 입구를 지키는 경비 요원들이 크리오 말로 여권을 달라고 했다. 여권을 보여주자 그들은 나를 안으로 들여보내주었다.

대사관 안에는 나와 같은 처지일 듯한 사람들이 쉰 명 넘게 있었다. 그들은 대부분 건물 밖에 매트를 깔고 누워 있었다. 그 사람들 옆에는 꾸러미나 가방이 놓여 있었다. 어떤 사람들은 짐에서 매트를 꺼내고 있었다. 밤에만 이곳에서 자고 낮에는 밖으로 나가나 보다 싶었다. 나는 구석에 자리 하나를 발견해 벽에 기대앉아서는 거칠게 숨을 내쉬었다. 이곳 사람들 모습을 보니 전쟁을 피해 도망갈 때 지나쳤던 마을들이 떠올랐다. 내일은 어떤 소동이 벌어질까 겁이 나고 걱정이 되었다. 그렇지만 어쨌든 프리타운을 벗어났다는 사실이 만족스러웠다. 다시 소년병 신세로 전락할 위험에서 탈출했으니까 말이다. 그 사실만으로 조금 위안이 되었다. 나는 가방에서 남은 생쌀을 꺼내 씹기 시작했다. 몇 걸음 떨어진 곳에는 한 여자가 기껏해야 일곱 살 정도 되어 보이는 아들과 딸을 데리고 앉아 있었다. 그녀는 다른 사람들에게 방해가 되고 싶지 않았는지 아이들에게 속삭이듯 이야기를 들려주었다. 그녀의 세심한 손짓을 보고 있자니 어릴 때 어느 이야기를 듣던 기억이 머릿속에 밀물처럼 밀려왔다. 숱하게 들었던 그 이야기가 그날따라 더욱 특별하게 떠올랐다.

깜깜한 밤이었다. 우리는 불가에 둘러앉아 불을 쬐면서 달과 별이 물러날 때까지 이야기를 들었다. 빨갛게 타는 장작이 어둠 속에서도 우리 얼굴을 밝혔고 모닥불에서는 연기가 끊임없이 피어올라 하늘까지 이어지고 있었다. 친구들 중 한 명의 할아버지인 세사이 할아버지가 그날 밤 우리에게 많은 이야기를 들려주셨다. 하지만 마지막 이야기를 들려주기 전에는 거듭해서 강조하셨다. "이건 정말 중요한 이야기란다." 그러고는 목청을 가다듬고 이야기를 시작하셨다.

"옛날에 어떤 사냥꾼이 숲으로 원숭이 사냥을 떠났어. 출발한 지 몇 분도 안 돼서 어느 키 작은 나무의 가지 위에 원숭이 하나가 느긋하게 앉아 있는 모습을 발견했어. 사냥꾼이 다가가자 낙엽 위로 바스락바스락 발소리가 났지. 그런데도 원숭이는 사냥꾼에게 눈길도 주지 않았어. 사냥꾼은 원숭이가 또렷이 보이는 나무 뒤까지 다가가서는 소총을 들고 원숭이를 겨냥했어. 막 방아쇠를 당기려는데 원숭이가 입을 열고 말했지. '나를 쏘면 당신 어머니가 죽으리오. 나를 쏘지 않으면 당신 아버지가 죽으리라.' 원숭이는 다시 자세를 편안하게 고쳐 잡고는 이따금 머리나 옆구리를 긁적이면서 유유히 음식을 씹어 먹었어."

할아버지가 우리에게 질문을 던지셨다. "자, 너희들이 사냥꾼이라면 어떻게 하겠니?"

우리 마을 아이들이라면 매년 한 번씩 듣는 이야기였다. 이야기꾼은 보통 어르신이 맡는데, 이야기꾼은 이야기를 끝마칠 때마다 그처럼 대답하기 곤란한 질문을 던졌다. 옆에서는 늘 아이들 부모가 지켜보고 있었다. 모임에 참석한 아이라면 누구나 질문을 받았다. 하지만 아무도 대답하지 못했다. 엄마랑 아빠가 옆에서 지켜보고 있는데 뭐라고 대답한단 말인가. 이야기꾼도 답을 제시한 적은 없었다. 대답할 차례가 되면 나는 늘 고민해보겠다고 말했다. 물론 좋은 답변은 아니었다.

이야기 자리가 파한 뒤, 나는 여섯 살에서 열두 살 사이인 또래 친구들과 둘러앉아 부모님을 둘 다 살릴 방법은 없을까 머리를 맞대고 답을 쥐어짜냈다. 그래도 마땅한 대답이 생각나지 않았다. 원숭이를 살리든 죽이든 누군가는 반드시 죽을 수밖에 없었다.

그날 밤, 아이들 모두 의견을 모아 대답 하나를 준비하기는 했지만 바로 퇴짜를 맞았다. 우리는 세사이 할아버지께 원숭이 사냥을 가지 않으면 되지 않느냐고 말했다. "이를테면 사슴 같은, 다른 동물을 잡으면 되잖아요."

할아버지가 말씀하셨다. "그건 답이 못 되지. 이야기 속에서 사냥꾼은 이미 총을 원숭이에게 겨누고 있고 반드시 둘 중 하나를 결정해야만 해." 그러시고는 씩 웃으시면서 콜라 열매를 반으로 쪼개 한 조각을 입에 넣으셨다.

사실 일곱 살 때 나는 적어도 내가 생각하기에는 말이 되는 답을 하나 가지고 있었다. 물론 엄마 마음을 아프게 하고 싶지 않았기 때문에 아무한테도 이야기한 적은 없었다. 나는 만약 내가 사냥꾼이라면 원숭이를 쏘겠다고 결론내렸다. 그래야 녀석이 더 이상 다른 사냥꾼들을 곤경에 빠뜨릴 수 없을 테니까.

연대기

　기록으로 남은 자료는 없지만 적어도 1200년대 전부터(유럽인이
시에라리온에 발을 들이기 전부터) 불롬(셔브로) 부족 사람들이 시에
라리온 해안을 따라 거주한 것으로 추정된다. 1400년대 초부터 아
프리카 각지에서 여러 부족이 이주해 오늘날 시에라리온으로 알려
진 지역에 정착했다. 그런 부족 중에는 오늘날 시에라리온 북부 해
안에 해당하는 지역에 정착한 템네 부족이 있었다. 남부 지역을 차
지한 멘데 부족 역시 시에라리온의 주요 부족으로 자리 잡았다. 시
에라리온 곳곳에는 그 밖에 열다섯 개 부족이 거주하고 있었다.

· 1462년: 포르투갈 탐험가들이 시에라리온에 상륙하면서 기록상
　의 시에라리온 역사가 시작되었다. 탐험가들은 오늘날 프리타운
　에 해당하는 지역을 둘러싼 산맥이 사자 모양을 닮았다고 하여

사자 산맥을 뜻하는 '세라 리오아'라는 이름을 붙였다.

- 1500년~1700년대 초: 유럽 상선들이 시에라리온 반도에 정기적으로 정박했다. 상인들은 옷감과 금속을 가져와 상아, 목재, 노예와 교환했다.

- 1652년: 시에라리온 출신 노예들이 오늘날의 미국 남부 해안 앞바다에 위치한 시(Sea) 열도로 끌려가면서 북아메리카 최초의 노예가 탄생했다.

- 1700년~1800년: 사우스캐롤라이나와 조지아에서 시에라리온과 노예무역을 활발히 진행했다. 시에라리온 노예들의 쌀 경작 기술이 플랜테이션 농장에서 요긴하게 쓰였기 때문이다.

- 1787년: 영국의 노예폐지론자들이 미국, 노바스코샤, 영국에서 해방된 400명의 노예들이 아프리카로 돌아가 정착하는 것을 도왔다. 그들은 노예들이 정착한 시에라리온 내의 지역을 '자유 지대'라고 불렀다. 이처럼 시에라리온에 정착하게 된 아프리카 출신 노예들은 '크리오'라 불리게 되었다.

- 1791년: 점점 더 많은 해방 노예들이 정착지인 '자유 지대' 정착지

에 모여들었다. 얼마 지나지 않아 이 지역은 '프리타운'으로 알려지게 되었다. '프리타운'은 오늘날 시에라리온 수도의 이름이다.

- 1792년: 프리타운이 서아프리카 최초의 영국 식민지 중 하나가 되었다.

- 1800년: 자메이카 출신 해방 노예들이 프리타운에 도착했다.

- 1808년: 영국이 시에라리온을 직할 식민지로 삼았다. 영국 정부는 노예무역을 감시하기 위해 프리타운을 해군 순찰 기지로 이용했다.

- 1821년~1874년: 프리타운이 영국 총독이 상주하는 서아프리카 행정 중심지 역할을 수행했다. 총독부는 골드코스트(오늘날의 가나)와 감비아 역시 통치했다.

- 1827년: 푸라베이대학교가 설립되어 급속히 성장했다. 푸라베이대학교는 영어를 할 줄 아는 수많은 아프리카인을 서부 해안으로 끌어들였다. 이후 백여 년 동안 푸라베이대학교는 사하라 이남 서아프리카의 유일한 유럽식 대학이었다.

- 1839년: 아미스타드 호에 탑승한 노예들이 자유를 되찾기 위해 반란을 일으켰다. 주모자인 셍베 피(미국에 알려지기로는 조셉 싱케)는 시에라리온 멘데 부족 출신인 젊은 청년이었다.

- 1898년: 영국이 시에라리온에 가옥세를 부과했다. 보호국 주민은 영국 정부의 통치를 받는 특권을 누리는 대신 가옥 크기에 따라 세금을 지불해야 한다는 명령이었다. 그로 인해 내륙 지역에서는 각각 템네 부족과 멘데 부족에 의해 두 차례의 무력투쟁이 발생했다.

- 1951년: 영국이 제정한 헌법에 의해 시에라리온 주민들이 일정량의 권리를 확보했다. 이로써 탈식민지를 위한 기틀이 마련되었다.

- 1953년: 시에라리온 현지인에게 장관급 권한이 부여되었다. 밀턴 마르가이 경이 수석장관 자리에 올랐다.

- 1960년: 밀턴 마르가이 경이 런던에서 입헌 논의를 성공적으로 마친 뒤 수상 자리에 올랐다.

- 1961년 4월 27일: 시에라리온이 독립했다. 밀턴 마르가이 경이 첫 수상이 되었다. 시에라리온은 영연방 국가로서 의원내각제를 채

택했다. 이듬해 보통선거 원칙에 따라 총선이 실시되었다. 독립에 크게 기여한 만큼 밀턴 마르가이 경이 이끄는 시에라리온인민당(SLPP)이 총선에서 승리했다.

- 1964년: 밀턴 마르가이 경이 사망했다. 그의 이복형제인 앨버트 마르가이 경이 뒤이어 수상 자리에 올랐다.

- 1967년 5월: 치열한 접전 끝에 전인민회의당(APC)이 다수 의석을 차지했다. 그에 따라 영국 왕실을 대표하는 총독이 APC 당수이자 프리타운 시장인 시아카 스티븐스를 새로운 수상으로 선언했다. 불과 몇 시간 뒤 시에라리온 군 사령관인 데이비드 란사나 준장은 부족장 의원 선거 결과를 기다려야 한다는 명분으로 시아카 스티븐스와 앨버트 마르가이를 가택연금에 처했다. 하지만 다른 군 장교들이 또다시 쿠데타를 일으켜 란사나를 체포했다. 뒤이어 이들 역시 세 번째 쿠데타, 즉 '하사관들의 난'에 의해 축출되었다.

- 1968년: 민정이 회복되면서 마침내 시아카 스티븐스가 수상 직위를 맡았다. 하지만 평화는 완전히 복원되지 않았다. 11월에 스티븐스는 지방의 소요 사태를 빌미로 국가 비상 상태를 선포했다.

- 1971년: 군부 쿠데타가 실패로 돌아가면서 스티븐스 정부 체제가

유지되었다. 또한 의회에서 공화정 체제를 채택하면서 시아카 스티븐스는 시에라리온 공화국 최초의 대통령이 되었다.

- 1974년: 재차 군부 쿠데타가 발생했으나 실패했다.

- 1977년: 학생들이 정부의 부패 정치와 공금 횡령에 저항하기 위해 시위를 벌였다.

- 1978년: 헌법이 개정되면서 집권당을 제외한 모든 정당이 법으로 금지되었다. 결과적으로 시에라리온은 APC만을 합법적인 당으로 인정하는 일당 체제 국가가 되었다.

- 1985년: 시아카 스티븐스가 임기를 마치고 은퇴했다. 하지만 스티븐스의 간택을 받은 조셉 사이두 모모 소장이 후임 대통령을 맡았다. 모모 대통령을 위시로 한 APC 정권은 점점 더 심한 권력 남용을 일삼았다.

- 1991년 3월: 하사관 출신인 포데이 산코가 혁명연합전선(RUF)을 결성하여 라이베리아 국경을 거점 삼아 시에라리온 동부 마을들을 공격하기 시작했다. 초창기 RUF는 찰스 테일러가 이끄는 반군과 부르키나파소 출신 용병으로 구성되어 있었다. 이들이 내건

목표는 부패한 APC 정권을 시에라리온에서 축출하는 것이었다. 여러 달에 걸쳐 이어진 전투 끝에 RUF는 코노 지구의 다이아몬드 광산들을 차지하고 시에라리온국군을 프리타운으로 몰아내는 데 성공했다.

- 1992년 4월: 발렌틴 스트라서 대위가 이끄는 젊은 군 장교들이 쿠데타를 일으켜 모모 대통령을 추방했다. 이들은 국가임시통치평의회(NRPC)를 설립하여 시에라리온을 통치했다. 하지만 RUF를 억제하는 면에서 NRPC는 모모 정부만큼이나 무능했다. 점점 더 많은 지역이 RUF의 손아귀에 들어갔다.

- 1995년: RUF 반군이 시골 지역 상당 부분을 손에 넣었으며 프리타운 문턱까지 다다랐다. 상황을 통제하기 위해 NRPC는 사기업에서 수백 명으로 이루어진 용병 부대를 고용했다. 용병들은 한 달 만에 반군을 시에라리온 국경 지역의 소수 민족 거주지까지 몰아내는 데 성공했다.

- 1996년: 국방부 장관인 줄리우스 마아다 비오 준장이 발렌틴 스트라서를 몰아내고 NRPC 의장 자리를 차지했다. 민중의 요구와 국제적 압력이 거세지자 NPRC는 3월에 대선과 총선을 실시해 국가 권력을 민정으로 이양하기로 결정했다. 유엔에서 20년 이상

외교관으로 활동한 아마드 테잔 카바가 SLPP 소속으로 대통령에 당선되었다.

- 1997년 5월: 조니 폴 코로마 중령이 이끄는 군사 정부인 무장혁명 군평의회(AFRC)가 카바 정부를 전복시켰다. AFRC는 새 정부에 RUF 반군의 참여를 요청했다.

- 1998년 3월: 나이지리아 주도의 서아프리카경제공동체감시단 (ECOMOG) 평화유지군이 AFRC 정부를 축출한 뒤 민주적으로 선출된 카바 대통령 정부를 복귀시켰다.

- 1999년 1월: RUF가 또다시 카바 정부를 전복하려고 시도했다. 이번에도 프리타운 일부 지역까지 전투가 번졌으며 수천 명의 사상자가 발생했다. 몇 주 뒤 ECOMOG 평화유지군이 반군의 공격을 받아쳤다.

- 1999년 7월: 카바 대통령이 RUF의 포데이 산코와 토고의 수도 로메에서 평화 협정을 맺었다. 협정에 따라 반군은 새 정부에 참여할 수 있게 되었으며 모든 부대가 기소 면제를 받았다. 하지만 거국정부는 사실상 제대로 기능하지 못했으며 영토의 절반은 여전히 반군의 통제 아래 있었다. 10월에 유엔안전보장이사회는 시에

라리온유엔임무단(UNAMSIL)을 창설하여 평화 협정의 이행을 돕고자 했다.

- 2000년 4월~5월: 폭력 및 반군 행위가 되살아났다. 반군은 심지어 UNAMSIL 대원 수백 명을 인질로 붙잡고 그들의 무기와 탄약을 탈취하기까지 했다. 5월에 프리타운에 위치한 산코의 집 앞에서 RUF의 위법 행위에 항의하는 시위가 벌어지자 반군은 시위대를 향해 총을 발포하여 스무 명에 달하는 사람들을 사살했다. 이처럼 평화 협정에 반하는 사태들이 잇따라 벌어지자 산코를 비롯한 반군 주요 인사들은 체포당했으며 RUF는 정부에 참여할 권한을 상실했다. 5월 초에 나이지리아 수도 아부자에서 정전 협정이 새롭게 체결되었다. 하지만 무장해제·동원해제·사회재통합(DDR) 프로그램은 재개되지 않았으며 내전은 계속되었다.

- 2000년 5월: 시에라리온 상황이 급격히 악화되었다. 영국 측에서는 자국민을 구출하기 위해 '팔리서 작전'이라는 이름으로 군대를 파견하기까지 했다. 이 덕분에 상황이 비교적 안정되었으며 정전의 시발점이 마련되었다.

- 2001년: 다시 한 번 아부자에서 전면적인 DDR 재개를 골자로 하는 평화 협정이 체결되었다. 이로 인해 정부와 반군 간의 교전이

상당히 줄어들었다. 무장해제 프로그램이 진척을 이루면서 정부
는 과거 반군에 통제력을 상실한 지역들을 되찾기 시작했다.

- 2002년 1월: 카바 대통령이 내전이 종식되었음을 공식적으로 선
  언했다.

- 2002년 5월: 카바 대통령과 SLPP가 대선과 총선에서 압도적인 승
  리를 거두었다. 재선에 성공한 카바는 5년 임기를 부여받았다.

- 2002년 7월 28일: 영국이 2000년 여름부로 시에라리온에 파견한
  군인 중 200명을 철수시켰다. 105명은 남아 시에라리온 군 훈련
  을 맡았다.

- 2002년 여름: 진실화해위원회(TRC)와 시에라리온특별법원
  (SCSL)이 본격적으로 기능하기 시작했다. 로메 협정에서는 인권
  침해 행위의 피해자와 가해자가 각자의 이야기를 피력할 공론
  의 장을 마련하고 그들이 진정한 화해에 이르도록 중재하기 위해
  TRC를 창설할 것을 요구했다. 뒤이어 시에라리온 정부는 유엔
  측에 SCSL을 수립을 도와줄 것을 요청했다. SCSL은 "1996년 11월
  30일 이후로 시에라리온 영토 내에서 발생한 범죄 행위들, 즉 시
  에라리온 법률에 반하는 범죄는 물론 인권 탄압, 전쟁 범죄, 국제

법 위반 행위에 막대한 책임을 지고 있는" 자들을 재판할 권한을 부여받았다.

• 2002년 11월: UNAMSIL이 최대 인원 17,500명을 기점으로 점진적인 인원 감축을 시작했다.

• 2004년 10월: TRC가 시에라리온 정부에 최종 보고서를 제출했다. 보고서는 편집 및 인쇄 문제 때문에 2005년 8월이 되어서야 대중에게 공개되었다. 2005년 6월에 정부는 TRC의 제안을 상당 부분 거부하거나 무시한 채 일부만을 받아들인 백서를 발표했다. 시민 사회는 정부 측 응답이 너무 모호하다고 일축했으며 정부가 TRC 보고서의 권고를 이행하는 데 실패했다고 비판했다.

• 2005년 12월: UNAMSIL의 평화 유지 임무가 공식적으로 종료되었다. 그 대신 시에라리온유엔통합사무소(UNIOSIL)가 설립되어 평화 구축 임무를 맡았다.

• 2006년 3월 25일: 나이지리아의 올루세군 오바산조 대통령이 라이베리아 신임 대통령 엘렌 존슨 설리프와 논의한 끝에 나이지리아에 망명해 살고 있던 찰스 테일러를 넘겨주는 데 동의했다. 이틀 뒤 테일러는 나이지리아를 탈출하려고 시도했으나 체포되어

유엔의 감독하에 3월 29일 밤 프리타운으로 압송되었다. 테일러는 유엔 측에 구류된 채 11건의 전범을 저지른 혐의로 SCSL 재판을 기다려야 했다. (그리고 마침내 2012년, 11건 모두 유죄 판결을 받았다. 테일러는 판결에 불복하였으나 결국 2013년에 50년 형을 선고받았다. 시에라리온 정부는 판결을 두고 "저지른 만행에는 미치지 못하는 판결"이지만 마침내 "정의를 향해 한걸음 나아갔다"고 평했다. 프리타운에서는 수천 명의 시민들이 거리로 나와 국기를 흔들며 환호했다. 테일러는 현재 영국 A등급 형무소에 수감 중이다—옮긴이)

감사의 말

내가 오늘까지 살아있으리라고는 생각도 못했습니다. 책을 쓰리라고는 더더욱 기대하지 못했어요. 내게 주어진 두 번째 인생을 살아가는 동안 얼마나 많은 분들이 나를 도와줬는지 모릅니다. 이 특별한 사람들은 내 삶에 의미를 불어넣어줬고 자신들의 마음의 문을 활짝 열어줬으며 나라는 인간은 물론 내가 맡은 모든 일을 믿어주고 지지해주었죠. 여러분이 없었더라면 이 책은 세상에 나오지 못했을 겁니다. 일단 우리 가족에게 고마움을 한껏 담아 전해드립니다. 우리 엄마 로라 심즈. 엄마는 나를 여기 데려오기 위해 쉬지 않고 애썼고, 나를 한없이 사랑해주고 조언해주었으며, 내가 집이 없을 때 집을 내줬고, 내 유년 시절의 마지막 순간들을 편안히 즐길 수 있도록 도와줬죠. 정말 감사드려요. 그리고 우리 이모들 헤더 그리어, 프란 실버버그,

샨사 블로먼. 다들 내 이야기를 잘 들어줬고 따뜻하고 너그러운 마음으로 사랑과 감정적인 지지를 보내줬으며 뜻깊은 순간들을 만들어줬습니다. 그 밖의 모든 것까지 다 고맙습니다. 우리 누이 에리카 헤너건. 나를 믿어주고 솔직하게 대해주고 사랑해줘서 고마워. 그리고 우리 존재의 이유를 가지고 씨름하느라 함께 기나긴 밤을 보낼 때도 늘 깊이 있는 통찰을 나눠줘서 고마워. 내 형제 버나드 마탐보. 우정과 지식을 나눠줘서 고마워. 같은 꿈을 꾸며 꿈을 이루기 위해 끊임없이 밀고 나아가는 내내 함께 매 순간을 즐겨줘서 고마워. 도서관에서 밤을 지새우던 날들도 함께한 덕분에 더욱 뜻깊고 잊을 수가 없어. 고마워, 체일. 그리고 내 사촌 아미나타와 내 어릴 적 친구 모하메드. 너희와 다시 내 삶을 공유하게 돼서 정말 기뻐. 너희를 보면 과거에 행복했던 시절까지 떠올라.

마지 슈어와 슈어 가족에게는 정말 큰 빚을 지고 있습니다. 여러분이 계속해서 재정적인 지원을 해준 덕분에 학업을 마칠 수 있었고 내 꿈을 넘어서는 일들을 이룰 수 있었어요. 진심으로 감사드립니다. 블루리지앤포오크스재단에 계신 모든 분들께 감사드립니다. 나를 친동생처럼 돌봐주고 바로잡아준 조지프 코튼과 트레이시, 모든 게 괜찮은지 늘 확인해준 마리 소벨에게도 감사합니다. 그리고 리사, 전부 다 고마워요.

오벌린대학교에 계신 여러 교수님들께도 감사합니다. 로리

맥밀린 교수님은 제가 진지하게 글을 써볼 수 있도록 자신감을 심어주셨죠. 단 차온 교수님은 제 잠재력을 믿어주면서 늘 참을 성 있게 저를 지도해주셨고 저를 친구처럼 솔직하게 대해주셨 으며 이 책을 내기까지 아낌없이 지원해주셨어요. 잘 가르쳐주 신 점, 책을 완성할 수 있도록 확신을 주신 점 감사드립니다. 실 비아 와타나베 교수님, 저를 지원해주시고 우정을 허락해주셔 서 감사합니다. 훌륭한 상담자가 되어주셔서, 또 제가 창의적으 로 살아갈 수 있도록 부단히 자극해주셔서 고맙습니다. 그리고 야쿠부 사아카 교수님과 벤 쉬프 교수님, 훌륭한 조언 베풀어주 신 점 늘 감사하고 있습니다.

내 소중한 친구들 폴 포겔과 이베테 찰롬. 늘 내 행복에 관심 을 가져주고 진심 어린 조언을 해주어 고마워. 내가 책을 쓰는 동안 집 문까지 기꺼이 열어줬지. 너희 둘은 이 책을 가장 먼저 읽어본 독자들이기도 해. 기꺼이 의견을 들려준 덕분에 책을 다 듬는 데 큰 도움이 됐어. 프리실라 하이너, 조 베커, 팜 브룬스 에게도 고마워. 너희들이 보내준 격려와 우정 늘 기억하고 있 어. 원고를 보면서 식견을 나누어준 것도 고맙고.

이라 실버버그, 당신이 제 에이전트를 맡은 것은 저로선 행 운이었습니다. 깊이 있는 조언과 우정 어린 태도에 고마워요. 문외한인 제게 출판업계가 어떻게 돌아가는지 설명해주는 내 내 참을성을 보여줘서 또 고맙습니다. 당신이 없었다면 책을 쓰다 금세 좌절하고 말았을 거예요. 편집자 사라 크라이튼, 당신이 겪었을 온갖 수고에 정말 감사드립니다. 지극히 개인적이고 감정적인 작품이었을 텐데 당신은 작업하는 내내 진솔한 태도를 보이면서도 배려와 동정심을 잃지 않았어요. 미팅 전후로 같이 수다를 떨어준 덕분에 저도 더 밝게 임할 수 있었습니다. 같이 일하면서 너무나 재밌었고 정말 많은 것을 배웠어요. 주기적으로 연락하면서 작업이 지체되지 않게 도와준 로즈 리히터 마르크에게도 고맙습니다. 그 외에도 파라스트라우스앤지룩스에 계신 모든 분들께 감사드립니다.

나의 친구들 멜빈 지머네즈, 매트 무어, 로렌 하이먼, 마리엘 람지. 나랑 친구가 돼줘서 고맙고 늘 잊지 않고 연락해줘서 고마워. 집필하느라 혼자 떨어져 시간을 보내더라도 이해해줘서 고맙고. 그 밖에도 내게 마음의 문은 물론 자기 집 문까지 열어준 모든 분들께 고맙습니다.

마지막으로 다니엘레 포겔, 감정적으로 저를 뒷받침해줘서 정말 고마워요. 책을 쓰는 내내 사랑과 참을성과 이해심을 보여주셨죠. 당신의 우정 어린 관심이 없었더라면 학교를 다니면서 책을 집필한다는 여정에 오르기가 훨씬 더 어려웠을 거예요.

이스마엘 베아

옮긴이 후기

어느 영화 덕에 한층 더 인기를 얻게 된 표현이 있다. "어이가 없네"라는 말이다. 영화 속에는 표현의 유래를 설명해주는 '이야기'도 등장한다. 본래 '어이'라는 단어는 맷돌의 손잡이를 가리킨다고 한다. 그러니까 어이가 없다는 말은 한껏 준비를 갖추고 맷돌을 돌리려는데 맷돌 손잡이가 없어서 이도저도 못하고 황당해 하는 상황을 뜻하는 셈이다. 이런 이야기를 접하고 난 뒤 "어이가 없다"고 말할 때마다 내 눈에는 손잡이가 빠진 맷돌 이미지가 쉭 지나가면서 내가 느끼는 황망함도 배가 되는 느낌이다. 이것이 이야기가 가진 힘이다. 이야기는 상황을 최대한 있는 그대로 생생하게 전해줌으로써 우리가 직접 겪어보지 못한 상황조차 이해하고 공감하도록 만든다.

이스마엘 베아가 『집으로 가는 길』이라는 이야기를 가지고 부리는 마법 역시 그와 같다. 몇 해 전 세계 인권 문제를 다루는 책을 읽어보기 전만 하더라도 나는 인권 문제 가운데 소년병 문제가 포함되어 있다는 인식조차 가지지 못했다. 그후로도, 저 멀리 어디서는 어린 소년들이 전쟁에 참전하고 있다더라 어렴풋이 생각만 했을 뿐이다. 부끄럽지만 그럼에도 소년병에 관해 더 이해해야 할 내용은 없다고 판단했다. '소년'이 무엇인지 알고 있고 '병사'가 무엇인지 알고 있으니 둘을 합치면 그만이라고 생각했다. 물론 착각이었다.

비교적 최근에 이루어진 한 강연에서 베아는 뉴욕 시에 도착한 후의 일상에 관해 이야기하면서 학교 친구들과 페인트볼 게임을 한 일화를 소개한다. (물론 베아의 과거를 모르는 뉴욕 친구들은 베아의 능수능란한 실력에 속수무책으로 당한다.) 옛 기억이 떠올라서 힘들지 않았냐는 양어머니의 질문에 베아는 오히려 좋았다고 말한다. 평범한 아이들이 전쟁을 상상하는 순진무구한 방식을 확인할 수 있었기 때문이다. 운 좋게도 나 역시 소년들이 참전하는 전쟁은 상상으로나 그려보면 됐었다. 하지만 이제 이 책을 읽은 내게는 진짜 소년병의 민낯이 어떤지 완전히 새로운 그림이 떠오르게 될 것이다.

전쟁의 잔혹한 참상도 참상이지만, 책을 옮기는 내내 작가가 독자들에게 이거 하나는 간절히 이야기하고 싶어하는구나 느낀 점이 있었다. 바로 시에라리온 소년들에게 소년병이 되는 것 외에 다른 선택지가 없었다는 점이다. 반군 밑으로 들어가느냐 정부군 밑으로 들어가느냐의 차이만 있었을 뿐이다. 이 복잡한 이면을 온전히 이해해야 우리는 "네 잘못이 아니야"라는 선한 어른들의 말에 진심으로 공감할 수 있다. 독자들이 이 책을 계기로 아동 인권 문제에 적극적인 관심을 갖게 된다면 더할 나위 없이 좋겠지만 어쩌면 "네 잘못이 아니야"라고 말할 수 있는 통찰력을 얻는 것만으로도 책의 가치는 충분할지 모른다. 한국에도 (물론 소년병 문제는 없겠지만) 여러 가지 이유로 유년 시절이 망가진 아이들이 많다. 그들이 엇나간 행동을 보일 때 우리는 과연 잘못 자체만이 아니라 사랑과 보살핌이 결핍된 환경에도 기꺼이 주의를 기울일 의지를 가지고 있는가?

사실 이 책 작업을 맡았을 때 꽤 짙은 우울감에 시달리고 있었다. 그런데 책을 옮기면 옮길수록 (결코 가벼운 책이 아니었음에도) 묘하게 삶의 의욕이 되살아나는 것을 느꼈다. 시에라리온 사람들이 처한 환경에 비하면 나는 정말 감사하며 살아야겠다는 얄팍한 위안도 없었다고는 못하겠지만 그보다는 세상에 당장 내 사랑과 관심이 필요하다는 자각이 더 크게 작용했다. 독자들 역시 책을 통해 사랑과 관심을 주는 데서 오는 기쁨을 되찾을 수 있기를 바란다.

끝으로 이스마엘 베아에게 고맙다는 말을 전하고 싶다. 책을 옮기는 내내 간결하면서도 솔직한 문체를 보면서 작가가 고통을 참아가며 문장을 꾹꾹 눌러 담는 모습이 그려졌다. 아이답게 살아가지 못하는 아이들을 위해, 그리고 그런 아이들에 무지한 어른들을 위해 기꺼이 지난날의 상처를 공유해주어 감사하다.

김재경

집으로 가는 길

어느 소년병의 기억

1판 1쇄 발행 2021년 8월 30일

지은이 이스마엘 베아
옮긴이 김재경
펴낸이 김찬

펴낸곳 도서출판 아고라
출판등록 제2005-8호(2005년 2월 22일)
주소 경기도 파주시 가온로 256 1101-302
전화 031-948-0510
팩스 031-8007-0771

ⓒ 아고라, 2021

ISBN 978-89-92055-77-2 03840

* 책값은 뒤표지에 있습니다.